LEARNAKAN ENGLISH-TWI

DICTIONARY

STEPHEN AWIBA

LEARNAKAN BOOKS

Published by: LearnAkan Books
P.O. Box M248
Ministries, Accra
Ghana
learnakan@gmail.com

ISBN: 978-9988-2-9288-1

Layout, design & typesetting: Stephen Awiba

Sources of images: Pixabay (Public Domain Image)
Max Pixel (Public Domain Image)

Websites: www.learnakan.com
www.mytwidictionary.com

Table of contents

Preface

Not much has been done when it comes to Akan (Asante Twi) lexicography. The most notable works within this sphere dates as far back as 1874 and 1881.

In 1874, Johann Gottlieb Christaller, a Basel missionary published what was originally compiled by Rev. J. Zimmerman and (later) Rev. Ch. W. Locher as an English-Ga Vocabulary. Having been entrusted with the Twi literary work by the Basel Missionary Committee, Christaller expanded the works of Zimmerman and Locher by introducing more English words, and adding a Twi part. The result was published under the title *A Dictionary, English, Tshi*[1]*-Asànté-Akra*[2].

In 1881, Christaller followed up on his previous work with a new edition titled *A dictionary of the Asante and Fante language called Tshi (Chwee, Tw̆i): with a grammatical introduction and appendices on the geography of the Gold Coast and other subjects.* Beyond these two publications, there have only been a few works here and there within the Akan lexicographic space.

The world has seen major advancements, especially in the areas of science and technology, in the past two decades. Most natural

---

[1] How Christaller spelt ***Twi*** then.

[2] Used by Zimmerman, Locher and Christaller to refer to the Ga language. ***Akra*** (currently spelt ***Accra; Nkran*** in Twi) is the name of Ghana's capital city, where the Ga language is spoken as the L1.

languages have grown within this period to keep up with the strides. Unfortunately, it appears Akan is yet to see such growth. Apart from the borrowings resulting from Akan's contact with the colonial language English, Akan seem to lack terminologies to describe new concepts, media, inventions, etc. of our era.

It is this seeming lacuna that the present work seeks to help fill. *LearnAkan English-Twi Dictionary* is by no means an exhaustive piece and does not pretend to be. I consider it a contemporary foundation; a groundwork on which future editions would take off from. The idea is to keep working on this, releasing new editions every year towards comprehensiveness.

It is my hope that fellow linguists, like-minded individuals interested in the development and promotion of the Akan language, local and international organisations come on board to help actualise the agenda. Constructive criticisms from all quarters aimed at making this piece better are also welcome.

Users of *LearnAkan English-Twi Dictionary* will find that most entries come with contextual (and grammatical) notes. The purpose of this is to, as much as possible, distinguish between different translations of words, thereby aiding users to zone down to the specific translation they require.

May this work prove useful to persons travelling to Ghana, Asante Twi learners, linguists, researchers, schools and institutions that employ the Asante Twi dialect of the Akan language in one way or the other.

About the author

STEPHEN AWIBA, known by his students as YAW, is the founding editor of LEARNAKAN.COM and MYTWIDICTIONARY.COM.

He was born and raised in Kumasi, the Ashanti regional capital of Ghana, where Akan (Asante Twi) is spoken as the first language. Besides being exposed to and acquiring Twi from birth, Yaw has had the privilege of studying Twi from the basic school level, through high school, and at the university.

He holds a bachelor's degree in Linguistics and Theatre Arts from the University of Ghana (UG) and an MPhil in English Linguistics and Language Acquisition from the Norwegian University of Science and Technology (NTNU).

Dedication

I dedicate this piece of work to ***Asanteman***[3]. The best years of my life, thus far, have been those that I spent growing up in Kumasi.

My love for the workings of the Akan language, what I do today, I owe it all to the unique opportunity that I had to be raised within this beautiful culture.

I am most grateful.

---

[3] The Ashanti region of Ghana and its people.

Grammatical notations used

ADJ	adjective
ADV	adverb
CONJ	conjunction
DEF ART	definite article
DEMON PRON	demonstrative pronoun
DET	determiner
EXCLAM	exclamation
INDEF ART	indefinite article
INTERROG PRON	interrogative pronoun
NOUN	noun
NUM	number
PHRASE	phrase
PREFIX	prefix
PREP	preposition
PRON	pronoun
QUANT	quantifier
QUEST	question
REL PRON	relative pronoun
SUFFIX	suffix
VERB	verb

Some useful Twi terms to know about

aseda	acknowledgement
edin nkyerɛkyerɛmu	adjective
ɔkyerɛfoɔ	adverb
aane kabea	affirmative; positive
abirabɔ	antonym
ɔfa	chapter
ɔkasamufa	clause
edin hunu	common noun
susutwerɛ	composition
ɔkasamu tenten	compound sentence
nkabomdeɛ	conjunction
anom nnyegyeɛ	consonants
ɛnsiiɛ kabea	continuous tense
ɔkatwerɛ	dictation
ntamgyinafoɔ	emphatic particle
nhwɛsoɔ	example
dwumadie	exercise
daakye kabea	future tense
kasa mmara	grammar
anihanehane	hyperbole
kasakoa	idiom
ɔhyɛ kabea	imperative
atwerɛdeɛ	letter

ɔkasamufa titire	main clause
nnyinahɔma	metaphor
dabi kabea	negative
edin	noun
akontabudeɛ	numeral
ayɛdeɛ	object
kratafa	page
kasapɛn	paragraph
ayɛasie kabea	perfect tense (aspect)
ɔkasasin	phrase
dodoɔ kabea	plural
anwensɛm	poem
ɔdedeɛ	possessive pronoun
nkasaeɛ	predicate
nnianimu	preface
nsianimu	prefix
edinnsiananmu	pronoun
edin pa	proper noun
ɛbɛ	proverb
asɛmmisa	question
ɔkasamu	sentence
asesɛsɛm; ntotohosɛm	simile
twam kabea	simple past tense
daa kabea	simple present tense

ɔkasamu tiawa	simple sentence
baako kabea	singular
ayɛsɛm; abasɛm	story
ɔyɛfoɔ	subject
ɔkasamufa kumaa	subordinate clause
nsiakyire	suffix
nkyerɛase korɔ	synonym
adeyɔ	verb
adeyɔ boafoɔ	verb complement
ɛnne nnyegyeɛ	vowels
asɛmfua	word

About the Akan language

Introduction

Africa is home to an estimated 1500-2000 languages. These languages are grouped into various families and sub-families. Each family is made up of a number of languages that are related through a common ancestral language known as the proto-language of that particular family.

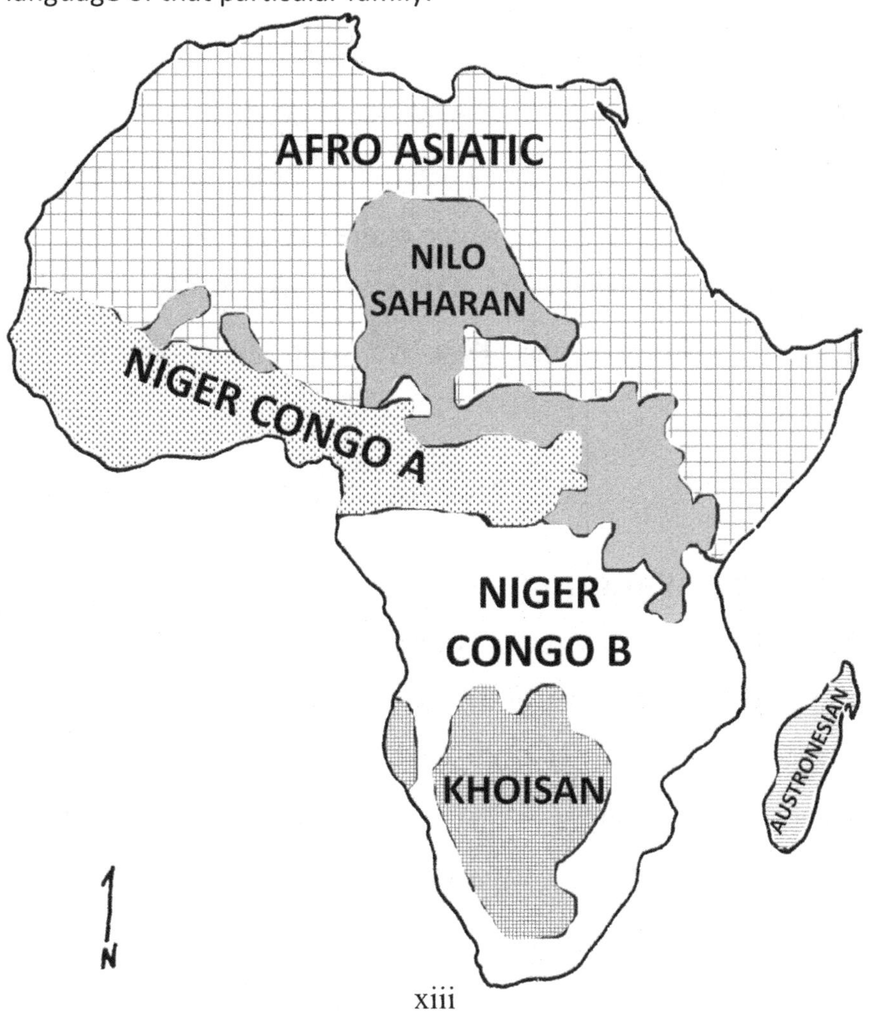

The major language families of Africa are:

- The Afro-Asiatic
- The Nilo-Saharan
- The Niger-Congo
- The Khoisan
- The Austronesian.

With over 1000 of its languages spread across two-thirds of the geographical area of Africa and spoken by more than 200 million people, the Niger-Congo family constitutes the largest of all the language families of Africa and one of the major families in the world. Some of the subgroups of the Niger-Congo family are the Atlantic-Congo, Volta-Congo, Kwa, Nyo, Protou-Tano, Tano and Central Tano.

The Akan Language | Twi

Akan, a Central Tano language, constitutes one of the languages under the Kwa sub-family of the higher Niger-Congo phylum. It is mainly spoken by the Akan ethnic group of Ghana in West Africa. Speakers of the language in Ghana are found in the Ashanti, Brong Ahafo, Eastern, Central, Western and parts of the Volta region.

The 2010 population and housing census by the Ghana Statistical Service pegged the percentage of native Akan speakers alone at 47.5%. Aside this, many non-native speakers use the Akan language as their second language, making it the most spoken indigenous language of Ghana.

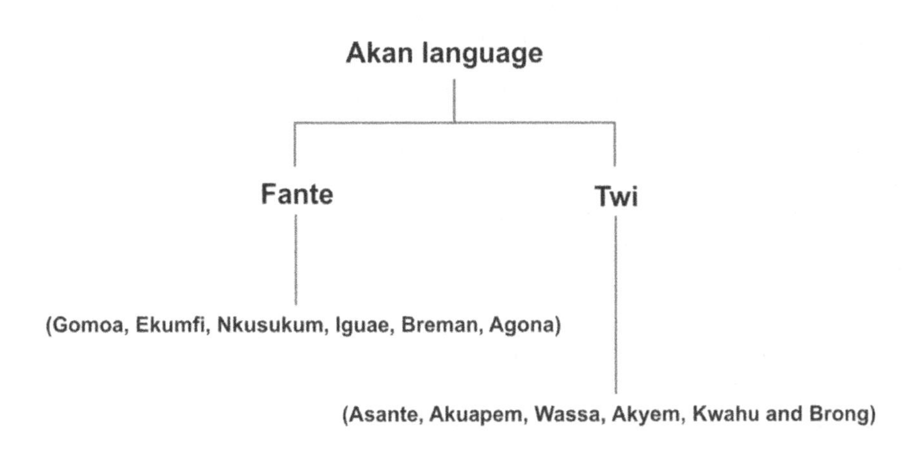

The Akan language is made up of several mutually intelligible dialects. Broadly, these dialects can be grouped into the Fante and Twi varieties. The sub-dialects that make up the Fante variety include Gomoa, Ekumfi, Nkusukum, Iguae, Breman and Agona. The Twi variety, on the other hand, is made up of such dialects as the Asante, Akuapem, Wassa, Akyem, Kwahu and Brong. The Brong dialect is also spoken by a percentage of the population of the eastern parts of Côte d'Ivoire, a neighbouring West African country. There, the Brong dialect is called Abron.

A version of Akan is also spoken in parts of the Caribbean and South America. It is notably spoken by the Ndyuka of Suriname and the Coromantee of Jamaica. The Akan language came to these regions through slave trade.

Contrary to popular assumption, the name Twi does not cover the language in its entirety. The language is Akan; Twi only constitutes one of its varieties. The Twi variety, especially the Asante Twi dialect, is the most spoken dialect of the Akan language in Ghana and, thus, very popular. The popularity of this dialect has resulted in people confusing its name as the name of the language in general.

In Ghana, Akan is used in several domains. It is used in churches, on radio and television programmes, for commerce, in movie dialogues, etc. The language is used as the medium of instruction in lower primary schools in locations where it is spoken as the first language. Akan is also taught as a school subject in those locations, from lower primary level, through junior high to senior high school levels. It is even taught as an undergraduate and graduate programme in some of the country's universities. Outside Ghana, Akan is studied in notable universities in the United States of America like Ohio University, The State University of New Jersey (Rutgers), Ohio State University, Boston University, Indiana University, University of Michigan, University of Florida, Harvard University, University of Wisconsin.

Twi pronouns

List of Twi subject pronouns

me	I	1st person singular
wo	you	2nd person singular
ɔno	he; she	3rd person singular
ɛno	it	3rd person neutral
yɛn	we	1st person plural
mo	you	2nd person plural
wɔn	they	3rd person plural

List of Twi object pronouns

me	me	1st person singular
wo	you	2nd person singular
no	him; her	3rd person singular
no	it	3rd person neutral
yɛn	us	1st person plural
mo	you	2nd person plural
wɔn	them	3rd person plural

Usage guide

1. The word classes of each entry appear in SMALL CAPITAL LETTERS.

2. You will find that some of the Twi verbal entries have been conjugated. In such instances, you will find the conjugations in italicized parentheses. An example is shown below:

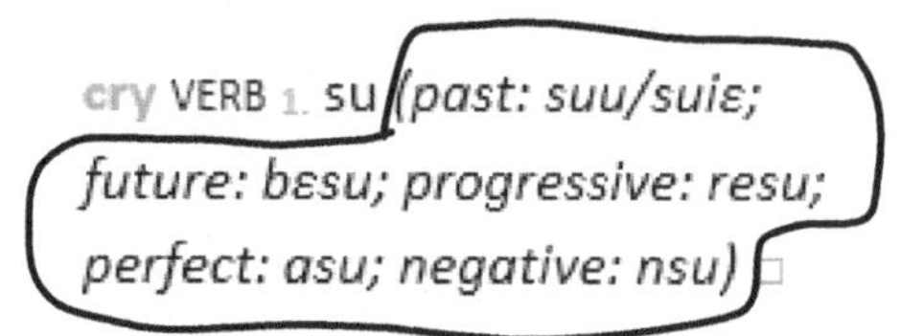

3. The plural forms of some nominal entries have been provided. You will find these plural forms in italicized parentheses like that shown below:

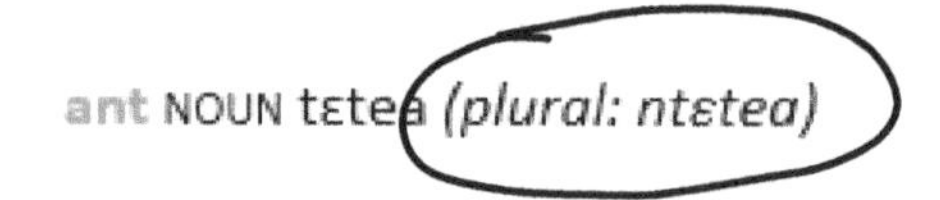

4. Some entries have been used in sentential examples to give users fair ideas on how such words are used in natural communication, and to aid them in forming sentences of their own. The symbol □ signals the start of such sentential examples.

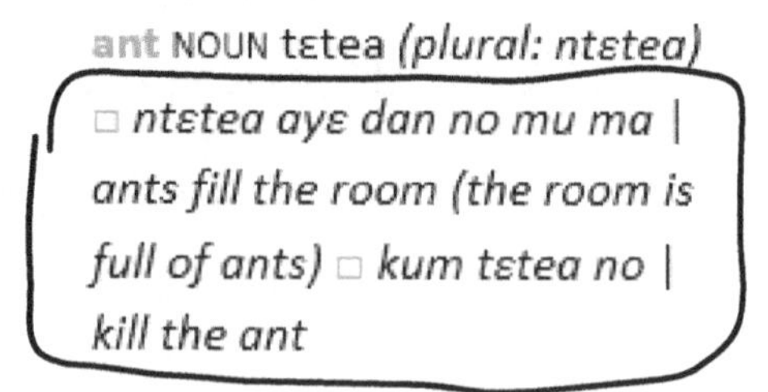

5. If an entry has two or more translations, you will find the translations numbered. Entries with single translations, on the other hand, come unnumbered.

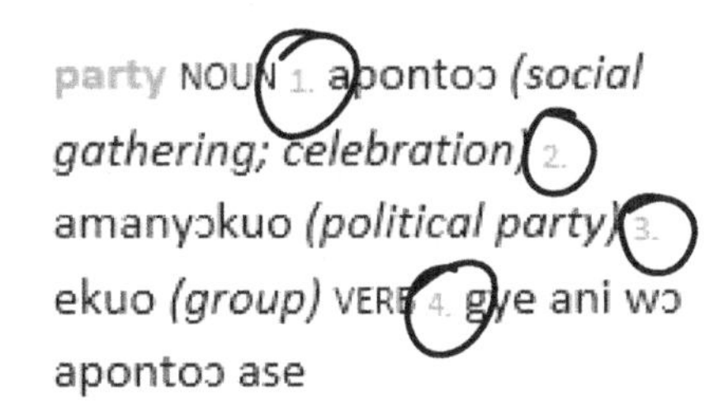
party NOUN 1. apontoɔ *(social gathering; celebration)* 2. amanyɔkuo *(political party)* 3. ekuo *(group)* VERB 4. gye ani wɔ apontoɔ ase

6. As much as possible, I try to distinguish between different translations of a single entry by providing translation-specific meanings and contextual information in italicized parentheses.

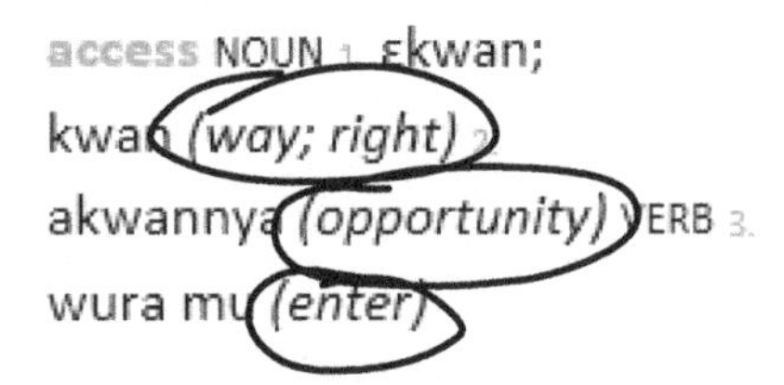
access NOUN 1. ɛkwan; kwan *(way; right)* 2. akwannya *(opportunity)* VERB 3. wura mu *(enter)*

7. Vocabulary expansion is at the core of this dictionary's purpose. For this reason, you will find some entries accompanied by their respective antonyms to add up to your lexicon. The antonyms come in the form exemplified below:

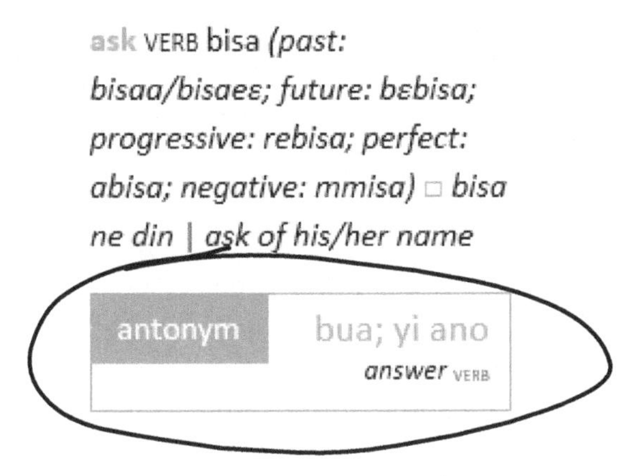
ask VERB bisa *(past: bisaa/bisaeɛ; future: bɛbisa; progressive: rebisa; perfect: abisa; negative: mmisa)* □ *bisa ne din | ask of his/her name*

antonym bua; yi ano
answer VERB

Aa

a DET | INDEF ART 1. absence of the definite article/DET equals indefiniteness of a (common) noun 2. bi *(a certain)* □ *akwadaa bi | a certain child* □ *yɛkɔɔ kuro bi so | we went to a certain town* □ *mekann nwoma bi | I read a certain book*

aback ADV 1. nwonwa 2. ahodwiri

abandon VERB 1. yi totwene 2. gyae mu 3. yi adwene firi so

abase VERB bu abomfeaa

abash VERB 1. gu anim ase 2. hyɛ aniwuo

abate VERB 1. te so 2. brɛ ano ase

abattoir NOUN namkumbea

abbey NOUN 1. nkɔkoradan 2. nkɔkorasɔredan

abbreviate VERB 1. twa so 2. twa tiawa □ *abɔ bɛyɛ nnɔndu | It's struck about 10 o'clock (it's about 10 o'clock)*

abdicate VERB tu ho adeɛ so; tu wo ho adeɛ so

abdomen NOUN yafunu

abduct VERB kyere sie; kye obi sie

aberration NOUN 1. nneyɛ a ɛmfa kwan mu 2. deɛ ɛmfata

abet VERB 1. hyɛ kutupa 2. boa bɔnedie 3. hyɛ takrawogyam

abhor VERB 1. kra kyiri 2. kyiri

abide by PHRASE VERB di mmara so

ability NOUN tumi

abject ADJ buruburoo

abjure VERB 1. pae mu ka 2. di nse

ablaze ADJ dɛre framfram

able ADJ 1. deɛ ɔtumi yɛ biribi 2. deɛ ɔwɔ biribi ho nimdeɛ 3. deɛ wakwadare biribiyɛ ho

abnormal ADJ 1. deɛ ne nneyɛ mfa kwan mu 2. deɛ ɛmfata 3. deɛ ɛmfa kwan mu

abode NOUN 1. efie; fie *(home)* 2. baabi a obi teɛ; beaeɛ a obi teɛ

abolish VERB 1. gu nhyehyɛeɛ *(home)* 2. gu mmara

abolition NOUN ntwasoɔ

abominable ADJ deɛ ɛnyɛ koraa

abominate VERB kyiri kɔkɔkɔkɔ; kyi kɔkɔkɔkɔ

abomination NOUN akyiwadeɛ

abort VERB 1. yi gu *(of pregnancy)* 2. twa so *(of a process)*

abortion NOUN nyinsɛnyiguo

abortionist NOUN nyinsɛnyigufoɔ

abortive ADJ 1. deɛ anyɛ yie 2. deɛ agye aguo

abound VERB bu *(perfect: abu)*

about PREP 1. ho *(concerning)* □ *meredwene wo ho | I am thinking about you* ADV 2. bɛyɛ *(approximately)*

above PREP 1. ɛsoro; soro *(concerning)* 2. kyɛn *(of a person; higher than others)* 3. pa ho; tra *(of a person; beyond criticism)* 4. ɛsoro baabi *(somewhere above)*

abrade VERB 1. twi; twitwi anim 2. pɔ; pɔ anim

abrasion NOUN 1. atwitwie; ntwitwiiɛ *(general)* 2. honam ani ntwitwiiɛ *(of the skin)*

abroad ADV | NOUN 1. amannɔne 2. aburokyire

abrogate VERB 1. twa mu *(repeal)* 2. twa mmara bi mu *(repeal a law/rule)* 3. gu mmara *(do away with a law/rule)* 4. twa nhyehyɛeɛ mu *(repeal an agreement/arrangement)*

abrupt VERB 1. mpofirim 2. prɛko pɛ

abscond VERB 1. dwane *(run; bolt)* 2. dwane firi korabea *(run away from custody/a holding unit)*

absent ADJ 1. nni hɔ; deɛ ɔnni/ɛnni hɔ *(not present in a place; one who is not present)* 2. deɛ wamma *(one who did not come/show up)* 3. deɛ wabɔ ko VERB 4. twe ho; twe ho firi *(stay away; stay away from)*

absentee NOUN ɔkobɔfoɔ; kobɔfoɔ

absenteeism NOUN kobɔ

absolve VERB sane tire; sane tire wɔ bɔnedie ho

absorb VERB nonom

absorbent ADJ | NOUN deɛ ɛnonom ntɛmtɛm; ntoma a ɛnonom ntɛmtɛm

abstain VERB 1. twi ho firi 2. twi ho firi biribiyɔ mu

abstract ADJ adwenemudeɛ

absurd ADJ 1. nyansa nnim; deɛ nyansa nnim *(without sense)* 2. ɛmfa kwan mu; deɛ ɛmfa kwan mu *(out of place; order)*

abundance NOUN 1. mmorosoɔ 2. dodoɔ mu; biribi dodoɔ mu

abundant ADJ 1. abu so; deɛ abu so 2. mmorosoɔ

abundant ADJ abu so; deɛ abu so

abuse NOUN 1. ateetee *(of someone)* 2. atɛnnidie *(insults)* VERB 3. fa mmorosoɔ; fa boro so *(of e.g. drugs)* 4. nom mmorosoɔ; nom boro so *(of e.g. alcohol)*

abysmal ADJ 1. ɛnsɔ ani 2. ɛnyɛ

abyss NOUN amena donkodonko

academic ADJ 1. deɛ ɛfa sukuu/suapɔn ho *(that which is about school/university)* 2. deɛ ɛfa adesua ho *(that which is about education/learning)* NOUN 3. ɔbenfo *(scholar)* 4. suapɔn mu kyerɛkyerɛni *(a university teacher/lecturer)*

academy NOUN 1. asuaeɛ *(a learning place)* 2. suapɔn *(university)* 3. sukuupɔn *(university)*

accede VERB 1. gye tom *(accept)* 2. gye tom yɛ obi apɛdeɛ *(accept to do someone's request)* 3. pene so yɛ deɛ obi pɛ *(agree to do what someone wants)*

accelerate VERB 1. kɔ ntɛm; ma ɛkɔ ntɛm 2. hyɛ mu kena 3. ka ... ho; keka ... ho

accent NOUN ɛkwan soronko a obi fa so bobɔ kasa bi mu nsɛmfua ahodoɔ

accept VERB 1. gye tom 2. gye pene 3. gye *(consent to receive something offered)*

acceptable ADJ 1. deɛ dodoɔ gye tom *(that which is agreed on by the lot)* 2. deɛ ɛyɛ 3. deɛ ɛfa kwan mu

acceptance NOUN nnyetom

access NOUN 1. ɛkwan; kwan *(way; right)* 2. akwannya *(opportunity)* VERB 3. wura mu *(enter)*

accessible ADJ 1. deɛ ɛmu wura nyɛ den *(easy to enter)* 2. beaeɛ a ɛhɔ kɔ nyɛ den *(a place that's easy to reach/enter)* 3. deɛ ne pɛ nyɛ den *(that which is easy to find)*

accessory NOUN akadeɛ

accident NOUN kwanhyia *(plural: akwanhyia)*

acclaim VERB 1. yi ayɛ; kamfo *(praise)* 2. yi ayɛ badwam; kamfo badwam *(praise publicly)* NOUN 3. badwam ayɛyie; badwam nkamfoɔ *(public praise)*

acclamation NOUN 1. ahurusibɔ 2. ayɛyie; nkamfoɔ *(praise)*

acclimatize VERB kokwa

accommodate VERB ma baabi tena

accompaniment NOUN nkekaho

accompany VERB gya kwan; gya obi kwan

accomplice NOUN 1. bɔneyɛ boafoɔ 2. deɛ ɔboa bɔneyɛ

accomplish VERB 1. wie *(finish)* 2. wie yɛ *(finish doing)*

accomplished ADJ 1. deɛ wakwadare biribiyɛ ho 2. deɛ ɔnim biribi yɛ pa ara

accord NOUN 1. nteaseɛ VERB 2. de buo ma *(accord respect)* 3. de nnidie ma *(accord respect)* PHRASE 4. ɔpɛ mu *(own accord; volition)* 5. bɛnkorɔ mu *(with one accord)*

accordance NOUN mmara kwan so *(in accordance with the law/rule)*

accordion NOUN 1. nkɔntwe 2. sankuo

accost VERB 1. hyia obi kasa n'anim *(approach someone and address him/her boldly)* 2. gyina obi nya no kasatia *(stop someone and talk to him/her in a rude way)*

account VERB 1. bu akonta NOUN 1. nkyerɛkyerɛmu *(explanation; description)* 2. obi anom asɛm *(someone's version/report e.g. about a happening)* 3. mfasoɔ *(importance; benefit)*

accountant NOUN nkontabufoɔ

accounting NOUN nkontabuo

accrue VERB 1. boa ano *(gather)* 2. ma ɛdɔɔso *(accumulate; make more)*

accumulate VERB boa ano

accuracy NOUN pɛpɛɛpɛyɛ

accurate ADJ 1. pɛpɛɛpɛ 2. nokorɛ *(true judgment)*

accursed ADJ 1. deɛ nnomee di n'akyi 2. deɛ wɔabɔ no dua 3. deɛ wɔadome no *(cursed)*

accusation NOUN soboɔ

accuse VERB bɔ soboɔ

accused NOUN deɛ wɔabɔ no soboɔ

accuser NOUN deɛ wɔabɔ soboɔ

ace ADJ 1. deɛ wakwadare biribi pɔtee yɛ 2. deɛ ɔnim biribi pɔtee yɛ

ache VERB 1. yɛ ya NOUN 2. ɛyaw; ɛyeaa

achieve VERB 1. nya; nya biribi 2. wie yɛ *(be done)*

achiever NOUN 1. deɛ ɔtu mpɔn wɔ n'adesua anaa n'adwuma mu 2. deɛ ɔkɔ nkan wɔ n'adesua anaa n'adwuma mu *(a high achiever)*

acid NOUN asede *(borrowed)*

acknowledge VERB gye tom *(admit; accept)*

acknowledgement NOUN 1. nnyetomu; nnyetom *(acceptance of truth)* 2. aseda; nnaaseɛ *(thanksgiving; gratitude expressed at the beginning of a book)*

acme NOUN mpɛmpɛnso kɛseɛ; mpɛmpɛnsoɔ a ɛkorɔn

acolyte NOUN 1. nipa titire kyidifoɔ *(follower of an important person)* 2. nipa titire boafoɔ *(helper of an important person)*

acquaintance NOUN 1. deɛ woahyia no pɛn nso wonnim no papa 2. ɔmanni

acquiesce VERB 1. de amemenemfe gye tom 2. gye tom saa ara

acquiescence NOUN amemenemfe nnyetomu

acquire VERB 1. tɔ *(buy)* 2. nya ma wo ho *(obtain something)* 3. sua *(learn)* 4. sua biribiyɛ *(acquire/develop a skill)*

acquisition NOUN adenya

acquit VERB sane obi ti; yi obi ho fi *(free someone of a criminal charge)*

act VERB 1. di dwuma 2. yɛ biribi 3. di kyerɛ *(perform: on stage/in a movie)*

acting NOUN ɔyɛkyerɛ; yɛkyerɛ

action NOUN 1. dwumadie 2. anammɔntuo 3. adeyɛ

active ADJ 1. deɛ ɔkeka ne ho *(of a person)* 2. deɛ ɔdi biribi mu akotene *(of a person)*

activist NOUN 1. deɛ ɔpere pɛ nsesaeɛ *(one who campaigns for change, e.g. political/social change)* 2. deɛ ɔpere pɛ nnipa nkankorɔ

activity NOUN*igorous action/movement* 1.

dwumadie *(undertaking; happening)* 2. ahokeka *(v)*

actor NOUN 1. barima (ɔ)godini 2. barima (ɔ)yɛkyerɛni

actress NOUN 1. ɔbaa (a)godini 2. ɔbaa (ɔ)yɛkyerɛni

actual ADJ pɔtee

actually ADV 1. ampa 2. nokorɛ ni

acute ADJ deɛ emu ayɛ den

adage NOUN 1. ɛbɛ *(proverb)* 2. nokwasɛm *(truthful statement)* 3. nyansasɛm *(sensible statement)*

adamant ADJ 1. twann 2. deɛ n'asɛm yɛ den/twann

Adam's apple NOUN menemu pɔ

adapt VERB sesa su ma ɛne foforɔ nsɛ

adaptable ADJ deɛ ɛtumi/ɔtumi sesa ne su ma ɛne foforɔ sɛ

add VERB 1. ka bɔ mu; ka bom *(past: ka bɔɔ mu; future: bɛka abom; progressive: reka abom; perfect: aka abom; negative: nka mmom)* 2. de ka ho

adder NOUN nanka *(plural: nnanka)* □ *nanka no amene nkosua no nyinaa | the adder has swallowed all the eggs*

addict NOUN 1. nnubɔnenomfoɔ *(drug user/addict)* 2. nsadweam *(alcohol addict)*

addicted ADJ 1. deɛ ɔntumi nnyae nnubɔnenom *(one who cannot stop using drugs)* 2. deɛ ɔntumi nnyae nsanom *(one who cannot stop drinking alcohol)* 3. deɛ suban bi aka ne hɔ *(addicted to a habit)*

addition PHRASE 1. deɛ ɛka ho *(in addition)* NOUN 2. nkekaho; mmɔho *(things/persons added to...)* 3. nkontabuo *(process of calculatin*

additional ADJ 1. deɛ ɛka ho 2. deɛ ɛbata ho

address VERB 1. siesie *(of a dispute: settle)* 2. kasa kyerɛ obi/ɛdɔm *(address someone; a crowd)* NOUN 3. baabi akyirikwan 4. ɔkwankyerɛ 5. ɛdɔm anim kasa; nipa anim kasa

adequate ADJ 1. deɛ ɛdɔɔso 2. deɛ ɛsoɔ 3. deɛ ɛbɛso dwuma bi die

adhere VERB 1. di so *(to a rule/agreement)* 2. foa so *(to an opinion/belief)*

adhesion NOUN adefam; adetareɛ *(the process of adhering to a surface)*

adhoc ADJ 1. mpofirim adeyɛ 2. deɛ wɔanhyɛ da anhyehyɛ

adjacent ADJ 1. deɛ ɛwɔ nkyenmu *(that which is beside)* 2. deɛ ɛbɛn ho *(that which is closer to)*

adjective NOUN edin nkyerɛkyerɛmu

adjoin VERB bata ho

adjourn VERB tu hyɛ da

adjudicate VERB 1. bu atɛn *(judge)* 2. di asɛm *(be an adjudicator/arbitrator of an issue)* 3. siesie asɛm *(settle/resolve an issue)*

adjust VERB 1. sesa *(change; adjust)* 2. sesa biribi *(change/adjust something)*

adjustable ADJ deɛ yɛtumi sesa *(that which can be changed/adjusted)*

adjustment NOUN nsesaeɛ

admirable ADJ 1. deɛ ɛsɛ nkamfoɔ 2. deɛ ɛho twa

admiral NOUN kohyɛn mu sahene

admire VERB 1. kamfo 2. ma ɛyɛ wo nwonwa

admirer NOUN 1. deɛ n'ani gye obi ho 2. deɛ obi ho yɛ no akɔnnɔ *(one who has sexual; romantic interest in someone)*

admission NOUN 1. nnyetomu *(acceptance; acknowledgement; concession of e.g. guilt/wrongdoing)* 2. akwannya *(permission to enter/join a place, e.e. school)* 3. ɔgyeɛ; nnyetohɔ *(admission e.g. to the hospital)*

admit VERB 1. gye to mu; gye tom *(accept; acknowledge; concede to e.g. guilt/wrongdoing)* 2. gye to hɔ *(admit e.g. to a hospital)* 3. ma kwan

admixture NOUN mfrafraeɛ

admonish VERB 1. ka anim; twi anim 2. kasa kyerɛ

admonition NOUN 1. animka 2. kasakyerɛ

adolescence NOUN 1. mmabunuberɛ *(collective)* 2. mmerantebɛrɛ *(for males)* 3. mmabaaberɛ *(for females)*

adopt VERB 1. fa suban foforɔ *(adopt a new attitude/behaviour)* 2. fa mmara kwan so gye obi ba yɛ wo deɛ *(legally adopt someone's child)* 3. fa yɛ wo deɛ *(take to be yours)*

adopted child NOUN abanoma

adoption NOUN 1. ɔbagyeɛ 2. obi ba gyeɛ

adoration NOUN 1. nkotosɔreɛ 2. obi/biribi ho dɔ kann

adore VERB 1. dɔ obi/biribi yie pa ara *(love someone/something deeply)* 2. nya ɔdɔ soronko ma obi/biribi *(have a deep love for someone/something)* 3. hoahoa

adorn VERB 1. siesie 2. ma baabi/biribi yɛ fɛ

adornment NOUN deɛ yɛde siesie obi/biribi ma ɛyɛ fɛ

adulation NOUN nkamfoɔ

adult education NOUN mpanimfoɔ adesua

adult NOUN | ADJ opanin; panin *(plural: mpanimfoɔ)*

adulterate VERB fra mu

adulterated ADJ wɔafra mu; deɛ wɔafra mu

adulterer NOUN 1. deɛ wafa ne yere akyi *(a man who commits adultery)* 2. deɛ wafa ne kunu akyi *(a woman commits adultery)*

adulteress NOUN 1. ɔyere a wafa ne kunu akyi *(a wife who commits adultery)* 2. ɔyere a wabɔ adwaman wɔ ne kunu akyi *(a wife who fornicates behind the husband)*

adultery NOUN 1. awareɛ akyi adwamammɔ 2. ɔyere/okunu akyifa

adulthood NOUN mpanimfeɛ so

advance VERB 1. kɔ anim *(go forward)* 2. kɔ nkan *(progress)* 3. tutu so *(take the lead)* 4. tu mpɔn *(improve)* 5. tu anammɔn *(advance)* 6. firi *(lend)* 7. tua *(pay)* NOUN 8. sika a wɔde afiri obi *(money lent to someone)* 9. akatua a wɔatua no ntɛm *(i.e. advance payment)*

advancement NOUN nkankorɔ

advantage NOUN 1. mfasoɔ *(benefit)* 2. deɛ ɛboa obi kankorɔ *(that which sets one in a favourable lead)*

advent NOUN 1. ahyɛaseɛ 2. mfitiaseɛ

Adventist NOUN Ɔkwanhwɛfoɔ; Kwanhwɛfoɔ

adventure NOUN asiane dwumadie a anigyeɛ ne ahomka wɔ mu

ADV NOUN ɔkyerɛfoɔ; kyerɛfoɔ

adversary NOUN 1. ɔtamfo 2. deɛ wo ne no resi akan 3. deɛ wo ne no retwe mansoo 4. deɛ wo ne no reko

adverse ADJ deɛ ɛko tia obi; deɛ ɛdi tia obi

adversity NOUN 1. amanehunu; amane 2. ahokyerɛ

advert NOUN dawurubɔ

advertise VERB 1. bɔ dawuro; bɔ biribi ho dawuro 2. da adi; da biribi adi 3. bɔ ho dede; bɔ biribi ho dede

advice NOUN afotuo

advise VERB tu fo

adviser NOUN 1. ɔfotufoɔ; fotufoɔ 2. deɛ ɔtu foɔ

advocate VERB 1. di ma NOUN 2. odimafoɔ 3. okyigyinafoɔ

aerate VERB ma mframa mfam

aeroplane NOUN 1. wiemhyɛn 2. adupire *(borrowed)*

aesthetic ADJ afɛɛfɛdeɛ

afar ADV akyirikyiri

affable ADJ 1. deɛ ɔpɛ nnipa *(one who likes people)* 2. deɛ n'anim teɛ *(one who is cheerful)* 3. deɛ nnipa tumi ka kɔ ne ho *(one who is approachable; likeable)*

affair NOUN 1. dwumadie pɔtee bi *(a particular event; situation)* 2. nna mu ayɔnkofa a ɛwɔ nnipa mmienu a ɔnwareeɛ ntam *(a love/sexual affair between two unmarried persons)*

affect VERB 1. nya obi so tumi; nya biribi so tumi *(affect a person; thing)* 2. bɔ *(by a disease; sickness)*

affection NOUN 1. ɔdɔ *(love)* 2. ahofama

affiliate VERB 1. fam ho 2. de bata ho 3. de dɔm ho NOUN 4. deɛ ɛbata ho; deɛ ɔbata ho 5. deɛ ɛfam ho; deɛ ɔfam ho

affinity NOUN 1. ɔdɔ; ayɔnkofa *(love; relationship)* 2. ɔsɛ *(resemblance; similarity)* 3. deɛ wopɛ n'asɛm *(one whom you like)* 4. deɛ wogye di sɛ wo ne ne suban sɛ

affirm VERB 1. pae mu ka *(state emphatically or publicly)* 2. tare akyire; taa akyi *(support)* 3. foa so; foa so sɛ ɛyɛ nokorɛ *(support; give support to what you consider to be true)* 4. gye tom *(accept)*

affix VERB 1. de tare ho 2. de fam ho 3. de bata ho NOUN 4. nsiho 5. mmataho

afflict VERB 1. teetee 2. ha

affliction NOUN 1. ateetee 2. ɔhaw 3. amanehunu

affluence NOUN 1. asetena pa 2. ateyie

affluent ADJ 1. osikani *(a rich person)* 2. deɛ ɔwɔ sika pii *(one who has a lot of money)* 3. deɛ ɔte yie *(one who lives well; comfortably (financially))*
afford VERB tumi tua ka *(can afford; pay)*
affordable ADJ 1. ɛyɛ fo; deɛ ɛyɛ fo *(that which is cheap)* 2. deɛ dodoɔ tumi tɔ *(that which can be bought by many)*
affray NOUN abɔnten ntɔkwa dennen
affront VERB 1. hyɛ abufuo *(outrage; anger)* 2. di atɛm *(insult)* NOUN 3. atɛnnidie 4. aniammɔnsɛm 5. kasatwie 6. kasafi
afire ADJ 1. ogya da mu; deɛ ogya da mu *(on fire; that which is on fire)* 2. redɛre; deɛ ɛredɛre *(burning; that which is burning)*
aflame ADJ ogya da mu; ogya dam *(on fire)*
afloat ADJ 1. tɛ nsuo ani; deɛ ɛtɛ nsuo ani *(float in water; that which is afloat)* 2. ɛmmem; deɛ ɛmmem *(not sinking; that which is not sinking)*
aforementioned ADJ 1. deɛ wɔabɔ soɔ dada 2. deɛ wɔabɔ soɔ awie
afraid ADJ suro

used as a **VERB** in Twi

afresh ADV 1. bio *(again)* 2. foforɔ *(anew)*
Africa NOUN Abibirem
African NOUN Obibini *(plural: Abibifoɔ)*
after PREP 1. akyi 2. ne nyinaa akyi no *(after all this)* 3. ɛno akyi no *(after that)*
after-effect NOUN 1. akyiri nsunsuansoɔ *(consequences after)* 2. akyiri asɛm *(fallout)*
aftermath NOUN akyiri asɛm *(fallout, plural: akyiri nsɛm)*
afternoon NOUN | ADV 1. awia 2. awiaberɛ
afterwards ADV 1. akyire 2. ɛno akyi
again ADV bio □ *ka no bio | say it again*
against PREP 1. tia *(in opposition)* 2. twere ho; bata ho; bea ho *(leaning against)* 3. de toto ho *(compare against)*
agape ADJ ahodwiri anobue

age NOUN 1. mfeɛ *(number of years)* 2. enyini *(state of being old)* 3. mmeresantene; mmerɛ tenten *(long time)* VERB 4. nyini *(grow old; older)*

aged NOUN 1. akɔkora; akwakora *(of males, plural: nkɔkora; nkwakora)* 2. aberewa *(of females, plural: mmerewa)*

age-mate NOUN 1. tipɛn; tipɛnfoɔ 2. afɛ

agency NOUN nkorabata

agenda NOUN 1. tirimupɔ 2. nhyehyɛeɛ

agent NOUN 1. nanmusini *(plural: ananmusifoɔ)* 2. ntamgyinafoɔ 3. yɛmafoɔ

aggravate VERB 1. ma ɛnsɛe koraa *(make worse)* 2. hyɛ abufuo *(annoy; anger)*

aggression NOUN 1. ntohyɛsoɔ *(attacking without provacation)* 2. hyɛ abufuo *(annoy; anger)*

aggressive ADJ 1. deɛ ne koko nyɛ 2. deɛ abufuo ahyɛ no ma

aggressor NOUN 1. ɔtoafoɔ 2. deɛ ɔfiri ntɔkwa ase

aggrieved ADJ bo afu

agile ADJ 1. hare; deɛ ne ho yɛ hare *(able to move quickly)* 2. deɛ ɔdwene ntɛm *(quick thinker)*

agitate VERB 1. ma obi yɛ basaa *(make someone troubled)* 2. woso *(shake)* 3. nunu mu; nunum *(stir)* 4. pere pɛ *(agitate for)*

aglow ADJ 1. ɛhyerɛn *(shines; bright)* 2. anim te *(face aglow)*

ago ADV 1. atwam 2. berɛ a atwam 3. akyɛ

agony NOUN 1. ɛyeaa; ɔyaw 2. ateetee

agrarian ADJ deɛ ɛfa kuadwuma ho

agree VERB yɛ adwene *(past: yɛɛ adwene; future: bɛyɛ adwene; progressive: reyɛ adwene; perfect: ayɛ adwene; negative: nyɛ adwene)* □ *me ne wo yɛ adwene | I agree with you* □ *Kofi ne me yɛ adwene | Kofi agrees with me* □ *wo ne me yɛ adwene? | do you agree with me?*

agreement NOUN 1. nteaseɛ 2. mpenesoɔ 3. nnyetomu

agriculture NOUN 1. kuadwuma 2. aworokakya *(borrowed)*

ahead ADV 1. kan 2. anim

aid VERB 1. boa *(help)* NOUN 2. mmoa *(help)*

aide NOUN ɔboafoɔ; boafoɔ

AIDS NOUN babaso werɛmfoɔ

ail VERB ha; ha adwene

ailment NOUN yareɛ; yadeɛ

aim VERB 1. gyene; gyene ani 2. de ani si biribi so VERB 3. botaeɛ 4. tirimupɔ

aimless ADJ deɛ ɔnni botaeɛ biara; deɛ botaeɛ biara nsi n'ani so

air NOUN 1. mframa *(oxygen; that which we breathe)* 2. ewiem *(space above)* VERB 3. ka w'adwene *(air opinion)*

air raid NOUN 1. wiemhyɛn topaeɛtoɔ 2. ewiem satuo

aircraft NOUN 1. wiemhyɛn 2. adupire *(borrowed)*

airport NOUN wiemhyɛn gyinabea

airstrip NOUN wiemhyɛn tubea

ajar ADJ 1. da mpan; deɛ ada mpan 2. da hɔ; deɛ ano da hɔ 3. deɛ ano abue

akimbo ADV de nsa asɔ sisie

akin ADJ ɛsɛ; deɛ ɛsɛ

akutia NOUN sarcasm

alacrity NOUN 1. ntɛm so 2. ahoɔhare so

alarm VERB 1. bɔ hu; tu akoma *(scare)* NOUN 2. akomatuo 3. ehu *(fear)*

albino NOUN ofiri

album NOUN 1. mfonin nwoma *(photo album)* 2. nnwom ahodoɔ apaawa *(of music)*

albumen NOUN kosua mu fitaa

alcohol NOUN 1. nsa *(alcohol; drink)* 2. nsaden *(strong alcohol; drink)*

alcoholic NOUN nsadweam

alcoholism NOUN nsaborɔ

alert ADJ 1. ani da hɔ *(vigilant)* 2. da ho so; da wo ho so *(intellectually active; vigilant)* NOUN 3. anidahɔ *(vigilance)* 4. ahodasoɔ *(state of being watchful; vigilance)* 5. kɔkɔ *(warning; notice)* 6. nkaeɛ *(reminder)* VERB 7. bɔ kɔkɔ *(warn)* 8. ka *(say)* 9. bɔ nkaeɛ *(remind)*

alien NOUN 1. ɔhɔhoɔ *(stranger)* 2. ɔmamfrani *(stranger)*

alight ADJ 1. ɛredɛre *(burning)* ADJ 2. si *(get down from a vehicle)*

alive ADJ 1. te ase; deɛ ɔte ase *(of a person: be alive; one who's alive)* 2. deɛ ɛnwuiɛ; deɛ ɔnwuiɛ 3. wɔ nkwa *(have life)*

all DET nyinaa

Allah NOUN 1. Onyankopɔn din wɔ Kramosom mu *(name of God in Islam)* 2. Onyankopɔn *(God)*

allay VERB 1. dwodwo 2. ma ano nnwo 3. brɛ ase; brɛ ano ase

alleviate VERB 1. dwodwo 2. brɛ ase; brɛ ano ase

alley NOUN ɛkwan a ɛda adan ntam; adantam kwan

alliance NOUN 1. apam 2. amanaman nkabom 3. ayɔnkofa

alligator NOUN ɔkyekye □ *aboa bɛn ne ɔkyekye? | which (kind of) animal is alligator?*

allocate VERB 1. kyɛ ma 2. fa ma

allow VERB 1. ma ho kwan 2. bue kwan 3. pene so

allure VERB 1. kye 2. biri ani so NOUN 3. ɛkyeɛ

alluring ADJ ɛkye; deɛ ɛkyeɛ

alma mater NOUN sukuu a obi kɔeɛ

almighty NOUN 1. Okokuroko 2. Otumfoɔ 3. Ɔkɛseɛ

almost ADV 1. aka kumaa bi 2. aka kakraa bi

alms NOUN 1. akyɛdeɛ a wɔde ma ahiafoɔ *(gifts given to poor people)* 2. sika a wɔde kyɛ ahiafoɔ *(money gifted to poor people)* 3. aduane a wɔde kyɛ ahiafoɔ *(food gifted to poor people)*

alone ADJ 1. nko ara 2. ankonam *(a walk-alone)* 3. kɔntɛkorɔ

alphabet NOUN ntwerɛdeɛ

already ADV dada □ *wadidi dada | he/she has eaten already*

also ADV 1. nso *(too)* 2. bio *(again)* 3. saa ara

altar NOUN 1. afɔrepono 2. afɔremuka 3. afɔrebokyia

alter VERB 1. sesa mu; sesam 2. sakra mu; sakram

altitude NOUN 1. ahunum 2. soro

altogether ADV 1. korakora 2. ne nyinaa

aluminium NOUN senya

always ADV 1. berɛ biara 2. daadaa

amaze VERB ma ɛyɛ nwonwa

amazing ADJ ɛyɛ nwonwa

ambassador NOUN ɔman ananmusini wɔ ɔman foforɔ so

ambition NOUN 1. botaeɛ 2. anisoadehunu

ambulance NOUN 1. ayarefoɔ hyɛn/kaa *(vehicle/car for the sick)* 2. ɛhyɛn/kaa a wɔde fa ayarefoɔ kɔ ayaresabea *(vehicle/car for* *conveying the sick to the hospital)*

ambush VERB 1. to hyɛ so 2. tetɛ obi na to hyɛ ne so NOUN 3. ntohyɛsoɔ

ameliorate VERB 1. siesie *(fix; address; make better)* 2. ma ɛyɛ yie *(make better)*

amen EXCLAM ɛnyɛ hɔ *(so be it)*

amend VERB 1. sesa; sesa mu *(make changes)* 2. ka no yie *(put right)*

amendment NOUN 1. nsesaeɛ *(general: a change)* 2. mmara nsesaeɛ *(of a rule; constitution; law)*

ammunition NOUN 1. atuo aboba *(bullets)* 2. atuduro *(gun powder)* 3. akodeɛ *(arms)*

amnesia NOUN awerɛfireyareɛ

amnesty NOUN bɔnefakyɛ

among PREP ka ho

amongst PREP ka ho

amount NOUN 1. dodoɔ *(general: quantity)* 2. puduo *(of money: sum)*

amour NOUN esum-ase dɔ

amputate VERB 1. twa nsa firi hɔ *(of the hand: cut off)* 2. twa abasa firi hɔ *(of the arm: cut off)* 3. twa nan firi hɔ *(of the leg: cut off*

amputee NOUN 1. deɛ wɔatwa ne nsa *(one whose hand has been cut off)* 2. deɛ wɔatwa ne nan *(one whose leg has been cut off)*

amulet NOUN 1. bansere 2. suman

amuse VERB 1. hyɛ sereɛ *(cause laughter)* 2. ma obi sere; ma obi sere *(cause someone to laugh)* 3. gye ani *(entertain; make happy)*

amusement NOUN anigyeɛ *(entertainment; happiness)*

anaemia NOUN mogyahwereɛ

anal ADJ turumu; deɛ ɛfa turumu ho

analogous ADJ ɛsɛ

analogy NOUN 1. mfatoho 2. ntotoho

anarchy NOUN 1. basabasayɔ 2. kaatwee-kaatwee

anatomy NOUN 1. nipadua *(of humans: the body)* 2. nipadua ho adesua *(of humans: the study of the body)*

ancestor NOUN 1. nananom nsamanfoɔ 2. nananom a wɔawuwuo

ancient ADJ 1. tete 2. kane

and CONJ 1. ne *(for connecting words/phrases)* 2. na *(for connecting clauses/sentences)* □ *Yaw ne Yaa | Yaw and Yaa* □ *Ama frɛɛ me, na mebaeɛ | Ama called me, and I came*

anew ADJ foforɔ

angel NOUN 1. ɔbɔfoɔ; bɔfoɔ *(angel)* 2. ɔsoro bɔfoɔ *(heavenly angel)*

anger NOUN 1. abufuo 2. abufuhyew *(fury)*

angrily ADV abufuo so

angry ADJ bo afu

anguish NOUN 1. ɛyeaa; ɔyaw 2. ateetee

animal NOUN aboa *(plural: mmoa)*

animosity NOUN 1. ɔtan 2. anitan

ankle NOUN nanpɔso

anniversary NOUN 1. afeda 2. da soronko a wɔkae afe biara

announce VERB 1. ka no badwam 2. bɔ nkaeɛ 3. bɔ dawuro

announcement NOUN 1. nkaebɔ 2. amannebɔ

annoy VERB 1. hyɛ abufuo 2. hyɛ anibere**annoyance** NOUN abufuhyɛ *(exasperation)*

annoying ADJ 1. ɛhyɛ abufuo; deɛ ɛhyɛ abufuo 2. ɛhyɛ anibere; deɛ ɛhyɛ anibere

annual ADJ ɛsi afe-afe; ɛba afe-afe

annul VERB 1. twa mu; twam 2. twa biribi mu 3. gu; gu biribi mu

anoint VERB sra ngo

anointed ADJ deɛ wɔasra no ngo

anointing NOUN ngosra

anomalous ADJ da nso

answer VERB 1. yi ano *(past: yii ano; future: bɛyi ano; progressive: reyi ano; perfect: ayi ano; negative: nyi ano)* 2. bua *(past: buaa; future: bɛbua; progressive: rebua; perfect: abua; negative: mmua)* □ *wonyi n'ano? | won't you answer him/her?* NOUN 3. nyiano 4. mmuaeɛ

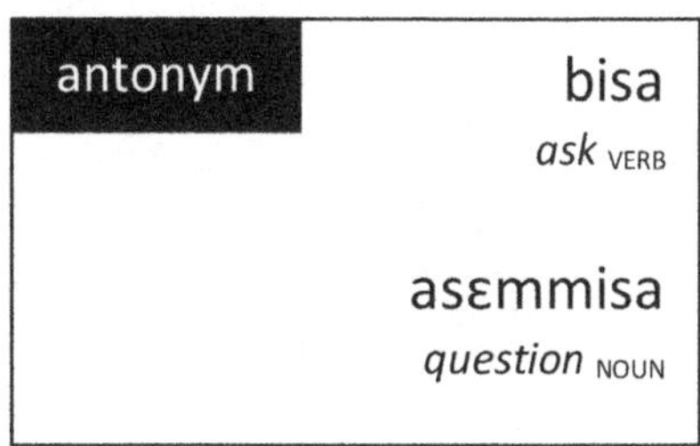

ant NOUN tɛtea *(plural: ntɛtea)* □ *ntɛtea ayɛ dan no mu ma | ants fill the room (the room is full of ants)* □ *kum tɛtea no | kill the ant*

antagonism NOUN ɔtan; anitan

ANIMALS | MMOA
kraman
ɔkra
ɔwɔ
pɔnkɔ
ɔsono
nwa
afofantɔ
susono
opuro
akokɔ

antagonist NOUN 1. ɔtamfo; tamfo 2. ɔkansifoɔ; kansifoɔ

antelope NOUN adowa *(also a name for a traditional dance by the Ashantis)* □ *ɔbɔmmɔfoɔ no bɔɔ adowa no tuo | the hunter shot the antelope*

antenatal ADJ apemfoɔ ayarehwɛ

anthill NOUN esie

anticipate VERB 1. hwɛ anim 2. hwɛ kwan

antonym NOUN abirabɔ

anus NOUN 1. turumu *(profane)* 2. agyanan kwan *(euphemism)*

anxiety NOUN 1. adwenemuhaw 2. ateetee

any DET | PRON 1. biara 2. biara kɛkɛ

anybody PRON 1. obiara 2. obibiara

anyhow ADV biarabiara

anymore ADV biom

anyone PRON 1. obiara 2. obiobiara

anyplace PRON baabiara

anything PRON biribiara

anytime ADV berɛ biara

anywhere ADV baabiara

apart ADV 1. emu twe *(separated by a distance)* 2. emu akyekyɛ *(shattered into pieces)*

apartment NOUN adankora

apex NOUN ɛsoro pa ara

apɛsɛ NOUN hedgehog

apocalypse NOUN 1. wiase awieeɛ 2. wiase sɛeeɛ

apologise VERB pa kyɛw

apology NOUN akyɛwpa

apostate NOUN ɔpaefoɔ *(plural: apaefoɔ)*

apostrophe NOUN ogya nsɛnkyerɛne *(')*

appal VERB 1. ma ahodwiri 2. bɔ hu

apparel NOUN afadeɛ

apparent ADJ 1. emu da hɔ 2. ɛho da hɔ

appeal VERB 1. srɛ 2. dwane toa 3. pa kyɛw NOUN 4. adesrɛ 5. adesrɛdeɛ

appease VERB 1. dwodwo 2. pata 3. srɛ

appellation NOUN 1. abɔdin 2. mmrane

applaud VERB 1. bɔ nsam; bɔ nsam ma *(clap; clap for)* 2. kamfo *(praise)* 3. yi ayɛ

apple NOUN aprɛ *(borrowed)*

appoint VERB 1. yi; yi obi 2. de hyɛ nsa

apportion VERB kyekyɛ mu ma

appreciate VERB ani sɔ *(past: ani sɔɔ/ani sɔeɛ; future: ani bɛsɔ; progressive: ani resɔ; perfect: ani asɔ; negative: ani nsɔ)* □ *m'ani sɔ deɛ woayɛ ama me nyinaa | I appreciate all you've done for me* □ *Akyerɛ boaa Afia pa ara, nso n'ani ansɔ | Akyere helped Afia a lot, but she did not appreciate it* □ *sɛ woyɛ ma me a, m'ani bɛsɔ | if you do it for me, I will appreciate it*

appreciation NOUN anisɔ

apprehend VERB 1. kyere; kye 2. sɔ mu

apprentice NOUN adwumasuani; deɛ ɔresua adwuma afiri obi hɔ

approach VERB 1. bɛn ho; pini ho *(draw closer/nearer)* 2. kɔ ho *(go closer/nearer)* NOUN 3. ɛkwan; ɛkwan a wɔfa so yɛ biribi

appropriate ADJ 1. ɛfata 2. ɛyɛ

approve VERB 1. pene so *(agree to)* 2. ma ho kwan *(allow)* 3. gye to mu; gye tom *(accept)* 4. de nsa hyɛ aseɛ *(endorse)*

April NOUN Oforisuo □ *nhyiamu no bɛba so Oforisuo bosome mu | the meeting/conference will come off in the month of April*

Arabic NOUN Kramo kasa

arc NOUN kankofa

archaic ADJ 1. tetedeɛ 2. deɛ atwam

archangel NOUN ɔbɔfopanin; bɔfopanin

arduous ADJ yɛ den

arguable ADJ akyinnyeɛ wɔ ho

argue VERB gye akyinnyeɛ

argument NOUN akyinnyegyeɛ

arise VERB 1. sɔre 2. pagya wo mu 3. ma wo mu so

arithmetic NOUN nkonta

arm NOUN 1. abasa *(body part)* 2. nkorabata *(a branch; division of a company)* 3. akodeɛ *(arms: weapons)*

armament NOUN akodeɛ

armpit NOUN amɔtoamu; amɔtoam □ *w'amɔtoam bɔn | your armpit stinks*

army NOUN 1. asraafoɔ 2. asogyafoɔ 3. akofoɔ

aroma NOUN hwam

arrange VERB 1. hyehyɛ 2. boaboa

arrive VERB duru; du

arrogance NOUN ahantan

arrogant ADJ 1. ɔhomasoni; homasoni 2. dwaeɛ

arrow NOUN 1. akyerɛkyerɛkwan *(shape)* 2. pea; bɛmma *(weapon)*

articulate VERB 1. kasa fenenkyem ADJ 2. deɛ ɔnim kasa

artisan NOUN nsaanodwumani

as CONJ 1. sɛ *(for forming similes)* 2. sɛdeɛ *(to indicate by comparison)* 3. aberɛ a; berɛ korɔ a *(happens the same time as; while)* □ *tuntum sɛ bidie | black as charcoal* □ *yɛ no sɛdeɛ wopɛ | do it as you like*

as if CONJ asɛ □ *wayɛ n'anim mmɔbɔmmɔbɔ asɛ kɔm de no | he/she has put on a sad face as if he/she is hungry*

ascend VERB 1. foro *(climb)* 2. kɔ soro *(go up)* 3. kɔ nkan *(progress)*

antonym	siane *descend*

nkankorɔ

ascertain VERB 1. hwehwɛ mu; hwehwɛm 2. pɛ mu nokorɛ

ash NOUN 1. nson *(powdery residue left after burning a substance)* NOUN | ADJ 2. nsonso *(colour)*

ashamed ADJ 1. ani awu 2. afɛre

ashore NOUN ɛpo ano; mpoano

ask VERB bisa *(past: bisaa/bisaeɛ; future: bɛbisa; progressive: rebisa; perfect: abisa; negative: mmisa)* □ *bisa ne din | ask of his/her name*

antonym	bua; yi ano *answer* VERB

ass NOUN 1. afunumu pɔnkɔ *(donkey)* 2. ɛtoɔ; to *(buttocks)*

assassin NOUN 1. owudifoɔ 2. deɛ ɔkum nnipa

assassinate VERB kum nipa titire

assemble VERB 1. boaboa ano 2. hyia mu; hyiam

assent VERB 1. pene so 2. gye to mu; gye tom 3. gye pene NOUN 4. nnyetomu 5. peneɛ

asset NOUN 1. ahodeɛ 2. agyapadeɛ

asshole NOUN 1. turumu *(a person's anus)* 2. ɔhodwanfoɔ *(a stupid, irritating, or contemptible person)*

assign VERB 1. ma diberɛ 2. de dwumadie hyɛ obi nsa 3. ma obi adwuma 4. kyɛ ma

assist VERB boa

assistance NOUN mmoa

assistant NOUN ɔboafoɔ *(plural: aboafoɔ)*

associate VERB 1. de bata ho; de dɔm ho 2. ne obi hwe bɔ mu

assorted ADJ 1. asɔɔtoo *(borrowed)* 2. ahodoɔ

assuage VERB 1. dwodwo ano 2. brɛ ano ase

assume VERB fa no sɛ

assumption NOUN nsusuiɛ

asthma NOUN ntehyeewa

astonish VERB ma ahodwiri; hyɛ ahodwiri

astonishment NOUN ahodwiri

astray ADV 1. fom kwan *(go astray)* 2. to kwan 3. yera *(get lost)*

astride PREP | ADV apɔnkɔnan gyinaeɛ *(leg on each side)*

astute ADJ 1. ɔbenfo 2. onimdefoɔ 3. ɔnyansani

asunder ADV 1. ntemu 2. deɛ apansam

asylum NOUN 1. dwanekɔbea *(refuge)* 2. abɔdamfie; abɔdamfoɔ korabea *(institution for the care of the mentally ill)*

at all PHRASE koraa □ *ɔmmu ne ho koraa | he/she doesn't respect him/herself at all*

atheist NOUN deɛ ɔnnye Nyankopɔn nni

atmosphere NOUN 1. ahunum 2. ewiem

attach VERB 1. de tare ho 2. de fam ho 3. de bata ho 4. de kyekyere ho

attack VERB 1. to hyɛ so 2. toa 3. bɔ obi akyi denneennen wɔ badwam *(publicly criticize)* NOUN 4. ntohyɛsoɔ 5. badwam akyiribɔ dennen

attain VERB 1. nya 2. duru

attempt VERB 1. sɔ hwɛ 2. yɛ 3. bɔ mmɔden NOUN 4. mmɔdemmɔ 5. nsɔhwɛ

attend VERB 1. kɔ *(go)* 2. di ho dwuma *(deal with)*

attendance NOUN baabikorɔ; baabikɔ

attenuate VERB 1. brɛ ase 2. te so 3. hwan so

attest VERB 1. di ho adanseɛ 2. de nsa hyɛ aseɛ

attitude NOUN 1. su 2. suban

attorney NOUN 1. mmaranimfoɔ 2. lɔya *(borrowed)*

attract VERB 1. twetwe 2. ma ani ba biribi akyi; ma ani di biribi akyi

attractive ADJ ho twa

attribute VERB 1. de sobɔɔ bɔ NOUN 2. su 3. suban

auction NOUN 1. badwam adetɔn *(a wɔtɔn nneɛma ma deɛ wɔtua sika kɛseɛ)* VERB 2. bɔ donkomi 3. tɔn wɔ badwam *(sell publicly)*

auctioneer NOUN badwam adetɔn sikagyefoɔ

audacious ADJ 1. ɔkokoɔdurofoɔ 2. deɛ ɔnsuro adeɛ 3. deɛ ne bo yɛ duru; deɛ ne bo yɛ hye 4. deɛ ɔmmu adeɛ *(one who is disrespectful)*

audible ADJ deɛ yɛtumi teɛ

audience NOUN 1. atiefoɔ *(listeners)* 2. ahwɛfoɔ *(viewers)*

audit NOUN 1. adwumakuo bi sikasɛm nhwehwɛmu VERB 2. hwehwɛ adwumakuo bi sikasɛm mu

audition NOUN 1. agodifoɔ yɛ-ma-yɛnhwɛ dwumadie VERB 2. yɛ ma yɛnhwɛ

auditorium NOUN 1. bɛhwɛadefoɔ tenabea 2. dwaberɛm

August NOUN Ɔsanaa □ *yɛwɔ Ɔsanaa bosome mu | we are in the month of August*

aunt (aunty; auntie) NOUN 1. sewaa *(paternal aunt)* 2. maame; maame nuabaa *(maternal aunt)* □ *me papa nuabaa yɛ me sewaa | my father's sister is my aunt*

authentic ADJ 1. ɛdi mu 2. ɛho nni akyinnyegyeɛ

author NOUN nwoma twerɛfoɔ

authority NOUN 1. tumi *(power; authority)* 2. tumikurafoɔ *(wielder of power; authority)*

autobiography NOUN abakɔsɛm a obi atwerɛ ato hɔ afa ɔno ara ho

autocracy NOUN ɔhyɛ amammuo

autocrat NOUN deɛ ɔde ɔhyɛ bu man

autograph NOUN nipa titire adansedie atwerɛdeɛ

automobile NOUN 1. kaa 2. lɔre 3. ɛhyɛn

autonomy NOUN 1. ahofadie 2. fawohodie 3. deɛ ɔdi ne ho so

autopsy NOUN 1. owuo kɔfabae nhwehwɛmu VERB 2. hwehwɛ owuo bi mu kɔfabae

avenge VERB 1. tua bɔne so ka 2. te ka

avenue NOUN 1. atempɔn 2. kwantempɔn 3. kwan *(way: to approach a problem)*

average ADJ 1. adantam NOUN 2. da ntam

aviary NOUN 1. nnomaakorabea 2. nnomaabuo 3. nnomaafie

avoid VERB 1. twe ho firi 2. kwati 3. dwane firi ho

award VERB 1. bɔ aba so NOUN 2. abasobɔdeɛ

aware ADJ 1. nim 2. deɛ ɔnim

away ADJ 1. nohoaa 2. akyirikyiri

awe NOUN 1. anidie 2. ahodwiri 3. obuo

axe NOUN 1. akuma VERB 2. yi adi *(dismiss, e.g. employees)* 3. twa gu; twa *(cutt off; cut)*

axiom NOUN 1. nokwasɛm 2. nokorɛ turodoo

azure ADJ | NOUN 1. bibire 2. ewiem nsakraeɛ

Bb

babble VERB 1. toto paapae so 2. kasa ntɛntɛm a nteaseɛ biara mma mu NOUN 3. kasa dodoɔ a nteaseɛ biara nnim

baboon NOUN okontromfi

baby NOUN 1. abɔfra 2. akwadaa □ *gye abɔfra no | take the baby*

babysitter NOUN 1. deɛ ɔgygye obi ba 2. deɛ ɔgyegye abɔfra

bachelor NOUN 1. osigyani barima; barima sigyani *(male-specific, plural: mmarima asigyafoɔ)* 2. osigyani *(general, plural: asigyafoɔ)* □ *osigyani barima, me ne awareɛ ayɛ aka | a bachelor, I am at loggerheads with marriage* 3. suapɔn abɔdin krataa a ɛdi kan *(from the university; first degree)*

back NOUN 1. akyire; akyi *(body part)* 2. akyire; akyi *(general: rear; position directly behind something; the side of an object that is unseen; back of chair, etc.)* 3. berɛmo *(spine; backbone)* ADV 4. akyiri; akyire; akyi VERB 5. gyina akyi; taa akyi *(support)*

backbite VERB 1. di nsekuro 2. wowɔ ase

backbiting NOUN nsekuro

backbone NOUN 1. berɛmo *(spine; backbone)* 2. akyidɔm *(chief support)*

background NOUN 1. nnyinasoɔ *(basis)* 2. abɔaseɛ 3. farebae; kɔfabae *(circumstance underlying an event)* 4. biribi akyi

backing NOUN 1. akyidɔm 2. mmoa 3. akyitaadeɛ

backlog NOUN 1. deɛ aka akyire 2. deɛ wɔnnii ho dwuma a aka mu

bacon NOUN 1. prakontwerɛ 2. prako akyi nam a wɔatwitwa no nketenkete ahyɛ no nkyene

bacteria NOUN mmoawammoawa nketenkete a wɔde yareɛ brɛ nnipa

bad ADJ 1. bɔne 2. deɛ ɛnyɛ □ *akwadaa bɔne | bad child*

baffle VERB 1. yɛ nwonwa 2. ma ahodwiri

bag NOUN 1. kotokuo 2. baage *(borrowed)* 3. ani ase mpomponoeɛ *(loose folds of skin under one's eyes)* VERB 4. de hyɛ kotokuo mu 5. de hyɛ baage mu

baggage NOUN 1. akwantu-nnoɔma *(travel luggage)* 2. akwantudeɛ 3. adesoa *(burden)*

bail NOUN 1. beeli *(borrowed)* 2. mmere tiawa a asɛnnibea bi gyae deɛ wɔredi n'asɛm ma ɔba akyire 3. agyinamudeɛ *(surety: money/property)* 4. agyinamu *(surety: person)* VERB 5. yi firi fiase *(take/free from prison)*

bait NOUN 1. nnaadaa aduane a wɔde to darewa *(bait for fishing)* 2. nnaadaadeɛ *(general)*

bake VERB 1. to 2. toto

bake VERB to *(past: too/toeɛ; future: bɛto; progressive: reto; perfect: ato; negative: nto)* □ *maame reto keeki | mum is baking a cake*

balcony NOUN abranaa so

bald ADJ 1. tipa 2. tikwa 3. tikwabokwabo

baldness NOUN apampampaeɛ

bale NOUN nnoɔma a wɔahyɛ no kuntann

ball NOUN bɔɔlo *(borrowed)*

balloon NOUN 1. baaluu *(borrowed)* 2. mframatoa

ballot NOUN 1. kokoam abatoɔ VERB 2. bɔ ntonto 3. to aba

bamboo NOUN pampuro *(plural: mpampuro)*

ban VERB 1. bra; bra ano 2. si ano kwan 3. tua

banana NOUN kwadu □ *hwan na ɔdi kwadu? Adoe! | who eats banana? Monkey!*

band NOUN 1. agofomma *(a small group of musicians; performers)* 2. ban *(borrowed)* 3. nnipakuo *(a band of people; a group of people)*

bandit NOUN 1. ɔkwammukani 2. odwotwani 3. ɔkorɔmfo werɛmfoɔ

bang VERB 1. ka hwe mu; ka hwim *(slam)* 2. pem denneennen NOUN 3. prɛkopɛ dede

bangle NOUN abakɔn kawa

banish VERB 1. twa asu 2. pamo

bank NOUN 1. sikakorabea *(financial)* 2. asuo ano; asuo agya *(of a river)* VERB 3. boa ano

bankrupt ADJ 1. deɛ ɔntumi ntua ne ka 2. hwe ase wɔ sikasɛm mu

banner NOUN ahyɛnsodeɛ frankaa

baptism NOUN asubɔ

baptize VERB bɔ asu

barber NOUN tiyifoɔ; deɛ ɔyi tire

bare ADJ 1. kwaterekwa *(of a person's body: not covered)* 2. da mpan; mpan *(without cover)* 3. petee *(of an area/floor: bare)*

bargain VERB 1. di ano 2. srɛ ntesoɔ NOUN 3. nteaseɛ *(agreement)*

bark VERB 1. pɔ *(past: pɔɔ/pɔeɛ; future: bɛpɔ; progressive: repɔ; perfect: apɔ; negative: mpɔ)* □ *kraman no repɔ | the dog is barking* NOUN 2. ɔkraman pɔ □ *kraman pɔ | a dog's bark* 3. duabena; dua akyi *(the back/covering of a tree)*

barracks NOUN asraafoɔ atenaeɛ

barrel NOUN ankorɛ

barren ADJ 1. bonini 2. ɔkrawa

barricade NOUN 1. pampim 2. akwansideɛ VERB 3. si kwan

barrier NOUN 1. ɛban 2. pampim 3. akwansideɛ

barrister NOUN 1. mmaranimfoɔ 2. lɔya *(borrowed)*

barter NOUN 1. fa-yei-bɛgye-yei dwadie 2. edwa a wɔmfa sika nnie

base NOUN 1. nnyinasoɔ 2. fapem VERB 3. gyina so; fa yɛ nnyinasoɔ

basic ADJ | NOUN 1. abɔaseɛ 2. fapem 3. nnyinasoɔ

basis NOUN 1. fapem 2. nnyinasoɔ

basket NOUN kɛntɛn □ *mede kube no ato kɛntɛn no mu | I have put the coconut in the basket*

bastard NOUN 1. adwaman ba *(child born out of wedlock)* 2. hohwini 3. deɛ n'ani nteeɛ

bat NOUN 1. apan *(plural: mpan)* □ *apan aka me pɛn | I have been bitten by a bat before* 2. apantwea *(plural: mpantwea)* 3. dankwansere *(plural: nnankwansere)*

batch NOUN 1. ekuo VERB 2. hyehyɛ akuoakuo

bath VERB 1. dware *(past: dwaree/dwareeɛ; future: bɛdware; progressive: redware; perfect: adware; negative: nnware)* □ *me papa dwaree me | my father bathed me* □ *Abena dware mprɛnsa da biara | Abena baths thrice every day* □ *woadware? | have you bathed?* NOUN 2. adwareeɛ *(bathroom; act of bathing)*

bathroom NOUN adwareeɛ □ *adwareeɛ biara nni fie hɔ | there isn't any bathroom in the house*

battle NOUN 1. ɔko 2. ɔsa VERB 3. di ako 4. tu so sa

bauxite NOUN apiaboɔ; piaboɔ

bawl VERB 1. tea mu denneennen; tem denneennen NOUN 2. nteamu denneennen

be VERB 1. yɛ *(to be)* 2. wɔ *(to exist; be there)*

beach NOUN mpoano

bead NOUN 1. ahwenneɛ 2. tɔma

beak NOUN ntakraboa ano

bean NOUN adua □ *sɛ wodi adua pii a, woyi mframa bɔne | if you eat a lot of beans, you fart*

bear VERB 1. pagya kɔ *(carry it there)* 2. fa kɔ *(take it there)* 3. kuta *(hold, e.g. a weapon)* 4. tua ka *(pay for)* 5. gye to ho so *(accept responsibility for)* 6. so *(of a plant/tree: bear fruit, flowers, leaves)* 7. wo *(give birth)* NOUN 8. sisire *(the animal)*

beard NOUN abɔdwesɛ □ *abɔdwesɛ bɛtoo ani ntɔn nwi | the beard came to meet the eyelash (a Twi proverb)*

beast NOUN 1. aboa kɛseɛ; aboa huhuuhu *(huge animal; scary animal)* 2. nipa a ɔyɛ n'adeɛ sɛ aboa *(of a human being: monster)*

beat VERB 1. bo; boro *(hit someone or an animal repeatedly and violently)* 2. hwe 3. birim *(beat mercilessly)* 4. bɔ *(of the heart: pulsate; to an object/instrument: strike/hit)* 5. di so nkonim *(defeat over)*

beautiful ADJ 1. fɛ; fɛfɛɛfɛ 2. deɛ ne ho yɛ fɛ *(of humans; animals)* 3. deɛ ɛyɛ fɛ *(of objects)*

beauty NOUN ahoɔfɛ

because CONJ 1. ɛfiri sɛ 2. ɛsiane sɛ □ *osuiɛ, ɛfiri sɛ/ɛsiane sɛ na ne werɛ aho | he/she cried, because he/she was sad*

beckon VERB to nsa frɛ

bed NOUN 1. mpa *(sleeping furniture)* □ *Akosua da mpa no so | Akosua is lying on the bed* 2. asuo ase; osubɔn; subɔnka ase *(the bottom of a water body)*

bedbug NOUN sonkuronsuo *(plural: nsonkuro nsuo)* □ *nsonkuronsuo wɔ dan no mu | there are bedbugs in the room*

bedridden ADJ 1. deɛ waka mpa mu 2. yare da mpa mu; yareɛ aka no ahyɛ mpa mu

bedroom NOUN piam □ *piam ne asa | bedroom and hall (popularly called "chamber and hall")*

bedsheet NOUN 1. nnasoɔ 2. mpasotam

bedspread NOUN nnasoɔ

bee NOUN wowa □ *wowa no tuiɛ | the bee flew*

bee-eater NOUN buronyanoma

beef NOUN nantwinam

beetle NOUN ɔbankuo *(plural: amankuo)*

before CONJ ansa; ansa na □ *to me nkra ansa na woaba | notify me before you come*

beg VERB 1. pa kyɛw 2. srɛ

beggar NOUN ɔdesrɛfoɔ *(plural: adesrɛfoɔ)*

begin VERB 1. hyɛ aseɛ 2. fiti aseɛ

beginning NOUN 1. ahyɛaseɛ 2. mfitiaseɛ

antonym	awieeɛ *ending*

behave VERB da nneyɛɛ pa adi

behead VERB twa tire; twa tire firi so

behind PREP | ADV 1. akyire NOUN 2. ɛtoɔ *(a person's buttocks)*

behold VERB hwɛ

belch VERB keesu

believe VERB gye di *(past: gye dii/gye diiɛ; future: bɛgye adi; progressive: regye di; perfect: agye adi; negative: nnye nni)*

belittle VERB 1. bu abomfeaa 2. yɛ obi ketewa wɔ w'ani so

bell NOUN 1. adɔma 2. ɛdɔn; dɔn VERB 3. bɔ adɔma 4. bɔ dɔn *(bɔ me dɔn = ring my bell)*

bellicose ADJ 1. otutupɛfoɔ 2. deɛ ɔpɛ ntɔkwa

belly NOUN 1. afuro 2. yafunu VERB 3. hono *(swell)* □ *Kyeiwaa nyem anaa? Ne yafunu ayɛ kɛse | Is Kyeiwaa pregnant?*

Her belly has become/grown big

belong VERB 1. wɔ *(ownership)* 2. ka ho *(be part of)*

belonging NOUN ahodeɛ

beloved NOUN ɔdɔfoɔ; dɔfo *(plural: adɔfoɔ)* □ *me dɔfo, ka biribi kyerɛ me | my beloved, tell me something*

below PREP | ADV aseɛ

belt NOUN 1. bɛlɛte *(borrowed)* 2. abɔsoɔ VERB 3. de bɛlɛte bo obi *(beat someone with a belt)* 4. bɔ so *(fasten; tie)* 5. mia mu *(tighten; fasten; tie)*

bemoan VERB 1. su ho 2. su gu yam

bench NOUN 1. akonnwa tenten 2. bɛnkye *(borrowed)*

bend VERB 1. koa 2. kyea 3. kontono 4. bu mu NOUN 5. ɛmaneɛ *(a curve)*

benediction NOUN 1. nhyirasɛm 2. nhyira mpaeɛ 3. nhyira

beneficiary NOUN 1. ɔdedifoɔ *(heir)* 2. deɛ ɔnya biribi so mfasoɔ *(one who derives an advantage from something)*

benefit NOUN 1. mfasoɔ VERB 2. nya mfasoɔ; nya so mfasoɔ

bequeath VERB 1. gya ma 2. de agyapadeɛ gya obi

bereave VERB 1. hwere ɔdɔfoɔ 2. hwere nipa a ɔbɛn woɔ

berserk ADJ 1. hatuhatu 2. anikrakra

berth NOUN ɛhyɛn gyinabea

beseech VERB 1. koto srɛ 2. pa kyɛw

beset VERB 1. to hyɛ so *(attack)* 2. teetee; taataa *(harrass)* 3. kɔ ahohiahia mu *(beset by difficulties)*

besiege VERB 1. tu kuro bi so sa *(besiege a town)* 2. to hyɛ so

besmirch VERB gu ho fi

best ADJ | NOUN 1. deɛ ɛyɛ pa ara 2. deɛ edi mu VERB 3. pa ara

bestseller NOUN nwoma a wɔtɔ pa ara *(of a book)*

bet VERB 1. to nkyea *(of a book)* 2. to kyakya 3. to akradeɛ 4. gye di pa ara *(believe strongly; be certain)* VERB 5. nkyea; nkyeatoɔ 6. kyakya; kyakyatoɔ 7. akradeɛ; akradetoɔ

betray VERB 1. yi ma; yi obi ma 2. te to; te obi to

betrayal NOUN nyima

betrothed NOUN 1. deɛ wɔasi no asiwa 2. deɛ obi de ne nsa ato ne so

between PREP | ADV 1. ntam 2. mfimfini

beverage NOUN 1. anonneɛ 2. dɔkɔdɔkɔdeɛ

bevy NOUN 1. ekuo 2. kubaatan

bewail VERB 1. twa agyaadwoɔ 2. bɔ bena

beware VERB 1. nya ahwɛyie; hwɛ yie 2. ma ani nna hɔ

bewitch VERB 1. kyere nkabere 2. to aduro 3. biri ani so 4. taba

beyond PREP | ADV 1. nohoaa 2. akyiri; akyirikyiri NOUN 3. owuo akyi

bias NOUN 1. ntɛnkyea 2. nyiyimu

Bible NOUN Twerɛ Kronkron

bicycle NOUN 1. sakre 2. dadepɔnkɔ *(borrowed)*

bid VERB 1. ma boɔ; bɔ boɔ a wobɛtua NOUN 2. boɔ

biennial ADJ 1. deɛ ɛsi mfeɛ mmienu biara mu 2. deɛ wɔyɛ no koro wɔ mfeɛ mmienu biara ntam

big ADJ 1. kɛseɛ *(attributive)* 2. so *(predicative)* 3. kakraka 4. bafuu 5. deɛ ɛso; deɛ ɛyɛ kɛseɛ *(that which is big)* 6. deɛ ɛkorɔn □ *aboa kɛseɛ no | the big animal* □ *aboa no so | the animal is big*

bigamy NOUN mprenu awareɛ bɔne; bɔne a ɛwɔ mprenu awareɛ mu

bile NOUN 1. bɔnwono *(secretion from the liver)* 2. abufuhyew *(fury; bitterness)*

bill NOUN 1. ɛka *(money owed)* 2. mmara *(law)*

biography NOUN obi ho abakɔsɛm a ɔfoforɔ atwerɛ

bird NOUN 1. ntakraboa *(general: feathered; winged animal)* 2. anomaa *(plural: nnomaa)*

birth NOUN awoɔ

birthday NOUN awoda

birthmark NOUN 1. nsamanya 2. kotwa a ɛda obi ho firi awoɔ mu

birthright NOUN 1. awonya 2. deɛ ɛwɔ obi 3. kyɛfa

biscuit NOUN 1. krakase 2. bisikiti *(borrowed)*

bisect VERB 1. twa mu mmienu 2. pae mu mmienu 3. pae mu mmienu pɛpɛɛpɛ *(into two equal parts)*

bishop NOUN 1. ɔsɔfopɔn 2. ɔsɔfo panin

bit NOUN 1. ketewa bi 2. esini

bitch NOUN 1. ɔkraman bedeɛ *(of the female dog)* 2. ɔkwaseabaa *(of a woman)* □ *kraman bedeɛ no redidi | the bitch (female dog) is eating* VERB 3. bɔ obi/biribi akyi denneennen *(spitefully criticize someone/something)*

bite VERB ka *(past: kaa/kaeɛ; future: bɛka; progressive: reka; perfect: aka; negative: nka)* □ *ntontom aka me | I've been bitten by a mosquito* □ *ɔwɔ aka wo pɛn?| have you been bitten by a snake before?*

bitter ADJ 1. nwono; nwonwono; nwonwoonwono 2. ɛyɛ ya; deɛ ɛyɛ ya *(painful)* □ *aduro no yɛ nwono | the medicine is bitter*

black NOUN | ADJ tuntum; tumm □ *abirekyie tuntum no | the black goat*

blacksmith NOUN 1. ɔtomfoɔ; tomfoɔ 2. dadedwomfoɔ

bladder NOUN dwonsɔtwaa

blade NOUN yiwan

blame NOUN 1. ɛfɔ; fɔ VERB 2. bu fɔ

blank ADJ 1. mpan 2. hwee

blanket NOUN 1. adasoɔ 2. kuntu

blare VERB 1. yɛ dede 2. bɔ abɛn denneennen 3. tea mu; team NOUN 4. dede *(noise)*

blaspheme VERB 1. kasa tia Onyankopɔn 2. kasa tia ɔsom bi

blast NOUN mframa tɛntɛ

blatant ADJ 1. deɛ ɛho da hɔ 2. deɛ wɔnyɛ nsie 3. deɛ wɔyɛ no badwam a fɛreɛ biara ntare akyire

bleach VERB 1. pɔ *(past: pɔɔ/pɔeɛ; future: bɛpɔ; progressive: repɔ; perfect: apɔ; negative: mpɔ)* NOUN 2. apɔɔse *(for teeth)*

bleed VERB 1. firi mogya; mogya firi 2. tu mogya; mogya tu □ *mogya refiri no | he/she is bleeding* □ *mogya tuu no | he/she bled* □ *mogya mogya tuu ɔbaa no mfeɛ dumienu | the woman bled for twelve years* VERB 1. mogyatuo *(an instance of bleeding)*

bless VERB hyira *(past: hyiraa/hyiraeɛ; future: bɛhyira; progressive: rehyira; perfect: ahyira; negative: nhyira)* □ *Awurade ahyira me; ɔbɛhyira wo nso | God has blessed me; he will bless you too*

antonym	dome *curse*

blessing VERB 1. nhyira 2. Awurade nhyira *(God's blessing)* □ *Awurade nhyira na ɛma onipa yɛ ɔdefoɔ | it is*

God's blessings that make man wealthy

blind ADJ 1. deɛ n'ani afira 2. deɛ ɔnhunu adeɛ VERB 3. fira ani 4. kata ani NOUN 5. onifirani *(a blind person, plural: anifirafoɔ)*

blindfold VERB 1. kata ani; de ntoma kata ani *(cover the eye; cover with a cloth)* NOUN 2. ntoma ketewa bi a wɔde kata ani

blindness NOUN anifra

blink VERB 1. bɔ ani NOUN 2. anibɔ

bliss NOUN 1. anigyeɛ soronko 2. anigyeɛ mmorosoɔ

blister NOUN mpumpunya

bloat VERB 1. hyɛ *(general: fill)* 2. huhuru; ma ɛhuhuru 3. hono; ma ɛhono 4. ma nsuo/mframa hyɛ ma *(fill with water/air)* NOUN 5. afuruhyɛ *(bloated stomach)*

blockade NOUN 1. akwansideɛ 2. dantaban 3. pampim VERB 4. si kwan

blood bank NOUN mogya korabea

blood NOUN mogya □ *Abena mogya so ate | Abena's blood level has dropped* □ *odwan mogya | a sheep's blood*

blood vessel NOUN 1. ntini *(vein)* 2. mogya kwan

bloodshed NOUN 1. mogya hwieguo 2. awudie

bloom NOUN 1. nhwiren fɛɛfɛ *(of flower)* 2. afɛɛfɛdeɛ *(general)*

blouse NOUN mmaa soro atadeɛ

blow VERB 1. bɔ *(of wind/breeze)* 2. hu *(blow air through the lips)* NOUN 3. mframa kɛseɛ *(strong wind)* 4. twɛdeɛ *(a hit)*

blowjob NOUN 1. kɔtefeɛ 2. kɔtetafere

blue NOUN | ADJ bibire

bluff VERB 1. dwa anom 2. tu ho NOUN 3. anomdwa 4. ntuho

blunder NOUN 1. mfomsoɔ VERB 2. yɛ mfomsoɔ

blunt ADJ 1. ano awu *(of a cutting tool)* 2. ano akuru *(of a cutting tool)* 3. penpen *(of a person; remark: forthright)*

blur NOUN 1. deɛ ɛyɛ wisiwisi 2. deɛ ɛyɛ kusuu VERB 3. ma ɛyɛ wisiwisi 4. ma ɛyɛ kusuu

blush VERB 1. fɛre NOUN 2. fɛreɛ 3. aniwuo

bluster VERB 1. kasa gyegyegye 2. kasa abufuo so NOUN 3. abufuo kasa 4. gyegyegye kasa

boar NOUN prakonini *(plural: mprakonini)*

board NOUN 1. taaboo 2. duasini VERB 3. foro hyɛn *(board a ship/aircraft or other vehicle)*

boarder NOUN osuani/osukuuni a ɔda sukuu mu

boarding house NOUN 1. beaeɛ a wɔtua da hɔ 2. asukuufoɔ atenaeɛ *(for students)*

boast VERB 1. dwa anom 2. tu ho 3. hoahoa ho NOUN 4. anomdwa 5. ntuho 6. ahohoahoa

boat NOUN kodoɔ

body NOUN nipadua □ *me nipadua nyinaa yɛ me ya | my entire body aches*

body parts NOUN 1. honam akwaa 2. nipadua akwaa

bodyguard NOUN 1. ɔbammɔfoɔ; bammɔfoɔ 2. ɔhobammɔfoɔ 3. ɔwɛmfoɔ; wɛmfoɔ

boil NOUN 1. pɔmpɔ *(pus-filled swelling)* VERB 2. noa *(cook)*

bold ADJ 1. deɛ ne koko yɛ duru; deɛ ne bo yɛ duru 2. deɛ ɔwɔ akokoɔduro

bolt VERB dwane

bomb NOUN 1. topaeɛ VERB 2. to topaeɛ

bombard VERB 1. de atuo ne atopaeɛ to hyɛ kuro/ɔman bi so *(attack a town/country with arms)* 2. de nsɛmmisa taataa obi *(subject someone to series of questions)*

bombshell NOUN mfomusɛm

bonafide ADJ 1. fann 2. deɛ ɛnyɛ nnaadaa

bond NOUN 1. mpokyerɛ 2. ahoma 3. deɛ wɔde ka biribi bɔ mu 4. ayɔnkofa *(bond between people)* 5. bɔhyɛ titire a mmara tare akyire *(legal agreement)* VERB 6. ka bɔ mu; ka bom 7. ka tare; fa tare

bone marrow NOUN akyim

bone NOUN dompe *(plural: nnompe)* □ *nkraman pɛ nnompe | dogs like bones*

bonfire NOUN 1. ogyatanaa 2. gyafunuma

bongo NOUN 1. trɔmo *(the animal bongo: plural: atrɔmo)* 2. twene ketewa *(small drum)*

bonny ADJ 1. deɛ ne ho yɛ fɛ *(of a person)* 2. hoɔfɛfoɔ *(of a person)* 3. deɛ ɛyɛ fɛ *(of something)* 4. deɛ ɛho twa *(of something)*

bonus NOUN 1. nkuranhyɛ sika 2. akyɛdeɛ *(gift)*

bony ADJ 1. ayiyi nkasɛɛ 2. deɛ ne nkrampan ayiyi 3. deɛ wafɔn

boob NOUN nufoɔ

book NOUN nwoma

BODY PARTS | HONAM AKWAA

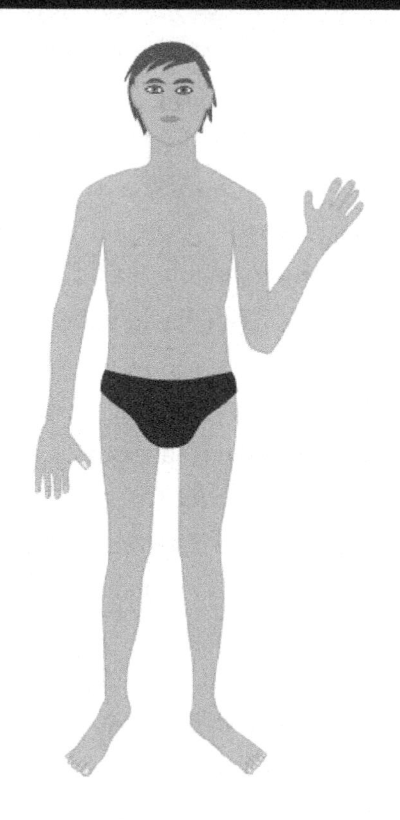

- head | **etire**
- neck | **ɛkɔn**
- shoulder | **abatire**
- arm | **abasa**
- hand | **nsa**
- leg | **afono**
- knee | **kotodwe**
- waist | **sisie**
- shin | **nanhini**
- wrist | **abakɔn**
- forehead | **moma**
- nose | **ɛhwene**
- cheek | **afono**
- elbow | **abatwɛ**
- navel | **afunuma**
- palm | **nsayam**
- breast | **nufoɔ**
- thigh | **ɛserɛ**
- occiput | **atikɔ**
- stomach | **yafunu**
- hip | **pa**
- buttock | **ɛtoɔ**
- eye | **ani**
- mouth | **ano**
- ear | **aso**
- chin | **abɔdweɛ**

bookcase NOUN nwoma korabea

bookworm NOUN deɛ ɔpɛ akenkan

boost VERB 1. kanyan 2. hyɛ mu kena 3. hyɛ nkuran 4. boa NOUN 5. mmooa 6. nkanyan 7. nkuranhyɛ

boot NOUN 1. mpaboa 2. nneɛma korabea wɔ hyɛn akyi *(of a vehicle)* VERB 3. bɔ *(kick)*

booty NOUN 1. korɔnodeɛ *(something stolen)* 2. ɛtoɔ *(informal: buttocks)*

booze VERB 1. boro; bo *(intoxicate)* 2. nom nsa *(drink alcohol)* NOUN 3. nsa *(alcohol)* 4. nsaden *(strong alcohol)*

border NOUN 1. ɛhyeɛ so VERB 2. twa ho hyia *(encircle)* 3. toa so *(be adjacent; adjoin)*

bore VERB 1. bɔne *(create hole)* 2. tu tokuro *(create hole)* 3. tu amena *(dig hole in the ground)* 4. ma ani ha *(bore someone)*

boredom NOUN aniha

borehole NOUN 1. abura 2. subura

borrow VERB 1. bɔ bosea 2. srɛ 3. bisa

borstal NOUN 1. nkwadaabɔne nteteɛbea 2. nkwadaabɔne sukuu

bosom NOUN 1. ɔbaa kokom *(a woman's chest)* 2. ɔbaa nufo *(a woman's breast)* 3. ɔyɔnko brɛboɔ *(a bosom friend)*

boss NOUN 1. adwumampanin 2. adwumawura VERB 3. ka obi so 4. hyɛ obi so

botany NOUN afifideɛ ho adesua

bother VERB 1. ha adwene 2. teetee NOUN 3. ɔhaw

bottle NOUN 1. toa VERB 2. hyɛ toa

bottom NOUN 1. aseɛ pɛɛ 2. ɛtoɔ koraa 3. ɛtoɔ *(buttocks)*

bounce VERB 1. pempem *(hit repeatedly)* 2. hurihuri *(jump repeatedly)* VERB 3. ahuriahuriɛ *(act of jumping)*

boundary VERB 1. ɛhyeɛ; ɛhyeɛ so 2. mpɔnoa

bounteous ADJ 1. deɛ ne yam yɛ *(generous)* 2. deɛ ne nsam goɔ *(generous)* 3. mmorosoɔ *(abundant)*

bouquet NOUN 1. nhwiren akyɛdeɛ *(of flowers)* 2. nsahwam *(of wine)*

bout NOUN mmere tiawa adeyɛ

boutique NOUN 1. afadeɛ fɛɛfɛ sotɔɔ 2. beaeɛ a wɔtɔn afadeɛ afɛɛfɛ

bow VERB 1. bɔ mu ase 2. da obuo soronko adi NOUN 3.

agyan *(arrow-shooting weapon)*

bowel NOUN ayamadeɛ

box NOUN 1. adaka *(plural: nnaka)* □ *akura no hyɛ adaka no mu | the mouse is in the box* VERB 2. de hyɛ adaka mu; fa hyɛ adaka mu *(put/enclose in box)* 3. bɔ akuturuku *(of the boxing sport: box)* 4. to atwɛdeɛ *(hit with the fist)*

boy NOUN 1. abarimaa *(male child)* 2. aberanteɛ *(young man)* 3. ɔbabarima *(a person's son)* □ *m'asoma abarimaa no | I have sent the boy*

boycott VERB 1. po 2. gyae

boyfriend NOUN mpena □ *menni mpena | I don't have a boyfriend*

bracelet NOUN 1. adansa 2. nsa agudeɛ

bracket NOUN 1. nkahyɛmdeɛ *( ) [ ]* 2. ekuo; kuo *(group)* VERB 3. ka hyɛ mu; ka hyɛm *(enclose within brackets)*

brag VERB 1. dwa anom 2. tu ho 3. hoahoa ho NOUN 4. anomdwa 5. ntuho

braille NOUN anifirafoɔ nwoma

brain NOUN 1. adwene *(of both organ and intellect)* 2. amene *(of organ)*

branch NOUN 1. dubaa *(of a tree)* 2. nkorabata *(of an organization: branch)* VERB 3. mane

brand new ADJ 1. ɛmono kyeaw 2. foforɔ koraa 3. deɛ ɛnkaa nsuo

brand NOUN 1. su 2. ahyɛnsodeɛ *(identifying mark/label)*

brandish VERB 1. nyam 2. him 3. fa kyerɛ so

brass NOUN yaawa

bravado NOUN akokoɔduro

brave ADJ 1. akokoɔdurufoɔ 2. deɛ ɔwɔ akokoɔduro

brawl NOUN 1. ntɔkwa gyegyegye 2. ɔham VERB 3. ko 4. ham so

bray NOUN 1. afunumu pɔnkɔ su; afunum su *(the cry of a donkey)* VERB 2. su *(of a donkey/mule: cry)*

breach NOUN 1. mmarabuo; mmara so buo VERB 2. bu mmara so *(break a law)* 3. bu nhyehyɛeɛ so *(act contrary to an arrangement)*

bread NOUN 1. paanoo 2. burodo

breadwinner NOUN 1. deɛ ɔyɛ adwuma hwɛ abusua 2. deɛ ɔma abusua nsa kɔ wɔn ano

break VERB 1. bu; bu mu *(of an object: separate into two or more pieces with force; of body part: crack bone; injure)* 2. gyae *(stop)* 3. home *(take a rest)* NOUN 4. ahomegyeɛ berɛ *(a break; resting period)* 5. akwamma *(vacation)*

breakable NOUN | ADJ 1. abobɔdeɛ 2. deɛ ɛnkyɛre bɔ

breakdown NOUN 1. ɔsɛeɛ 2. deɛ asɛe 3. deɛ ɛho ate kyema *(of machinery)* 4. nkyekyɛmu

breakfast NOUN anɔpa aduane

breast cancer NOUN nufoɔ mu kokoram; nufoɔm kokoram

breast NOUN 1. nufoɔ 2. pokua *(euphemism, plural: mpokua)* 3. kokoɔ; ɛbo *(chest)*

breastbone NOUN 1. nnompekyɛm 2. kokoɔ dompe 3. nufoɔ ntam dompe

breath NOUN 1. ahome 2. ahomekokoɔ

breathe VERB home

breed VERB 1. yɛn; yɛne 2. ma ase dɔre 3. ma ase trɛ NOUN 4. mmoakuo titire bi *(breed of animal)*

brethren NOUN anuanom akristofoɔ *(fellow Christians)*

breviary NOUN mpaebɔ/asɔre dwontoɔ nwoma

brevity NOUN tiawa

brew VERB 1. noa nsa 2. buru; ma ɛburu

brewery NOUN nsayɔbea

bribe NOUN 1. adamudeɛ 2. afonomuhyɛdeɛ VERB 3. ma adamudeɛ 4. hyɛ afono mu

bricklayer NOUN 1. ntayaagufoɔ 2. brekya

bricks NOUN 1. ntayaa 2. berekese *(borrowed)*

bride NOUN ayeforɔ yere; ayefoyere

bridegroom NOUN ayeforɔ kunu; ayefokunu

bridge NOUN 1. ɛtwene; twene 2. nsamsoɔ VERB 3. ka bɔ mu; ka bom

bridle NOUN 1. pɔnkɔ ti nkɔnsɔnkɔnsɔn 2. pɔnkɔ ti nnareka

brief ADJ 1. tiawa ADJ 2. kyerɛ deɛ obi nyɛ *(instruct)* 3. bɔ amanneɛ *(inform)* 4. bɔ tɔfa *(summarise)* NOUN 5. asɛm tiawa *(brief statement)*

briefcase NOUN nwoma ne nkrataa kotokuo/baage

brigand NOUN 1. nwuramukafoɔ 2. mmepɔsokafoɔ 3. ɔkwamukafoɔ 4. odwotwani

bright ADJ 1. deɛ ɛyɛ hann; deɛ ɛhyerɛn *(of light: shining)* 2. deɛ waben; deɛ ɔnim adeɛ *(of intelligence: bright)*

brighten VERB 1. hyerɛn; ma ɛhyerɛn *(brighten; make bright)* 2. ma ɛyɛ hann *(make light; bright)* 3. te anim *(of face; brighten)* 4. ma ani gye *(make happy)*

brilliant ADJ 1. deɛ ɛhyerɛn pa ara *(of light: very bright)* 2. deɛ waben pa ara *(exceptionally intelligent)* 3. deɛ wakwadare biribiyɔ mu *(exceptionally talented at)*

brim NOUN 1. ano pɛɛ VERB 2. hyɛ ma

brine NOUN 1. nkyene nsuo VERB 2. hyɛ nkyene

bring VERB 1. fa bra 2. de ba

brink NOUN mpɔmpɔnsoɔ

brisk ADJ 1. deɛ ne ho yɛ hare 2. deɛ ɔkeka ne ho VERB 3. yɛ ntɛm

broad ADJ 1. tɛtrɛtɛ; tɛtrɛɛ; deɛ ɛtrɛ 2. deɛ ɛbae

broadcast VERB 1. bɔ dawuro 2. bɔ amanneɛ 3. fa to dwa 4. gu *(scatter seeds in the ground to sow)* NOUN 5. kasafidie dwumadie *(radio programme)*

broil VERB 1. toto 2. ho

broker NOUN 1. konkosini 2. deɛ ɔtɔ tɔn

bronchitis NOUN 1. menemuyareɛ 2. ɛwanini

broom NOUN praeɛ □ *praeɛ no wɔ he? | where is the broom?*

brothel NOUN 1. agyantrafoɔfie 2. tuutuudan 3. adwaman-dan

brother NOUN 1. onuabarima; nuabarima *(male-specific, plural: anuanom mmarima)* 2. onua; nua *(general: sibling, plural: anuanom)* □ *mewɔ nuabarima baako | I have one brother*

brotherhood NOUN 1. onuadɔ 2. fekuo *(association of communities/persons with common interest)*

brother-in-law NOUN akonta □ *akonta sekan | money/things given to the brother(s) of a woman before marriage*

brown NOUN | ADJ dodoeɛ

bruise NOUN 1. honam ani ntwitwiiɛ 2. honam ani awɔtereeɛ VERB 3. twitwi honam ani 4. wɔtere honam ani

brush NOUN 1. borɔɔso *(borrowed)* VERB 2. twi; twitwi *(brush teeth/floor)* 3. pra *(sweep)* 4. horo; hohoro *(wash)*

brute NOUN 1. deɛ ɔnnwene nnipa ho 2. deɛ ɔyɛ basabasa 3. otirimuɔdenfoɔ

bucket NOUN 1. bokiti *(borrowed)* □ *bokiti no tɔɔ abura no mu | the bucket fell into the well* 2. dwaresɛn

buckle NOUN 1. bɔgere *(borrowed)* NOUN 2. bɔ; mia mu *(fasten)*

budget NOUN 1. sikasɛm ho ntotoeɛ 2. mmeresantene bi sikasɛm ho ntotoeɛ 3. sikasese 4. sika ho nkontabuo

buffalo NOUN ɛkoɔ

buffoon NOUN 1. ɔkwasea 2. deɛ ɔyi nsɛnkwaa 3. deɛ ɔyi aseresɛm 4. gyimi-ma-yɛnsere

bug NOUN 1. nkaboa VERB 2. ha *(worry)* 3. hyɛ abufuo *(annoy)*

build VERB si; si dan *(construct; construct a building)*

builder NOUN ɔdansifoɔ *(plural: adansifoɔ)*

building NOUN 1. ɛdan *(the structure)* 2. ɛdansie *(the act of constructing a building)*

bulge NOUN 1. deɛ apuo 2. deɛ asoa VERB 3. pu *(protrude)* 4. hono *(swell)*

bulk NOUN 1. pii 2. ne bebrebe; ne bebrebe mu 3. ne dodoɔ; ne dodoɔ mu 4. deɛ ɛdɔɔso VERB 5. ma ɛdɔɔso

bulky ADJ 1. kuntann 2. deɛ ɛso pa ara *(that which is huge)* 3. deɛ emu yɛ duru pa ara *(that which is very heavy)* 4. deɛ wabɔ *(of a person: heavily built)*

bull NOUN nantwinini *(plural: anantwinini)* nantwinini nni nufosuo | *a bull does not have breast milk*

bullet NOUN 1. akoraboɔ 2. etuo boba

bulletin NOUN 1. kaseɛbɔ apɔsoapɔso *(summary of news)* 2. adwumakuo bi dawurubɔ krataa *(an organisation's newsletter)*

bullion NOUN 1. sikapoma 2. dwetɛpoma

bullock NOUN 1. nantwinini a wɔasa no 2. nantwinini a wɔyɛn

weɛ kɛkɛ VERB 3. yɛ adwuma den kyɛ

bullshit NOUN nkwaseasɛm

bully NOUN 1. ohunahunafoɔ 2. ɔtaataafoɔ VERB 3. hunahuna 4. taataa

bumper ADJ 1. mmorosoɔ 2. deɛ ɛdɔɔso 3. deɛ abu so

bumptious ADJ 1. deɛ ɔbɔ ɔno ara ne ho nsammrane 2. deɛ ɔtu ne ho 3. deɛ ɔgye ne ho di dodo

bunch NOUN 1. ekuo *(group)* 2. nnipakuo *(bunch of people)* 3. dodoɔ a wɔaka abom *(a number of things put together)* 4. puduo VERB 5. kyekyere bom *(fasten/tie together)*

bungalow NOUN 1. ɛdankora 2. bongoro *(borrowed)*

burden NOUN 1. adesoa 2. ɔhaw VERB 3. fa adesoa to obi so 4. ha

burglar NOUN ɔkorɔmfoɔ; korɔmfoɔ

burial NOUN afunsie

burn VERB hye

burrow NOUN 1. ɛbɔn 2. adankobɔn *(of a rabbit)*

bursar NOUN deɛ ɔhwɛ sikasɛm ntotoeɛ so wɔ sukuu/suapɔn mu

burst VERB 1. pae 2. tue

bury VERB 1. sie 2. kata so

bus NOUN 1. bɔɔso *(borrowed)* 2. ɛhyɛn

bush NOUN nwura mu; nwuram; wuram

bushbuck NOUN ɔwansane *(plural: awansane)*

business NOUN 1. obi adwuma *(one's occupation; profession)* 2. dwadie *(commercial activity)*

businesslike ADJ 1. deɛ n'ani ku n'adwuma ho 2. deɛ n'ani ku deɛ ɔyɛ ho

busy ADJ 1. deɛ ɔnni adagyeɛ 2. deɛ ɔwɔ pii yɛ 3. deɛ nnwuma pii gu ne so

busybody NOUN 1. deɛ ɔwurawura afoforɔ nsɛm mu 2. deɛ ɔde ne hwene wurawura afoforɔ nsɛm mu 3. deɛ ɔpɛ asɛm

but CONJ 1. nanso 2. nso □ *ɔdidi saa nso ɔnyɛ kɛse | he/she eats continuously but he/she doesn't grow big* □ *ɔpɛ sɛ ɔse no pɛ nanso ɔfɛre | he/she wants to propose to him/her but he/she is shy*

butcher NOUN 1. nankwaseni 2. deɛ ɔkum nam tɔn VERB 3. kum 4. dwidwa

butt VERB 1. de tiri pem *(hit with the head)* 2. de abɛbɛn pem *(hit with the horns)* NOUN 3. ɛtoɔ *(bottom; buttocks)*

butter NOUN 1. bɔta *(borrowed)* VERB 2. de bɔta yɛ mu; de bɔta fa mu

butterfly NOUN afofantɔ □ *aboa afofantɔ, ɔde n'ahoɔfɛ adaadaa me | the animal butterfly, he/she has deceived me with his/her beauty (from Kojo Antwi's song: "Afofantɔ")*

buttock NOUN ɛtoɔ; ɛto; toɔ; to □ *ɔbaa a ne to so | a woman who has big buttocks (a woman with big buttocks)*

button NOUN 1. bɔton *(borrowed)* 2. deɛ wɔde to atadeɛ mu 3. amiadeɛ *(that which is pressed on electrical/electonic equipment)*

buxom ADJ 1. ɔbaa a ne nufu soso 2. ɔbaa a ne ho tua ne ho soɔ 3. ɔbaa a ɔbɔ sie

buy VERB tɔ *(past: tɔɔ/tɔeɛ; future: bɛtɔ; progressive: retɔ; perfect: atɔ; negative: ntɔ)* □ *yɛntɔ | we will not buy* □ *ɔtɔɔ fie kyɛɛ me | he/she bought me a house* □ *Ama tɔn mpaboa | Ama sells shoes*

by ADV 1. ho 2. nkyɛn

by name PHRASE de obi/biribi din... *(use name of person/something)* □ *ɔde ne din frɛɛ no | he/she called him/her by name*

bye-bye EXCLAM 1. baabae *(borrowed)* 2. nante yie oo NOUN 3. nkradie

bygone ADJ | NOUN deɛ atwam

by-law NOUN 1. mmara a mansini bi ahyehyɛ *(rules made by a local authority)* 2. mmara a adwumakuo bi ahyehyɛ *(rules made by a company/organisation)*

byzantine ADJ 1. nwonworann 2. deɛ ne nteaseɛ yɛ hwanyann

Cc

cab ADJ 1. taksi *(borrowed)* 2. dorɔba atenaeɛ *(the driver's compartment in a vehicle)*
cabinet NOUN 1. adakawa a wɔde kora nneɛma *(furniture)* 2. aban asoafoɔ mpanimfoɔ *(senior ministers of government)* 3. ɔmanpanin fotufoɔkuo *(advisory council to the president)* 4. baasomfoɔ
cache NOUN 1. akoraeɛ 2. korabea VERB 3. kora
cackle VERB 1. kwane; kwan *(of a bird)* 2. sere kwakwakwa *(of a person)* 3. tweetwee *(of a person)*
cafe NOUN 1. beaeɛ a wɔtɔn nnuane ne anonneɛ 2. aduanetɔnbea 3. anonneɛtɔnbea
cage NOUN 1. ebuo; buo 2. anomaabuo VERB 3. kye hyɛ buo mu
cajole VERB 1. daadaa 2. to bradɛ 3. dɛfɛdɛfɛ
cake NOUN keeki *(borrowed)*
calabash NOUN kora
calamity NOUN atoyerɛnkyɛm
calculate VERB 1. sese 2. bu akonta
calculation NOUN 1. akontabuo 2. nseseɛ
calculator NOUN nkotabuo afidie
calendar NOUN 1. kalɛnda *(borrowed)* 2. asranna 3. akyerɛnna 4. nnabupono
calf NOUN 1. nantwie ba *(a young cow)* 2. ɔsono ba *(a young elephant)* 3. bonsu ba *(a young whale)* 4. anantuo *(back of one's leg)*
calibre NOUN 1. nipaban *(of a person)* 2. nneyɛɛ *(of a person)* 3. su *(person; thing)*
calico NOUN 1. nnwera 2. adokodɔn

call VERB 1. frɛ *(past: frɛɛ/frɛɛɛ; future: bɛfrɛ; progressive: refrɛ; perfect: afrɛ; negative: mfrɛ)* □ *Abena frɛɛ me ahomatorofoɔ so | Abena called me over the phone* □ *worefrɛ me? | are you calling me?* □ *mafrɛ odunsini no | I have called the herbalist* NOUN 2. ɔfrɛ

callous ADJ 1. deɛ ɔnni ahummɔborɔ 2. deɛ ne tirim yɛ den

callow ADJ 1. deɛ ɔnnim hwee 2. deɛ n'adwene mu mmueeɛ

calm ADJ 1. dinn 2. deɛ ɔdwoɔ *(of a person)* 3. deɛ ɔmpɛ ne ho asɛm *(of a person)* NOUN 4. dinnyɔ 5. ɔdwoɔ VERB 5. ka akoma to yam 6. dwodwo; dwodwo akoma

camel NOUN yoma

camera NOUN 1. kamɛra *(borrowed)* 2. mfonintwa afidie

camouflage NOUN 1. nkatasoɔ 2. asiedeɛ VERB 3. sie *(hide)* 4. kata *(cover)*

camp NOUN 1. nsraban VERB 2. bɔ adwaa wɔ apata/nsraban mu

campaign NOUN 1. ɔsatuo 2. anammɔntuo VERB 3. ko tia *(campaign/fight against)*

camphor NOUN kamfa *(borrowed)*

campus NOUN 1. suapɔn mu 2. suapɔn asase

can VERB 1. tumi *(be able to)* 2. wɔ ho kwan *(be able to)* NOUN 3. konko 4. kyɛnsee

canal NOUN 1. asuka *(artificial waterway)* 2. ɛkwan; kwan *(duct in plants/animals)*

canary NOUN kanaafo

cancel VERB 1. twa mu; twam 2. ma ɛba awieeɛ

cancer NOUN kokoram

candid ADJ 1. nokorɛ turodoo 2. penpen

candidate NOUN 1. dibeaperefoɔ *(a person applying for a position; nominated for election)* 2. nsɔhwɛtwerɛfoɔ *(a person taking an examination)*

candidiasis NOUN odeepua

candle NOUN kyɛnere *(borrowed)*

candour NOUN 1. nokorɛdie 2. penpenyɔ

cane NOUN 1. mfea 2. mpire 3. demmire VERB 4. hwe 5. birim 6. twa abaa

canker NOUN 1. nwewеɛ 2. bɔne

a aseɛ tumi trɛ 3. deɛ ɛtumi di nnipa nya

cannibal NOUN 1. nipa a ɔwe nnipa nam *(of a person)* 2. odiamono *(animal; general)*

canoe NOUN kodoɔ

canopy NOUN apata

cantankerous ADJ 1. mansotweni *(argumentative)* 2. deɛ ne koko nyɛ *(bad-tempered)*

cantata NOUN 1. nnwontoɔ agodie 2. agodie a wɔto nnwom fa mu

canteen NOUN 1. adididibea 2. adidiiɛ

canvass VERB 1. pere pɛ aba *(solicit for votes)* 2. boaboa nnipa ano *(gather people)*

capable ADJ 1. deɛ ɔtumi yɛ biribi 2. deɛ ɔnim de

capital NOUN 1. kuropɔn; kuro kɛseɛ *(of a city)* 2. dwatire *(startup money)* ADJ 3. bɔne kɛseɛ *(of an offence/charge)* 4. atwerɛdeɛ kɛseɛ *(of a letter of the alphabet)*

capsize VERB butu; dane butu

captain NOUN 1. ɔsahene; sahene 2. dɔm barima 3. deɛ ɔdi dɔm anim 4. suhyɛnkafoɔ *(of a ship)* VERB 5. di dɔm anim 6. di panin

captive NOUN | ADJ deɛ wɔakyere no dommum

captor NOUN deɛ wakyere ɔfoforɔ dommum

car NOUN 1. teaseɛnam 2. ɛhyɛn; hyɛn *(plural: ahyɛn)* 3. kaa *(borrowed)*

carcass NOUN efunu; aboa bi funu

card NOUN kaade *(borrowed)*

care NOUN 1. tema 2. dadwene 3. ɔhwɛ VERB 4. hwɛ 5. nya obi ho tema 6. ma ani ku obi/biribi ho 7. nya obi ho atenka/dɔ

careful ADJ ahwɛyie; deɛ ɔyɛ ahwɛyie

carefulness NOUN ahwɛyie

caress VERB 1. miamia 2. sosɔ mu 3. de nsa fofa ho NOUN 4. amiamia 5. nsosɔmu

caretaker NOUN ɛdan so hwɛfoɔ

cargo NOUN 1. adwadeɛ kɛseɛ 2. nnoɔmatam a wɔde ɛhyɛn afa

carnage NOUN 1. mogyahwieguo 2. nnipa dodoɔ kum 3. dɔm kum

carnival NOUN 1. afahyɛ 2. anigyeɛ fa

carol NOUN 1. buronya dwom VERB 2. to buronya dwom *(sing a carol)* 3. to dwom anigyeɛ so *(sing happily)* 4. kasa anigyeɛ so *(say happily)*

carpenter NOUN 1. dua dwomfoɔ 2. kapenta *(borrowed)*

carpet NOUN 1. kapɛte *(borrowed)* 2. ɛfam kuntu

carry VERB 1. so; soa *(past: soaa/soaeɛ; future: bɛsoa; progressive: resoa; perfect: asoa; negative: nsoa)* □ *Andy soaa bankye no | Andy carried the cassava* □ *wobɛsoa? | will you carry?* NOUN 2. adesoa

carton NOUN 1. adaka 2. nsa adaka *(of drinks)* 3. nnuane adaka *(of foods)*

cartoon NOUN deɛ wɔadrɔɔ de yi aseresɛm

cash NOUN 1. sika VERB 2. yi sika *(obtain cash)* 3. ma sika *(give cash)*

cashier NOUN 1. deɛ ɔtua sika 2. deɛ ɔdi sika ho adwuma 3. sikatua dwumayɛfoɔ

cassava NOUN bankye □ *bankye ne borɔdeɛ | cassava and plantain*

castigate VERB twi anim

castle NOUN abankɛseɛ

casual ADJ 1. deɛ wɔyɛ no biara-biara 2. deɛ wɔmfa anibere nyɛ

cat NOUN 1. agyinamoa *(plural: nnyinammoa)* □ *agyinamoa no awu | the cat has died* □ *yɛwɔ agyinamoa | we have a cat* 2. ɔkra *(plural: nkra)* □ *ɔkra tuntum no nie | this is the black cat* □ *Ama de abaa no bɔɔ ɔkra no | Ama hit the cat with a stick*

catapult NOUN taya

cataract NOUN ɛtɛ

catarr NOUN 1. papu 2. ahwensie

catastrophe NOUN 1. atoyerɛnkyɛm 2. asiane

catch VERB 1. kye 2. sɔ mu; som NOUN 3. ɔkyeɛ

category NOUN 1. ekuo *(group)* 2. nkyekyemu *(division)*

cater VERB 1. hwɛ 2. boa 3. ma

cattle NOUN nantwie *(plural: anantwie)* □ *nantwie no pemm aberanteɛ no | the cattle head-butted the young man*

caution NOUN 1. ahwɛyie VERB 2. bɔ kɔkɔ

cave NOUN 1. ɔbodan 2. esie

CD ACR. | NOUN apaawa

cease VERB 1. gyae 2. ma ɛba awieeɛ 3. ma ɛtoɔ twa 4. wie

celebrate VERB 1. gye ani 2. bɔ ose 3. hyɛ fa 4. di ahurusie

celebrated NOUN deɛ wagye din

celebration NOUN 1. ahurusibɔ 2. osebɔ 3. anigyeɛ nhyiamu

celibacy NOUN sigyadie a ɔhyɛ nnim; sigyadie a ahyiadie nnim

celibate NOUN | ADJ deɛ ɔdi sigya na ɔnni mpa mu agorɔ

cell NOUN afiase dan ketewa bi *(where prisoners are locked up)*

cement NOUN sɛmɛnte; soromɛnto *(borrowed)*

cemetery NOUN 1. asieeɛ 2. amusieeɛ 3. asamampɔ mu

cenotaph NOUN 1. nkaedum a wɔsi de kae nnipa a wɔawu wɔ kono *(of dead people)* 2. nkaedum a wɔsi de kae asraafoɔ a wɔawu wɔ kono *(of dead soldiers)*

census NOUN nnipakan

centenarian NOUN deɛ wadi mfeɛ ɔha

centenary NOUN mfeha

centipede NOUN sakasaka

central ADJ 1. deɛ ɛdi akotene *(of greatest importance)* 2. mfimfini pɛɛ *(the very middle)*

ceramic ADJ 1. deɛ wɔde dɔteɛ anwene *(that made of clay)* NOUN 2. dɔteɛ kukuo

ceremony NOUN 1. afahyɛ 2. dwumadie

certain ADJ 1. wɔ mu ahotɔsoɔ; deɛ wowɔ mu ahotɔsoɔ *(what you can firmly rely on)* 2. emu wɔ ahotɔsoɔ; deɛ emu wɔ ahotɔsoɔ *(what you can firmly rely on)* 3. deɛ akyinnyeɛ biara nni ho pɔtee *(undisputable)*

certificate NOUN 1. adansedie krataa 2. abɔdin krataa

chaff NOUN 1. nwira *(rubbish)* 2. aburoo akyi nwira *(husks of corn)* 3. deɛ ɛnyɛ; deɛ ɛnni mfasoɔ *(worthless things)*

chain NOUN 1. nkɔnsɔnkɔnsɔn 2. dadeɛ hankra VERB 3. de nkɔnsɔnkɔnsɔn bɔ mu 4. de dadeɛ hankra bɔ mu

chair NOUN 1. akonnwa *(seat)* 2. adwa; dwa *(seat)* 3. otitenani; titenani *(chairperson, plural: atitenafoɔ)* VERB 4. tena pono ti *(act as chairperson)*

chairman NOUN 1. otitenani; titenani 2. deɛ ɔtena ɛpono ti

chairwoman NOUN 1. ɔbaa titenani 2. ɔbaa a ɔtena pono ti 3. ɔbaa a ɔhwɛ dwumadie bi so

chalk NOUN twɔɔko *(borrowed)*

chamber and hall PHRASE piam ne asa

chamber NOUN 1. piam *(room; bedroom)* 2. nhyiamudan *(meeting room)*

chamber pot NOUN kuruwaba □ *akwadaa no dwonsɔ guu kuruwaba no mu | the child urinated into the chamber pot*

chamberpot NOUN kuruwaba

chameleon NOUN abosomakoterɛ

champion NOUN 1. ɔkandifoɔ *(one who comes first in a competition)* 2. nkonimdifoɔ *(winner)* 3. ɔkasamafoɔ *(advocate)*

chance NOUN 1. deɛ ɛbɛtumi asi *(of possibility)* 2. akwannya *(opportunity)* 3. deɛ ɛno ara sie *(that which happens by chance)* VERB 4. ma ɛsi a ani nna so

chancellor NOUN 1. opanin; panin 2. opanin a ɔda suapɔn ano *(of a university)*

change VERB 1. sesa; sesa mu 2. sakra; sakra mu NOUN 3. nsesaeɛ 4. nsakraeɛ 5. nsesa *(money received after payment with more money than cost of item bought)*

channel NOUN 1. nsuka 2. bɔnka 3. ɛkwan

chant VERB 1. kankye NOUN 2. nkankyeɛ

chaos NOUN basabasayɔ

chapel NOUN 1. asɔredan 2. kyapel *(borrowed)*

chapter NOUN ɔfa

character NOUN 1. su; suban *(qualities of an individual)* 2. atwerɛdeɛ *(letter; number; symbol)*

charcoal NOUN 1. bidie 2. gyabidie

charge VERB 1. twa boɔ ma obi tua *(price goods/service)* 2. gye *(demand an amount)* 3. bɔ soboɔ *(accuse)* NOUN 4. ɛboɔ; boɔ *(price; charge)* 5. soboɔ *(accusation)*

charity NOUN 1. adɔeɛ 2. ayamyɛ 3. adekyɛ

charlatan NOUN 1. ɔdaadaafoɔ 2. bradɛtofoɔ

charm NOUN 1. deɛ ɛkyere adwene *(that which fascinates; amazes; captivates)* 2. ahoɔfɛ *(beauty)* 3. suman a ɛkyere adwene *(object with magical powers that influences the mind)* VERB 4. kyere adwene *(fascinate; delight; captivate the mind)*

charter NOUN 1. anodisɛm 2. nhyehyɛeɛ VERB 3. han *(hire)*

chaste ADJ 1. deɛ ɔmmɔ adwaman 2. deɛ ɔtwe ne ho firi ahyiadie ho

chastise VERB 1. twe aso *(punish)* 2. twi anim *(rebuke)*

chat VERB 1. twetwe nkɔmmɔ 2. di nkɔmmɔ NOUN 3. nkɔmmɔdie 4. nkutahodie

chauffeur NOUN 1. ankorɛankorɛ drɔbani 2. ofidikafoɔ 3. ɔhyɛnkafoɔ

chauvinist NOUN 1. deɛ ɔdɔ ne man boro so 2. deɛ ɔmmu ɔman foforɔ biara ka ne man ho

cheap ADJ 1. fo 2. deɛ ne boɔ nyɛ den *(that which is not expensive)*

cheat VERB 1. sisi 2. wia mu *(e.g. in an exam; election)* NOUN 3. osisifoɔ *(one who cheats, plural: asisifoɔ)* 4. asisie *(act of cheating)*

cheater NOUN 1. osisifoɔ

cheating NOUN 1. asisie 2. nwiamu 3. apoobɔ *(fraud)*

check VERB 1. ma ani di akyire 2. hwehwɛ mu *(examine)* 3. hwɛ gyae *(watch and stop the progress of something undesirable)* 4. hwɛ brɛ ase *(watch and slow the progress of something undesirable)* NOUN 5. nhwehwɛmu

cheek NOUN 1. afono *(either side of the face, below the eye)* 2. ɛtoɔ; ɛtoɔ fa *(either side of the buttock)*

cheer VERB 1. bɔ ose *(shout for joy/in praise)* 2. kyekye werɛ *(give comfort)* 3. gye ani *(make happy)* NOUN 4. osebɔ *(shout of joy/praise)* 5. awerɛkyekyerɛ

cheerful ADJ 1. deɛ ɔwɔ anigyeɛ mu 2. deɛ n'ani agye

cheque NOUN sikayie tumi krataa

cherish VERB 1. ma ɛsom bo *(hold dear; place value on)* 2. da ho dɔ adi *(care lovingly)* 3. bɔ ho ban *(protect)*

chest NOUN 1. koko; kokoɔ 2. bo □ *Kwaku koko ha no | Kwaku's chest worries him (meaning: "Kwaku gets angry quickly")* □ *Boafo apagyapagya nnadeɛ ama ne bo ayɛ tɛtrɛtɛ | Boafo has lifted metals (weights), causing his chest to become wide.* VERB 3. de bo pem; de koko pem *(propel/kick with one's chest)*

chew VERB 1. we *(past: wee/weeɛ; future: bɛwe; progressive: rewe; perfect: awe; negative: nwe)* 2. wesa *(past: wesaa/wesaeɛ; future: bɛwesa; progressive: rewesa; perfect: awesa; negative: nwesa)* □ *wesa ansa woamene | chew before you swallow* □ *merewe aburoo | I am chewing maize*

chicken NOUN 1. akokɔ *(domestic fowl)* 2. akokɔ nam *(the meat of this fowl)* 3. ohufoɔ *(coward)* VERB 4. suro dwane *(withdraw out of fear)*

chicken pox NOUN 1. mpete 2. borɔmpete

chief NOUN 1. ɔhene 2. ɔkandifoɔ *(leader)*

child NOUN 1. akwadaa *(plural: nkwadaa)* 2. abɔfra *(plural: nkwadaa)*

childhood NOUN 1. nkwadaaberɛm 2. mmɔfraase

childish ADJ nkwadaasɛm; deɛ ɔyɛ nkwadaasɛm

chin NOUN abɔdweɛ

choir NOUN asɔre mu nnwontokuo

choke VERB 1. hia 2. tram

cholera NOUN 1. ayamtubrafoɔ 2. kɔlɛra *(borrowed)*

choose VERB 1. pa; paw 2. yi

chop money NOUN 1. akɔnhoma 2. akɔnhoma sika 3. akɔnhomabɔdeɛ

chop VERB 1. twitwa *(cut into pieces)* 2. twa mu; twam *(abolish)*

christen VERB 1. to din 2. ma din

Christendom NOUN akristofoɔ

Christmas NOUN buronya

chronic ADJ koankorɔ; deɛ ɛyɛ koankorɔ

chronicle NOUN nsɛm/abakɔsɛm a wɔatwerɛ no nnidisoɔ nnidisoɔ

chunk NOUN 1. ɛfa kɛseɛ VERB 2. kyekyɛ mu akɛseɛ akɛseɛ

church NOUN 1. asɔredan *(building for worship by Christians)* 2. asɔre *(the occasion of worship)*

cigarette NOUN sigarɛte *(borrowed)*

circle NOUN 1. kanko VERB 2. twa ho hyia *(move all the way around something or someone)* 3. twa ho kanko *(encircle; form a circle around)*

circulate VERB 1. di aforosiane *(typically of blood circulation)* 2. di akɔneaba 3. kyini kɔ ho hyia

circulation NOUN 1. aforosiane 2. akɔneaba

circumspect ADJ 1. ahwɛyie 2. anidahɔ

circumstance NOUN 1. deɛ nti 2. nsɛm bi nti 3. obi sikasɛm *(one's financial state)*

circumvent VERB 1. kwati 2. twa fa ho

cistern NOUN 1. ankorɛ 2. nsuo koradeɛ

citizen NOUN 1. ɔmanni *(plural: amanfoɔ)* 2. ɔman dehyeɛ *(plural: aman adehyeɛ)*

city NOUN 1. kuropɔn 2. kuro kɛseɛ

civet NOUN kankane

civil ADJ 1. deɛ ɛfa kuromma ho 2. deɛ ɛfa temammufoɔ ho 3. deɛ ɔbu ne ho *(of one's behaviour)*

civilian NOUN ɔman ba a ɔnyɛ ɔsraani

ɔkyereben NOUN green snake

claim VERB 1. ka 2. bɔ srɛ mu ka 3. pae mu ka 4. gye to wo ho so *(claim responsibility)* NOUN 5. deɛ obi seɛ *(what someone says without proof)* 6. bɔsrɛmuka *(what someone says without proof)*

clan NOUN abusuakuo

clandestine ADJ 1. kokoam; deɛ wɔyɛ no kokoam 2. deɛ ɛyɛ ahintasɛm 3. deɛ wɔyɛ no sum ase

clap VERB 1. bɔ nsam NOUN 2. nsambɔ

clarify VERB 1. kyerɛkyerɛ mu 2. ma emu da hɔ

clash VERB 1. bɔ mpunimpu *(of persons: head-on collision)* 2. ko ntɔkwa *(fight)* 3. si akan *(engage in a contest; compete)* 4. bɔ ahyia *(happen at the same time; clashes with)* NOUN 5. mpunimpu *(head-on collision)* 6. ntɔkwa *(fight)*

clasp VERB 1. fam; kyere fam; ka fam *(grasp tightly with hand)* 2. bam *(hold someone tightly)*

class NOUN 1. gyinapɛn *(level in school)* 2. ekuo *(set; category; group)* 3. atipɛnfoɔ *(sets based on perceived social/economic status)*

clause NOUN ɔkasamufa; kasamufa

claw NOUN bɔwerɛ; aboa bɔwerɛ

cleanliness NOUN ahonedie

clear ADJ 1. emu da hɔ; deɛ emu da hɔ *(unclouded; easily heard; easily understood)* 2. deɛ nteaseɛ wɔ mu *(understandable)* VERB 3. ma emu da hɔ 4. pra kwan mu 5. kyerɛ mu; ma nteaseɛ wɔ mu

clench VERB 1. moa nsa 2. mia nsam

clever ADJ 1. deɛ waben 2. deɛ ɔnim de 3. deɛ ɔnim nwoma 4. deɛ n'ani ateɛ

climate NOUN 1. ewiem nsakraeɛ 2. daframa

climb VERB foro *(past: foroo/foroeɛ; future: bɛforo; progressive: reforo; perfect: aforo; negative: mforo)* □ *adoe no aforo dua no | the monkey has climbed the tree* □ *mereforo atwedeɛ | I am climbing a ladder*

clinic NOUN 1. ayaresabea 2. kleneke *(borrowed)*

clitoris NOUN ɛtwɛba; twɛba *(profane)*

clock NOUN ɛdɔn; dɔn

close VERB 1. to mu; tom *(past: too mu; future: bɛto mu; progressive: reto mu; perfect: ato mu; negative: nto mu)* 2. pɔn *(bring to an end, past: pɔnn/pɔneeɛ; future: bɛpɔn; progressive: repɔn; perfect: apɔn; negative: mpɔn)* ADJ 3. bɛn *(near)* NOUN 4. ɛkwan a ɛpem *(street without thorough access)*

clot NOUN 1. mogya a ada *(clotted blood)* 2. deɛ ada VERB 3. da; ma ɛda

cloth NOUN ntoma □ *ntoma no ate | the cloth is torn*

club NOUN 1. aporibaa *(tool)* 2. ekuo *(group; association)*

clue NOUN akwankyerɛdeɛ

clumsy NOUN 1. nwonworann; deɛ ɛyɛ nwonworann 2. deɛ wɔyɛ no basaabasaa *(done without skill)*

cluster NOUN 1. deɛ ɛbobɔ ho 2. deɛ fomfam ho VERB 3. de bobɔ ho 4. de fomfam ho

coach NOUN 1. deɛ ɔtete agodifoɔ 2. deɛ ɔda bɔɔlobɔkuo ano VERB 3. tete

coagulate VERB 1. da 2. bɔ toa

coal NOUN 1. bidie 2. gyabidie

coal pot NOUN koropɔɔto *(borrowed)*

coalesce VERB ka bɔ mu; ka bom

coalition NOUN 1. nkabom 2. koroyɛ 3. biakoyɛ

coax VERB 1. korɔkorɔ 2. fa ano toto

cob NOUN aburodua

cobra NOUN oprammire

cobweb NOUN ntontan

cocaine NOUN 1. adubɔne *(general; illicit drug)* 2. kookeen *(borrowed)*

cock NOUN 1. akokɔnini *(adult male chicken)* 2. kɔteɛ *(penis)*

cockpit NOUN wiemhyɛn drɔba atenaeɛ; wiemhyɛn drɔba tenabea

cockroach NOUN tɛfrɛ *(plural: ntɛfrɛ)* □ *ntɛtea no soaa tɛfrɛ no kɔeɛ | the ants carried the cockroach away*

cocoa NOUN kookoo *(borrowed)*

coconut NOUN kube *(plural: nkube)*

cocoyam leaf NOUN kontomire *(plural: nkontommire)*

cocoyam NOUN mankani

code NOUN 1. mmara *(laws)* 2. nhyehyɛeɛ *(set of rules; arrangements)*

coequal ADJ | NOUN afɛ □ *w'afɛ ne me? | I'm I your coequal?*

coerce VERB 1. hyɛ *(pressurize)* 2. daadaa *(deceive)*

coffee NOUN kɔfe *(borrowed)*

coffin NOUN 1. efunu adaka 2. efunnaka

coincide VERB 1. hyia mu; hyiam *(occur at the same time)* 2. hyia *(tally)*

cola NOUN bese

cold ADJ 1. nwunu; nwunwunu; nwunwuunwunu *(of temperature: relatively low)* 2. awɔ; awɔ de; deɛ awɔ de no *(cold feeling)* 3. deɛ adwoɔ; deɛ adwo *(of food: cold; unheated)* 4. ampɛnnipa; deɛ ɔmpɛ nnipa *(unfriendly person; unemotional)* NOUN 5. papu *(infection)* 6. awɔ *(low temperature)*

colic NOUN 1. ayamhyɛ 2. ayamtim

collaborate VERB 1. yɛ adwuma bɔ mu 2. di nsawɔsoɔ

collapse VERB 1. twa hwe; bu hwe *(of a person: faint)* 2. dwiri gu *(of a structure: collapse)* NOUN 3. ntwahweɛ

collapsible ADJ 1. deɛ wɔtumi bobɔ 2. deɛ wɔtumi bu mu

colleague NOUN 1. afɛ 2. yɔnkoɔ 3. deɛ wo ne no yɛ adwuma korɔ

collect VERB 1. boaboa ano *(bring together; gather)* 2. sesa; tase *(pick from several* *spots on the floor)* 3. gye; gyegye

college NOUN 1. sukuupɔn 2. kɔlegyi *(borrowed)*

collide VERB 1. pem 2. hyiam

colon NOUN osiprenu *(punctuation mark)*

colour NOUN ahosuo

coma NOUN 1. nnahɔɔ 2. nna hatee

comb NOUN 1. afe VERB 2. nunu mu; nunum

combat NOUN 1. ɔko 2. ntɔkwa VERB 3. si ano *(stop from happening)* 4. ko; ko ntɔkwa *(stop from happening)*

combatant NOUN ɔkofoɔ *(plural: akofoɔ)*

combination NOUN nkabom

combine VERB ka bɔ mu; ka bom

come VERB 1. ba *(past: baa/baeɛ; future: bɛba; progressive: reba; perfect: aba; negative: mma)* □ *ɔbɛba anadwo* | *he/she will come at night* □ *Anɔkye baa ha* | *Anokye came here* □ *mereba* | *I am coming* IMP. 2. bra *(negative: mma)* □ *bra ha* | *come here* □ *bra!* | *come!* □ *mɛmma* | *don't come*

comedian NOUN 1. deɛ ɔyi aseresɛm 2. deɛ ɔyi nsɛnkwaa

comfort VERB 1. kyekye werɛ 2. ma akoma tɔ yam NOUN 3. ahotɔ 4. asomdwoeɛ 5. ahodwoɔ

comfortable ADJ 1. deɛ ɛma asomdwoeɛ 2. deɛ ɛma ahodwoɔ 3. deɛ ɛma akoma tɔ yam

comic ADJ 1. deɛ ɛma nnipa sere; deɛ ɛma sereɛ NOUN 2. deɛ ɔyi aseresɛm 3. deɛ ɔyi nsɛnkwaa

comma NOUN nsanhɔ

command NOUN 1. ɔhyɛ VERB 2. hyɛ *(order)* 3. di obi so *(dominate)*

commando NOUN asraafoɔ a wɔtu sa

commemorate VERB 1. hyɛ fa 2. kae da pɔtee bi

commemoration NOUN 1. nkaeɛ 2. nkaeɛ afahyɛ

commence VERB 1. firi aseɛ 2. hyɛ aseɛ

commend VERB 1. yi ayɛ 2. bɔ aba so 3. kamfo

comment VERB 1. ka ho asɛm 2. bɔ so 3. ka biribi fa ho NOUN 4. obi adwene *(one's opinion)* 5. nsusuiɛ *(observation)*

commerce NOUN dwadie

commiserate VERB hu mmɔbɔ

commit VERB 1. yɛ bɔne *(do wrong; commit crime)* 2. yɛ mfomsoɔ *(make mistake)* 3. hyɛ bɔ *(pledge)* 4. de wo ho hyɛ biribi mu *(...to something/task)*

committee VERB agyinatukuo

commodity NOUN 1. adwadeɛ *(product that can be sold/bought)* 2. deɛ ɛho hia; deɛ ɛsom bo *(something useful/valuable)*

common ADJ 1. deɛ abu soɔ 2. deɛ ɛho nyɛ na

commotion NOUN basabasayɔ

communal ADJ kwasafo

communal labour PHRASE kwasafo dwuma

communicate VERB 1. di nkutaho 2. di nkɔmmɔ

community NOUN mpɔtam

commute VERB 1. di akɔneaba NOUN 2. akɔneaba

companion NOUN 1. ɔhokafoɔ 2. ɔboafoɔ

company NOUN 1. adwumakuo *(commercial business)* 2. nnipakuo *(of persons)*

compare VERB de toto ho; fa toto ho

compassion NOUN ahummɔborɔ

compassionate ADJ deɛ ɔwɔ ahummɔborɔ

compatible ADJ 1. deɛ ɛfa; deɛ ɛka *(of things)* 2. deɛ wɔka *(of persons)*

compatriot NOUN ɔman ba

compel VERB hyɛ

compensate VERB pata

compensation NOUN 1. mpata 2. mpata sika *(monetary)*

compete VERB si akan

competition NOUN akansie

compilation NOUN 1. deɛ wɔaboa ano 2. deɛ wɔahyehyɛ

compile VERB 1. boa ano 2. hyehyɛ

complacency NOUN atirimuɔdɛ

complacent ADJ deɛ ne tirim yɛ no dɛ

complain VERB 1. kwane 2. nwiinwii 3. bɔ soboɔ

complainant NOUN deɛ ɔbɔ soboɔ

complaint NOUN soboɔ

complete VERB 1. wie 2. de ba awieeɛ 3. te nsa firi ho 4. ma ɛwie pɛ yɛ

complex ADJ 1. deɛ nwonworann 2. deɛ ne nteaseɛ yɛ den

complexion NOUN 1. honam ahosuo 2. nnipadua ahosuo

compliance NOUN 1. nnyetom 2. nnisoɔ 3. mpenesoɔ

complicate VERB 1. ma ɛyɛ nwonworann 2. ma ne nteaseɛ yɛ den

complicity NOUN 1. bɔneboa 2. takrawogyam

compliment NOUN 1. nkamfoɔ VERB 2. kamfo

comply VERB 1. di so; di mmara/nhyehyɛeɛ so 2. gye tom

component NOUN ɔfa bi

compose VERB 1. twerɛ dwom; hyehyɛ dwom *(write a song; arrange a song)* 2. twerɛ anwonsɛm; hyehyɛ anwonsɛm *(write a poem; arrange/create a poem)*

composite ADJ deɛ nneɛma ahodoɔ ka bom yɔ

composition NOUN susutwerɛ *(essay)*

compound NOUN 1. adihɔ hɔ *(area of land)* 2. adeɛ a wɔaka nneɛma pii afra ayɛ *(mixture)* VERB 3. ka fra *(mix)* 4. ma ɛgye nsam *(make worse)*

compound sentence NOUN ɔkasamu tenten; kasamu tenten

comprehend VERB 1. te aseɛ *(understand)* 2. nya nteaseɛ *(gain understanding)*

comprehension NOUN nteaseɛ

comprehensive ADJ 1. deɛ emu dɔ 2. deɛ ɛfa

compress VERB 1. mia 2. ma ɛyɛ tia *(of a piece of writing: shorten)* 3. ma ɛbom; ka bom *(squeeze together)*

compromise NOUN 1. nteaseɛ 2. nnyetom VERB 3. gye pene 4. gye tom siesie 5. pene so

compulsory ADJ deɛ ɛyɛ ɔhyɛ

compute VERB 1. sese 2. bu akonta

computer NOUN 1. kɔmputa *(borrowed)* 2. abɛɛfo badwemma afidie

comrade NOUN 1. ɔyɔnkoɔ; yɔnkoɔ 2. adamfoɔ

con VERB 1. bu 2. yɛ bukata 3. daadaa *(deceive)* 4. bu kwasea 5. to bradɛ NOUN 6. kwaseabuo 7. bradɛtoɔ 8. nnaadaa *(deceipt)*

conceal VERB 1. sie *(hide)* 2. kata so; bua so *(cover)* 3. hunta *(hide a piece of information; feeling)*

concede VERB 1. gye tom 2. gye pene; pene so

conceited ADJ 1. deɛ ɔgye ne ho di 2. deɛ ɔbɔ ne ho safohene 3. deɛ ɔdwa n'anom

conceive VERB 1. fa afuro; nyinsɛn *(become pregnant)* 2. bɔ pɔ; fa adwene *(of a plan; idea)*

concentrate VERB 1. de adwene si biribi pɔtee so 2. dwene kɔ akyire 3. ma emu pi *(make dense)*

concern NOUN 1. dadwene *(worry)* 2. ahiasɛm VERB 3. ha *(worry)* 4. de ka w'adwennwene ho *(concern yourself with)* 5. ma ani di biribi akyi 6. ma ɛyɛ ahiasɛm

concert NOUN 1. kɔnsɛte *(borrowed, public musical performance)* 2. bɛnkorɔ mu *(agreement; harmony)*

conciliate VERB 1. dwo akoma 2. ma koroyɛ ba 3. yɛ koro 4. ka bom

concise ADJ 1. tiawa 2. deɛ wɔabɔ no tɔfa 3. deɛ wɔatwa no tiawa

conclude VERB 1. wie 2. fa bra awieeɛ 3. twa so 4. si gyinaeɛ *(arrive at a conclusion)*

conclusion NOUN 1. ne korakora *(in conclusion)* 2. awieeɛ *(the end of)* 3. agyinaeɛ *(conclusion/judgment /decision reached)*

concoct VERB 1. bɔ srɛ mu ka; bɔ srɛm ka *(make up/devise: e.g. a lie/plan)* 2. bɔ tiri mu ka; bɔ tirim ka *(make up/devise: e.g. a lie/plan)* 3. keka bom yɛ *(make by mixing several things together)* 4. keka bom noa *(make a meal by mixing several ingredients)*

concord NOUN 1. asomdwoeɛ nhyehyɛeɛ; asomdwoeɛ nteaseɛ *(peaceful arrangement/agreement)* 2. nnyetom 3. mpenesoɔ

condemn VERB 1. kasa tia *(censure)* 2. bu fɔ *(sentence/assign punishment)* 3. yi mfomsoɔ adi

condition NOUN 1. tebea 2. yɛbea 3. su 4. nnyinasodeɛ *(of conditions under which something is done/happens)*

condole VERB 1. ma yaakɔ *(to the bereaved)* 2. ma hyɛden 3. gyam 4. ka akoma to yam

condolence NOUN 1. ogyam 2. awerɛkyekyesɛm

condone VERB 1. bu ani gu bɔneyɔ so 2. foa nneyɔ bɔne so 3. gye nneyɔ bɔne tom

conduct NOUN 1. nneyɔ *(behaviour)* VERB 2. hyehyɛ *(organise)* 3. yɛ *(do/carry out)* 4. di anim *(lead, e.g. in a performance)*

confectionery NOUN adɔkɔdɔkɔdeɛ

confer VERB 1. ma abɔdin 2. bɔ aba so 3. pagya dibea

conference NOUN nhyiamu

confess VERB 1. pae mu ka bɔne 2. pae mu ka mfomsoɔ 3. gye mfomsoɔ tom 4. gye tom *(admit; concede)*

confession NOUN 5. bɔneka *(of sin)* 6. nnyetom *(admission of guilt)*

confide VERB 1. de werɛ hyɛ obi mu 2. ka asomsɛm 3. ka tirimsɛm

confidence NOUN 1. akokoɔduro 2. gyedie *(confidence in; trust)* 3. kokoam *(tell in confidence)*

confident ADJ 1. deɛ ɔgye ne ho di 2. deɛ ɔwɔ akokoɔduro

confine VERB 1. si ano trɛ *(prevent from spreading)* 2. kye hyɛ faako; ma ɛtena faako

confirm VERB 1. si so dua *(establish its correctness/truth)* 2. gye tom *(administer the religious rite of confirmation to)* 3. hwehwɛ mu nokorɛ *(verify)*

confirmation NOUN nnyetom

conform VERB 1. di mmara so *(comply with rules/laws)* 2. di so *(comply)* 3. sɛ *(conform to; be similar)*

confront VERB 1. ka anim; twi anim *(scold)* 2. si anim *(challenge face to face; face up to and deal with))*

confuse VERB 1. ma adwene yɛ naa 2. ma adwene di kyinhyia 3. ma tirim yɛ naa 4. biri ani so 5. ma nteaseɛ yɛ basaa *(complicate understanding)*

congeal VERB 1. da *(become semi-solid; solidify)* 2. pi

congest VERB hyɛ (ɛdɔm) boro so *(overcrowd; overload; overfill)*

congested ADJ 1. deɛ ayɛ hwanyann 2. deɛ aboro so

congestion NOUN dɔmpemmɔ mu ahokyerɛ; ahokyerɛ

congratulate VERB 1. ma amo 2. bɔ aba so 3. kamfo

congratulation NOUN 1. mo-ne-yɔ 2. abasobɔ 3. nkamfoɔ

congratulation NOUN mo-ne-yɔ

congregate VERB hyia mu; hyiam

congregation NOUN nhyiamu

congress NOUN nhyiamu

conjunction NOUN nkabomdeɛ

conjure VERB 1. kankye; kankye ma biribi ba 2. yi nkonyaa

connect VERB 1. ka bom 2. fa toto ho; fa bata ho *(associate in some respect)*

connive VERB 1. boa bɔne 2. hyɛ takrawogyam 3. foa bɔne so 4. ma bɔne ho kwan

conquer VERB 1. di so 2. di so nkonim 3. to so sa di nkonim

conscience NOUN tibua

conscientious ADJ 1. deɛ n'ani ku n'adwumayɔ ho 2. deɛ ɔmfa n'adwuma nni agorɔ 3. deɛ ɔyɛ n'adwuma yie

conscious ADJ ani da hɔ; deɛ n'ani da hɔ

consciousness NOUN anidahɔ

consderate ADJ 1. deɛ ɔwɔ ahummɔborɔ 2. deɛ ɔwɔ tema

consecrate VERB 1. te ho 2. hyira 3. dwira

consecration NOUN 1. adwira 2. ahoteɛ

consecutive ADJ 1. nnidisoɔ-nnidisoɔ 2. ntoatoasoɔ

consensus NOUN 1. bɛnkorɔ mu 2. mpenesoɔ

consent NOUN 1. peneɛ 2. akwannya VERB 3. pene so 4. gye tom

conserve VERB 1. kora 2. bɔ ho ban

consider VERB 1. dwene ho 2. fa kɔ adwennwene mu

consideration NOUN adwennwene

console VERB 1. kyekye werɛ 2. ka akoma to yam 3. ma hyɛden

consonant NOUN anom nyegyeɛ *(plural: anom nnyegyeɛ)*

conspicuous ADJ 1. deɛ ɛho da hɔ 2. deɛ ɛda hɔ pefee 3. deɛ ɛnhintaeɛ

constant ADJ 1. deɛ ɛnsesa *(that which doesn't change)* 2. deɛ ɛyɛ botantim 3. deɛ ɛtim deɛ ɛtim

constellation NOUN 1. nsoromma akuoakuo 2. nnipa atitire nhyiamu *(a gathering of famous people)* 3. nimdefoɔ nhyiamu *(a gathering of brilliant people)*

consternation NOUN 1. akomatuo 2. ayamhyehyeɛ

constipation NOUN ayamtim

constituency NOUN abatoɔ mpasua; mpasua

constitution NOUN 1. ɔmammara 2. amammuo mmara

construct VERB 1. si *(build)* 2. yɛ *(make)* 3. hyehyɛ *(put together)*

construction NOUN 1. ɛdan *(a building)* 2. ɛdansie *(the action of building)*

construe VERB 1. nya nteaseɛ pɔtee bi 2. te biribi ase fann 3. hunu biribi kwan bi so

consult VERB 1. pɛ/bisa mmoa firi *(seek help from)* 2. pɛ afotuo firi *(seek advice from)* 3. kɔhunu *(consult, e.g. a professional)*

consultant NOUN 1. ɔfotufoɔ *(advisor)* 2. dwumadie bi mu ɔbenefoɔ *(expert in a field)*

consultation NOUN nkutahodie *(discussion session)*

consume VERB 1. di *(eat)* 2. nom *(drink)* 3. hye dwerɛbee *(of fire: completely destroy)* 4. foforo; memene *(of a feeling/idea: affect strongly)* 5. fa dommum

consumptive NOUN | ADJ 1. deɛ ɔyare ne koko 2. deɛ kokoɔ yareɛ rehi no

contagious ADJ deɛ ɛsiane; deɛ ɛtumi siane afoforɔ

contain VERB 1. kora 2. ma ɛtena faako 3. hyɛ ho so *(restrain oneself/feeling)*

container NOUN 1. ankorɛ *(barrel)* 2. bokiti *(bucket)* 3. adeɛ *(general container)*

contaminate VERB 1. gu fi; ma ɛyɛ fi *(make dirty)* 2. sɛe *(spoil)*

contamination NOUN 1. figuo 2. adesɛeɛ

contemn VERB 1. di ho fɛw 2. bu animtia 3. bu abomfea

contemplate VERB 1. dwene ho; dwennwene ho 2. dwene ho kɔ akyiri 3. susu

contemporary NOUN 1. tipɛn; afɛ *(fellow; peer)* 2. ɛnnɛ nipa *(today's person)* ADJ 3. bere korɔ mu 4. ɛnnɛ berɛ mu *(present time)*

contempt NOUN 1. animtiabuo 2. abomfeabuo

contend VERB 1. di apereapere 2. pere ho 3. si akan

content ADJ 1. bo dwo 2. ani sɔ VERB 3. ma bo dwo 4. ma ani sɔ

contents NOUN 1. deɛ ɛwɔ mu 2. emu ade

contest NOUN 1. akansie VERB 2. si akan

continent NOUN 1. asasetam 2. asasepɔn

continuation NOUN ntoasoɔ

continue VERB 1. toa so *(carry on, past: toaa so; future: bɛtoa so; progressive: retoa so; perfect: atoa so; negative: ntoa so)* 2. kɔ so *(persist in activity, carry on, past: kɔɔ so; future: bɛkɔ so; progressive: rekɔ so; perfect: akɔ so; negative: nkɔ so)*

contraband NOUN 1. nneɛma a wɔkra no kwammɔne so 2. nneɛma a wɔamane no kwammɔne so

contraceptive NOUN 1. aduro a ɛsi nyinsɛn ano kwan 2. nyinsɛn anosie aduro

contract NOUN 1. nhyehyɛeɛ 2. apam 3. anodie 4. ahyɛmdie 5. kɔntraagye *(borrowed)* VERB 6. ka twom 7. ma ɛyɛ ketewa *(decrease in size)* 8. moa

contradict VERB bɔ abira

contrary ADJ ɛbɔ abira; deɛ ɛbɔ abira

contravene VERB 1. bu (mmara/nhyehyɛeɛ) so 2. tia *(conflict with a right/law/principle)*

contribute VERB 1. to boa 2. yi bi boa 3. yi bi ma

contribution NOUN ntoboa

contrition NOUN 1. ahonu 2. nnuho

control NOUN 1. tumi *(power; authority)* 2. biribi/obi so tumi *(control over something/someone)* VERB 3. hyɛ so *(control oneself: feelings; voice; expression)* 4. si ano *(prevent from spreading/becoming worse)* 5. di so *(rule; command)* 6. di anim; ma akwankyerɛ *(command; direct)* 7. ka hyɛ

controversy NOUN ntawantawa

contusion NOUN 1. honam ani wɔtereeɛ 2. honam ani ntwitwiiɛ

convalesce VERB 1. gye ahome *(rest)* 2. nya ahosan; nya apɔmuden *(recover one's health over a period)* 3. te apɔ

convalescence NOUN ahosan berɛ

convene VERB 1. hyia mu; hyiam *(come together for a meeting)* 2. frɛ nhyiamu *(assemble; call for a meeting)*

convenient ADJ 1. deɛ ɛfata 2. deɛ ɛsɛ 3. deɛ ɛyɛ 4. deɛ ɛtene

convent NOUN ahotefoɔ fie

convention NOUN 1. nhyiamu *(a meeting; gathering)* 2. nhyehyɛeɛ *(agreement; compact; contract)* 3. mmara a dodoɔ agye atom; nhyehyɛeɛ a dodoɔ agye atom *(accepted rule; accepted way of life)*

converge VERB 1. hyia mu 2. di ahyia

conversant ADJ deɛ ɔwɔ biribi ho nimdeɛ *(one who is conversant with)*

conversation NOUN 1. nkɔmmɔ 2. nkutahodie

convert VERB 1. sesa 2. sakra

convey VERB 1. soa kɔ *(carry someone/something somewhere)* 2. fa kɔ *(take... there)*

convict VERB 1. bua fɔ *(of a crime: find guilty)* NOUN 2. ɔdeduani 3. deɛ wɔabua no fɔ

conviction NOUN gyedie; obi gyedie *(belief; someone's belief)*

convince VERB 1. ma obi hu biribi mu nokware *(make someone see the truth in something)* 2. ma obi te aseɛ *(make someone understand)* 3. sesa obi adwene *(change someone's mind)*

convocation NOUN nhyiamu kɛseɛ

convoy NOUN 1. yidɔm 2. akwannyafoɔ 3. ahyɛn kuo a wɔtwi/wɔnante bom

convulse VERB 1. woso; wosowoso 2. woso prɛko pɛ; woso mpofirim

convulsion NOUN asensene

cook VERB 1. noa NOUN 2. aduanenoafoɔ *(a cook)*

cool VERB 1. dwo *(become less hot)* 2. ma ɛyɛ nwunu *(make cold)* NOUN 3. nwunu ADJ 4. deɛ ɛyɛ nwunu

coop NOUN 1. mmoa buo *(general)* 2. nkokɔ buo *(of poultry)*

cooper NOUN ankorɛyɛfoɔ

co-operate VERB di nsawɔsoɔ

cop NOUN opolisini *(plural: apolisifoɔ)*

copper NOUN kɔbere

coppersmith NOUN 1. kɔbere dwomfoɔ 2. kɔbere tomfoɔ

copra NOUN 1. kubedwe a awoɔ 2. kokosiadwe a awoɔ

copy NOUN 1. sɛso; biribi sɛso VERB 2. yɛ biribi sɛso *(reproduce)* 3. suasua obi/biribi *(imitate someone/something)* 4. hwɛ so twerɛ pɛpɛɛpɛ *(of a writing)*

cordial ADJ 1. deɛ ɔpɛ nnipa 2. deɛ ɔwɔ dɔ 3. deɛ n'anim teɛ

core NOUN 1. mimfini 2. emu pa ara *(central)* 3. akoma *(the heart)*

cork NOUN nsatire *(bottle stopper)*

corn NOUN aburoo

corner NOUN 1. ahyiaeɛ so *(where two sides/edges meet)* 2. kokoam *(secluded space)*

cornet NOUN 1. abɛn *(of the music instrument)* 2. aborɔbɛn *(one who plas the cornet)*

coronation NOUN ahensie

corporal NOUN asraafoɔ panin *(plural: asraafoɔ mpanimfoɔ)*

corporate ADJ deɛ ɛfa nnwumakuo ho

corporation NOUN 1. adwumakuo kɛseɛ *(of a business; company)* 2. asafoku *(of people)*

corpse NOUN 1. efunu; funu 2. amu

correct ADJ 1. deɛ ɛtene 2. deɛ ɛyɛ 3. deɛ ɛyɛ nokorɛ VERB 4. tene; tenetene *(straighten)* 5. siesie *(make right; address)* 6. ka anim *(rebuke)* 7. twe aso *(punish)*

correction NOUN ateneatene

correspond VERB 1. ne obi di nkrataatwerɛ *(communicate with someone by exchanging letters)* 2. sɛ *(have similarity)* 3. ne biribi hyia

correspondence NOUN 1. nsɛsoɔ *(equivalence)* 2. nkrataatwerɛ nkutahodie *(communication by exchange of letters)*

corridor NOUN abrannaa

corrode NOUN 1. hi 2. wewe

corrupt ADJ 1. deɛ ɔde ne ho hyɛ porɔeɛ mu 2. deɛ ɔma adamudeɛ VERB 3. hyɛ kɛtɛ ase 4. ma adamudeɛ

corruption NOUN 1. kɛtɛasehyɛ 2. porɔeɛ

cosmology NOUN wiase mfitiaseɛ ho nimdeɛ
cost NOUN ɛboɔ *(price)*
cot NOUN nkwadaa mpa
cotton NOUN asaawa
cough NOUN 1. ɛwa VERB 2. bɔ ɛwa; bɔ wa
counsel NOUN 1. afotuo VERB 2. tu fo
count VERB 1. kan *(determine total number)* 2. sese *(calculate)* 3. bu ano 4. kan ka ho; de ka ho *(take into account)* NOUN 5. ano *(the total determined by counting)* 6. akan *(the act of determining the total number)*
countenance NOUN 1. anim *(face)* 2. anim tebea *(facial expression)* VERB 3. gye tom *(admit as acceptable)* 4. ma kwan; ma ho kwan *(permit)*
counterpart NOUN 1. nsɛsoɔ 2. yɔnkoɔ
countless ADJ 1. deɛ ɛnni ano 2. deɛ yɛntumi nkan 3. bebree; pii
country NOUN ɔman *(plural: aman)*
countryman NOUN 1. temammuni 2. ɔmanni
coup d'état NOUN abantuguo
couple NOUN 1. awarefoɔ; awarefoɔ baanu *(married persons; married two)* QUANT 2. abɔnta 3. baanu
courage NOUN akokoɔduro □ *mo mu hwan na ɔwɔ akokoɔduro? | which amongst you has courage?*
courageous ADJ 1. deɛ ɔwɔ akokoɔduro 2. deɛ ne bo yɛ duru 3. deɛ ne koko yɛ duru
court NOUN 1. asɛnnibea *(of judicature)* 2. atemmubea *(of judicature)* 3. atemmufoɔ *(judges; jury; magistrates)* 4. ahemfie *(a king/queen's palace)*
courteous ADJ 1. deɛ ɔbu adeɛ 2. deɛ ɔbrɛ ne ho ase
courtesy NOUN obuo
cousin NOUN 1. onua *(general, sibling)* 2. wɔfa ba; papa nua ba *(a child of one's uncle)* 3. sewaa ba; maame nua ba *(a child of one's aunt)*
covenant NOUN apam
cover VERB 1. bua so 2. kata so 3. dura ho NOUN 4. nkatasoɔ 5. nnuraho
coverlet NOUN adasoɔ
covert ADJ 1. ahinta; deɛ ahinta 2. kokoam; deɛ ɛyɛ kokoam
covet VERB 1. ma ani bere obi adeɛ 2. ma ani di obi adeɛ akyi

cow NOUN 1. nantwibaa 2. nantwibedeɛ VERB 3. bɔ hu 4. hunahuna

coward NOUN | ADJ ohufoɔ *(plural: ahufoɔ)*

cowherd NOUN nantwikafoɔ

cowry NOUN sedeɛ

crab NOUN ɔkɔtɔ; kɔtɔ *(plural: nkɔtɔ)* □ *ɔkɔtɔ rewea, ne ba rewea; hwan na ɔbɛgyegye ne yɔnko taataa? | the crab is crawling, its offspring is crawling; who will help guide his/her fellow's steps? (a Twi proverb)*

crack VERB 1. pae 2. bɔ

cradle NOUN akɔkoaa mpa

craft NOUN adwinnie

crafty ADJ ɔdaadaafoɔ; deɛ ɔyɛ daadaafoɔ

crave VERB 1. ma kɔn dɔ yie 2. srɛ

crawl VERB 1. wea NOUN 2. awea

craze NOUN 1. biribi ho dam 2. deɛ aba soɔ *(something popular at the moment)*

crazy ADJ 1. deɛ wabɔ dam 2. deɛ n'adwene nyɛ 3. deɛ n'adwene mu ka no 4. deɛ wagyimi *(one who is foolish)*

creak VERB 1. kasa 2. yɛ dede

cream ADJ 1. nku *(opomade; lotion)* 2. nufosuo ani sradeɛ *(of milk)*

create NOUN 1. bɔ *(bring to existence)* 2. yɛ *(make)*

creation NOUN 1. adebɔ *(of God: the act of creating)* 2. adeyɛ *(the act of creating)* 3. abɔdeɛ *(that which has been created)*

creator NOUN 1. ɔbɔadeɛ 2. adebɔfoɔ

creature NOUN abɔdeɛ

crèche NOUN 1. mmotafowa sukuu 2. nkwadaankwadaa sukuu

credential NOUN 1. abɔdin krataa 2. adansedie krataa

credible ADJ 1. deɛ gyedie wɔ mu 2. deɛ nokorɛ wɔ mu 3. deɛ ahotɔsoɔ wɔ mu

credit NOUN 1. bosea *(money lent to someone; money borrowed)* 2. sika a wɔde afiri obi *(money lent to someone; money borrowed)* 3. din pa *(good name; trustworthy)* VERB 4. tua sika gu obi fotoɔ mu

creed NOUN gyedie

creep VERB 1. wea *(crawl)* 2. twe ase

cremate VERB hye funu

cremation NOUN afunhye

crematorium NOUN 1. beaeɛ a wɔhye funu 2. afunhyebea

crib NOUN 1. akɔkoaa mpa *(a cot)* VERB 2. wia deɛ ɔfoforɔ atwerɛ

cricket NOUN akatakyire *(the insect)*

crime NOUN 1. bɔne; bɔne kɛseɛ 2. amumuyɛ 3. awudie 4. mmaratoɔ 5. deɛ ɛtia mmara 6. mmara so buo

cripple NOUN 1. obubuafoɔ 2. ɔbafan; bafan VERB 3. bu nan mu *(break leg(s))*

crisis NOUN 1. asɛnkɛseɛ 2. asɛnhunu 3. tebea a emu yɛ den

critic NOUN ɔsamufoɔ

crocodile NOUN ɔdɛnkyɛm *(plural: adɛnkyɛm)* □ *ɔdɛnkyɛm no abae n'anom | the crocodile has opened its mouth wide*

crook NOUN 1. deɛ obu afoforɔ 2. mmaratoni 3. deɛ ne bra nsɛ mfata VERB 4. koa ADJ 5. deɛ ɛnyɛ

crooked ADJ 1. deɛ akoa 2. deɛ akyea 3. deɛ akɔntɔn

cross NOUN 1. mmeamu 2. deɛ wɔde abea mu VERB 3. twa mu 4. hyia *(intersect)*

crotch NOUN 1. dammirifa mu 2. anan mu

crow NOUN 1. anene 2. kwaakwaadabi

crowd NOUN 1. ɛdɔm 2. nnipadɔm

crown NOUN 1. ahenkyɛ *(ornamental headdress worn by kings/queens)* 2. abotire VERB 3. si hene *(make one a king; enstool)* 4. hyɛ ahenkyɛ; de ahenkyɛ hyɛ *(ceremonially place a crown on)*

crucial ADJ 1. deɛ ɛdi akotene 2. deɛ ɛdi biribi mu akotene

crucify VERB 1. bɔ asɛnnua mu 2. sɛn obi asɛnnua so

crude NOUN fango *(oil)*

cruel ADJ deɛ ne tirim yɛ den

cruelty NOUN atirimuɔden

crumb NOUN 1. mporoporowa 2. mfurofurowa 3. ketewa bi *(a small amount of something)*

crumble VERB 1. poroporo 2. furofuro

crumple VERB 1. moamoa 2. pompono

crusade NOUN 1. ɔsatuo 2. anammɔntuo

crush VERB 1. sɛe 2. fa hwe fam 3. moa

cry VERB 1. su *(past: suu/suiɛ; future: bɛsu; progressive: resu; perfect: asu; negative: nsu)* □

mɛnsu | don't cry □ *ɔsuu nnanan | he/she cried for four day* □ *ɔresu | he/she is crying* NOUN 2. osu *(a cry; shedding of tears)* 3. nteam *(a shout; scream)* 4. sufrɛ *(cry for help)*

cryptic ADJ 1. deɛ ne nteaseɛ yɛ den 2. deɛ ɛkyere adwene 3. deɛ ne nteaseɛ ahinta

cub NOUN 1. gyataba *(young of a lion)* 2. sisireba *(young of a bear)*

cuckoo NOUN abuburo

cucumber NOUN ɛferɛ

cud NOUN mpuwesa

cuddle VERB fam; fomfam

culpable ADJ 1. deɛ ɔsɛ soboɔ; deɛ ɛsɛ soboɔ *(one who deserves blame; that which deserves blame)* 2. deɛ ɔsɛ animka

culprit NOUN 1. bɔneyɛfoɔ 2. deɛ wadi bɔne

cultivate VERB dɔ (afuo)

cultivation NOUN 1. kuayɛ 2. adɔ 3. kua

culture NOUN amammerɛ

cumbersome ADJ 1. deɛ emu yɛ duru *(that which is heavy)* 2. deɛ ɛyɛ nwonworann

cumulate VERB boa ano

cunning ADJ 1. deɛ ɔyɛ dadaafoɔ 2. deɛ ɔyɛ bradɛtofoɔ NOUN 3. nnaadaa *(deceit; trickery)*

cunt NOUN ɛtwɛ

cup NOUN kuruwa □ *hwie nsuo gu kuruwa no mu | pour water into the cup*

cure VERB 1. sa (yareɛ) 2. yɛ obi aduro NOUN 3. yareɛ bi ano aduro *(solution to a disease; medicine)*

curiosity NOUN 1. asɛmpɛ 2. mfeefeemu

curious ADJ 1. deɛ ɔyɛ mfeefeemu 2. deɛ ɔfeefee nsɛm mu

currency NOUN sika; ɔman bi sika

current ADJ 1. deɛ ɛwɔ soɔ 2. deɛ ɛntwaa mu; deɛ ɛntwaam

curse VERB 1. bɔ dua 2. dome NOUN 3. duabɔ 4. nnome

antonym	
	hyira *bless*
	nhyira *blessing*

curtail VERB 1. brɛ ase 2. twa so; twa so tiawa; ma ɛyɛ tiawa

curtain NOUN 1. atwantam 2. mmɔho 3. pateesan *(borrowed: partition)*

curve NOUN 1. deɛ ɛntene 2. deɛ akoa 3. deɛ ɛnyɛ tee

custom NOUN amanneɛ

customer NOUN 1. ɔdetɔfoɔ 2. deɛ wɔne no di dwa

cut VERB twa *(past: twaa/twaeɛ; future: bɛtwa; progressive: retwa; perfect: atwa; negative: ntwa)* □ *maame twaa samina no | mum cut the soap* □ *ɔde sekan no twaa no | he/she cut him/her with the knife* □ *twa ahwedeɛ no bi ma me | cut me some of the sugarcane*

cute ADJ deɛ ne ho twa

cutlass NOUN nkrantɛ □ *ɔtwee nkrantɛ wɔ me so | he/she pulled a cutlass on me*

cyclone NOUN 1. kyinhyiamframa 2. atwafrɛdɛ 3. gyampanturudu 4. mframaden; mframa a ano yɛ den

Dd

dabble VERB fa nsa/nan hyɛ/to/bɔ nsuo mu *(immerse/put/splash hands/feet in water)*
dad NOUN 1. agya 2. papa
daft NOUN 1. deɛ wagyimi *(one who is stupid)* 2. deɛ ɛyɛ nwonwa *(that which is strange)* 3. deɛ ɛmfa kwan mu *(that which is impractical)*
dagger NOUN 1. sekantia 2. bafo
daily ADJ 1. daadaa 2. deɛ ɛsi da biara ADV 3. da biara
dainty ADJ 1. ketewa fɛɛfɛ 2. deɛ ɛyɛ ketewa na ɛyɛ fɛ NOUN 3. aduane dɛɛdɛ 4. fremfrem aduane
dam NOUN 1. nsuban 2. tintimman VERB 3. si nsuban
damage VERB 1. sɛe; sɛesɛe 2. di dɛm 3. ma ho te kyema NOUN 4. adesɛeɛ 5. dɛm; dɛmdie
dame NOUN 1. abodin a wɔde ma mmaa 2. maame
damn VERB 1. dome *(of Christianity: be condemned by God)* 2. twi anim
damp ADJ 1. deɛ afɔ kakra *(slightly wet)* VERB 2. fɔ kakra *(make slightly wet)*
dance VERB 1. sa *(past: saa/saeɛ; future: bɛsa; progressive: resa; perfect: asa; negative: nsa)* □ *ɔhene no resa Azonto | the king is dancing Azonto* NOUN 2. asa □ *asa foforɔ | a new dance*
dandruff NOUN ɛhoa
dandy NOUN 1. ɔbarima a n'ani wɔ n'ahosiesie ho pa ara ADJ 2. adutwam
danger NOUN 1. asiane 2. ahohiahia 3. amanneɛ 4. nsunsuanso bɔne *(danger of...)*
dangerous ADJ 1. deɛ ɛyɛ hu 2. deɛ ɛbɔ hu
dare VERB 1. si bo yɛ 2. nya akokoɔduro yɛ *(have courage*

to do) 3. to obi nkyea; to obi nkyea wɔ biribiyɔ mu *(challenge someone to do something)* 4. gyegye obi

daring ADJ 1. deɛ n'ani yɛ den *(of a person)* 2. deɛ ne bo yɛ hye *(of a person)* NOUN 3. aniɛden

dark ADJ 1. tumm 2. kusuu 3. kabii

darkness NOUN 1. esum 2. bɔne *(sin)*

darling NOUN | ADJ 1. ɔdɔfoɔ 2. ɔdɔ yewu 3. akoma mu tɔfe; akomam tɔfe *(sweetheart)*

dart NOUN 1. amirika ntɛntɛ *(a quick, sudden run)* VERB 2. tu amirika ntɛntɛ *(make a quick, sudden run)*

date NOUN 1. ɛda; da *(day)* 2. ɛberɛ; berɛ *(time)* 3. ɛda pɔtee *(a particular day/date)* 4. deeti *(borrowed)*

dating (courtship) NOUN mpenatweɛ

daughter NOUN ɔbabaa *(plural: mma mmaa)* □ *Israel mma mmaa | daughters of Israel*

dawdle VERB 1. sɛe berɛ wɔ nanteɛ mu 2. sɛe adagyeɛ wɔ biribiyɔ mu

dawn NOUN ahemadakye

day NOUN 1. ɛda; da *(plural: nna)* 2. ɛberɛ; berɛ *(a period, plural: mmerɛ)*

daybreak NOUN adekyeeɛ

daylight VERB 1. adekyeeɛ *(daybreak)* 2. ɛhann; awia *(natural light of day; sunlight)*

daze VERB 1. biri ani so; ma obi ani so biri no NOUN 2. anisobiri

deacon VERB 1. ɔsɔfokumaa 2. ɔsɔfoboafo

dead NOUN 1. owufoɔ *(the dead)* ADJ 2. deɛ wawuo *(of humans/animals: one who's dead)* 3. deɛ awuo *(of non-humans: that which is dead)* 4. deɛ ɔnni nkwa *(one who is lifeless)*

deaf ADJ 1. deɛ n'aso asie *(one who's hearing-impaired)* 2. deɛ ɔnte asɛm *(one who's unwilling or unable to hear/listen/pay attention to something)*

deafness NOUN asosie

dealer NOUN odwadifoɔ *(plural: adwadifoɔ)*

dear ADJ 1. da akoma so; deɛ ɔda akoma so *(beloved)* 2. deɛ ɛsom bo *(precious; priceless)* NOUN 3. ɔdɔfoɔ *(beloved*

death NOUN owuo □ *nkwa ne owuo | life and death*

debar VERB si kwan; si obi kwan

debase VERB brɛ ase, te so

debate VERB 1. gye akyinnyeɛ *(argue)* 2. toatoa adwen

debauch VERB de kɔ ɔsɛeɛ mu; sɛe

debilitate VERB ma (obi) yɛ mmerɛ

debility NOUN 1. mmerɛwyɛ 2. ahoɔmmerɛ

debit VERB te sika firi fotoɔ mu *(of a bank)*

debt NOUN ɛka; ka *(plural: aka)* □ *ɔntumi ntua n'aka | he/she is unable to pay his/her debts*

debtor NOUN ɔkafoɔ

debut NOUN dwumadie a ɛdi kan

decade NOUN 1. mfenhyia du 2. mfeɛ du

decadent ADJ 1. deɛ ɛrekɔ fam; deɛ ɛso reteɛ 2. deɛ ɛresɛe

Decalogue NOUN 1. Mmara Nsɛm Du 2. Onyankopɔn Mmara Nsɛm Du

decamp VERB 1. dwane; dwane firi baabi 2. bu ban *(break up; leave camp)*

decapitate VERB twa tire; twa ti

decay VERB 1. porɔ 2. sɛe NOUN 3. porɔeɛ 4. ɔsɛeɛ

decease VERB 1. owuo 2. mfirimu NOUN 3. wu 4. firi mu

deceit NOUN nnaadaa

deceive VERB daadaa

deceiver VERB 1. ɔdaadaafoɔ 2. bradɛtofoɔ

December NOUN Ɔpɛnimma □ *yɛdi Buronya wɔ Ɔpɛnimma bosome mu | we celebrate Christmas in the month of December*

decent ADJ 1. deɛ ɛyɛ 2. deɛ ɛsɛ 3. deɛ obuo wɔ mu 4. deɛ ɔwɔ animuonyam *(of a person)*

deception NOUN 1. nnaadaa 2. bukata 3. asisie

decide VERB 1. fa adwen 2. si gyinaeɛ *(conclude)*

declare VERB 1. pae mu ka 2. pa ho ntoma *(reveal)* 3. da adi *(make known; reveal)*

decline VERB 1. ba fam 2. brɛ ase *(reduce; lessen; decrease)* 3. twe siane *(withdraw)* 4. po *(reject)*

decompose VERB 1. porɔ 2. sɛe

decomposition NOUN 1. porɔeɛ 2. ɔsɛeɛ

decorate VERB 1. siesie 2. ma ɛyɛ fɛ 3. bɔ abaso *(honour)*

decoration NOUN 1. asiesie 2. abasobɔdeɛ *(award)*

decorous ADJ 1. deɛ obuo wɔ mu 2. deɛ ɛda dinn 3. deɛ ɛfata

decrease VERB 1. te so 2. hwane so NOUN 3. ntesoɔ

decree NOUN 1. ɔhyɛ mmara VERB 2. hyɛ

decrepit ADJ 1. deɛ wanyini ayɛ mmerɛ *(of a person: old and weak)* 2. deɛ atete apansam *(that which is worn out)*

decry VERB kasa tia *(speak against)*

dedicate VERB 1. tu ho hyɛ *(devote oneself)* 2. tu... hyɛ *(devote someone/something)* 3. bue ano *(officially open/unveil something)*

deduct VERB 1. te firi mu; te firim 2. yi firi mu; yi firim

deed NOUN 1. nneyɛɛ 2. asase nkrataa *(of a land)* 3. agyapadeɛ ho nkrataa *(of a property)*

deem VERB 1. susu 2. dwene

deep ADJ 1. deɛ emu dɔ *(of space: extending far down; of intellect: profound)* 2. deɛ ɛyɛ donkudonku 3. deɛ ne nteaseɛ yɛ den *(of understanding)*

deer NOUN ɔforoteɛ *(plural: aforoteɛ)*

deface VERB 1. sɛe ani 2. twitwi ani

defamation NOUN edinsɛeɛ; dinsɛeɛ

defame VERB 1. sɛe din 2. bɔ dimmɔne

defeat VERB 1. di so nkonim NOUN 2. nkoguo

defect NOUN 1. ɛdɛm 2. kyema VERB 3. firi mu kɔka ɔfoforɔ/afoforɔ ho

defend VERB 1. bɔ biribi ho ban 2. siane (obi) tiri *(argue in support of someone)*

defer VERB tu hyɛ da *(postpone)*

defiance NOUN 1. asobrakyeɛ 2. asoɔden

defiant ADJ 1. deɛ ɔyɛ asobrakyeɛ 2. deɛ n'aso yɛ den 3. deɛ deɛ ɔmmu adeɛ

deficient ADJ 1.deɛ ɛtɔ sini 2. deɛ ɛnni mu 3. deɛ ɛnnuru 4. deɛ (biribi) dodoɔ nni mu

deficit NOUN ɛka; ka

defile VERB 1. gu fi; gu (obi/biribi) ho fi *(damage purity)* 2. sɛe *(spoil)* 3. to mmonnaa *(rape, archaic)*

define VERB kyerɛ mu; kyerɛ aseɛ

definite ADJ 1. deɛ emu da hɔ pefee *(explicit; not vague)* 2. deɛ ɛyɛ nokorɛ turodoo *(that which is clearly true)*

definition NOUN 1. nkyerɛmu 2. nkyerɛaseɛ

deflate VERB 1. dwo; ma ɛdwo 2. bu abam *(make someone lose confidence)* 3. bu abomfeaa *(make someone feel less-important)*

deflect VERB 1. firi kwantene so *(turn aside from a straight course)* 2. mane 3. dane 4. sesa (obi) *(cause someone to change)*

deform VERB 1. di dɛm 2. sɛe 3. ma ɛyɛ tan

deformity NOUN ɛdɛm; dɛm

defraud VERB 1. bu; bu obi 2. yɛ (obi) bukata 3. bu kwasea 4. to bradɛ 5. daadaa

defray VERB tua ka

defunct ADJ 1. deɛ atwa mu; deɛ atwam 2. deɛ aguo 3. deɛ ɛnyɛ adwuma bio

defy VERB 1. bu so 2. ko tia

degenerate VERB 1. sɛe koraa 2. tɔ ape ADJ 3. deɛ asɛe 4. deɛ atɔ ape

degrade VERB 1. gu anim ase 2. te dibea so

degree NOUN 1. ntwahohyia nkyekyɛmu *(of unit of measurement: angles)* 2. suapɔn/sukuupɔn abodin *(of qualification)* 3. dibea *(status)*

dehydrate VERB ma nipadua mu nsuo we

dehydration NOUN 1. nipadua mu nsuweɛ 2. biribi mu nsuweɛ

deject VERB ma werɛ ho

dejected ADJ 1. deɛ ne werɛ ahoɔ 2. deɛ waboto

delay VERB 1. twentwɛn so 2. ma ɛkyɛ NOUN 3. ntwentwɛnsoɔ

delegate NOUN 1. nanmusini VERB 2. tu obi ma ɔdi dwuma bi 3. tu obi si w'anan mu wɔ dwumadie bi mu

delegation NOUN 1. ananmusifoɔ 2. abɔfoɔ

delete VERB 1. popa *(erase; clean)* 2. twa mu

deliberate ADJ 1. deɛ woahyɛ da ayɛ *(that which you've done on purpose)* 2. di ho abooboo;

dwene ho; susu ho *(think about something)*

delicate ADJ 1. deɛ ɛhia ahwɛyie 2. deɛ ɛtumi bɔ ntɛm *(easily broken; fragile)* 3. deɛ ɛsom bo *(that which is of value)*

delicious ADJ ɛyɛ dɛ; deɛ ɛyɛ dɛ

delight VERB 1. gye (obi) ani 2. ma (obi) ahosɛpɛ NOUN 3. anigyeɛ mmorosoɔ 4. ahosɛpɛ

delinquency NOUN bɔne; bɔne nketenkete

delinquent ADJ 1. deɛ ɔbu mmara so 2. deɛ ɔdi bɔne nketenkete NOUN 3. mmaratoni

deliver VERB 1. di wo bɔhyɛ so; fa seɛ yɛ ɔyɔ *(do as promised)* 2. de (biribi) kɔ baabi; de amannedeɛ kɔ baabi *(take something somewhere)* 3. gye (obi) *(save someone from; rescue)* 4. gye awoɔ *(assist a woman in labour to give birth)* 5. wo *(give birth)*

delude VERB 1. daadaa 2. to bradɛ

delusion NOUN 1. ntorɔ 2. deɛ ɛnyɛ nokorɛ 3. ntorɔ gyedie *(the state of believing in what's not true)*

deluxe ADJ adepa a ne boɔ yɛ den

delve VERB 1. wura mu; wurawura mu *(reach inside)* 2. feefee mu; hwehwɛ mu

demand VERB 1. bisa *(ask authoritatively)* 2. gye NOUN 3. abisadeɛ

demarcate VERB 1. to hyeɛ 2. twa hyeɛ

demean VERB 1. bu animtia 2. gu anim ase

demeanour NOUN 1. su 2. nneyɛɛ

dement VERB 1. bɔ dam 2. ma adwene mu ka

demented ADJ 1. deɛ n'adwene mu ka no 2. deɛ ɔyare awerɛfireyareɛ

dementia NOUN 1. adwenemuka 2. awirefireyareɛ

demise NOUN 1. owuo 2. obi wuo; biribi wuo

democracy NOUN 1. ka-bi-ma-menka-bi amammuo 2. dodoɔ amammuo

demolish VERB 1. dwiri gu 2. bubu

demolition NOUN dwiriguo

demon NOUN 1. sunsummɔne 2. honhommɔne 3. adaemɔne 4. ɔbonsam *(devil)*

demonstrate VERB 1. yi kyerɛ *(reveal a skill, feeling, quality)* 2. yɛ ɔyɛkyerɛ *(gather to show opposition/support to/for something)* 4. ma ɛda adi *(make known)*

demonstration NOUN ɔyɛkyerɛ

demoralize VERB bu abam

demote VERB te (obi) dibea so

den NOUN 1. ɛbɔn; mmoa bɔn 2. gyata daberɛ *(a lion's sleeping place)*

denominate VERB 1. bɔ din; to din *(name)* 2. frɛ *(call)*

denomination NOUN 1. ɔsom kuo; ɔsom kuo pɔtee bi *(a religious sect; a specific religious sect)* 2. sika *(money)*

denote VERB gyina hɔ ma

denounce VERB kasa tia; kasa tia wɔ badwam

dense ADJ 1. deɛ apee so 2. deɛ abɔ apee so

dentist NOUN 1. ɛse dɔkota 2. deɛ ɔhwɛ se

denude VERB 1. gye ne nyinaa *(take all)* 2. sɛe mfudeɛ *(destroy plants)* 3. bɔ adagya *(strip naked)*

deny VERB 1. ɛnnye ntom; ka sɛ ɛnyɛ nokorɛ *(refuse to admit; state that (something) is not true)* 2. po (obi) *(deny someone)* 3. bɔ atirimuɔden 4. ɛmma ho kwan *(disallow)*

deodorant NOUN 1. honam nka bɔne aduro 2. honam aduhwam 3. amɔtoam aduhwam

depart VERB 1. kɔ 2. firi beaeɛ bi kɔ 3. kyea *(deviate)*

department NOUN 1. nkorabata 2. ɔfa bi 3. nkyekyɛmu

depend VERB 1. de ho to so *(rely on)* 2. gyina... so *(determined by)*

dependable ADJ 1. deɛ ne mu wɔ ahotɔsoɔ 2. deɛ wɔtumi de ani to ne so 3. deɛ wowɔ ne mu gyedie

depict VERB 1. kyerɛ 2. ma ɛsɛ

deplete VERB 1. ma ɛsa 2. tu aseɛ

deplorable ADJ 1. deɛ ɛnyɛ koraa 2. deɛ ɛmfa kwan mu 3. deɛ egu anim ase *(that which is shameful)*

deplore VERB 1. kasa tia 2. susu sɛ biribi nyɛ koraa

deport VERB 1. pamo *(drive away)* 2. twa asu *(banish)*

deposit NOUN 1. ntoaseɛ *(first installment towards a purchase)* VERB 2. to aseɛ *(make first payment towards a* *purchase)* 3. de to hɔ *(put/set down)*

depot NOUN 1. akoraeɛ 2. adekorabea

depreciable ADJ 1. deɛ ɛso tumi te 2. deɛ ɛso tumi hwan

depreciate VERB 1. ma ɛso te 2. ma ɛkɔ fam 3. ma ɛso hwan

depress VERB 1. ma werɛ ho *(sadden)* 2. ma sunsum kɔ fam *(despirit)* 3. brɛ ase *(reduce)*

deprivation NOUN ohia *(poverty)*

deprive VERB 1. kame; de kame 2. si kwan

depth NOUN emu dɔ; biribi bu dɔ

deputation NOUN ananmusifoɔ

depute VERB 1. de obi si w'ananmu 2. de wo dwumadie hyɛ obi nsa

derail VERB 1. ma keteke te firi n'akwan mu; ma keteke nya akwanhyia *(of a train/tram)* 2. kyea firi kwantene so *(of behaviour)* 3. hwe ase *(of moral standing)* 4. sɛe

deride VERB 1. si atwetwe; tweetwee *(ridicule)* 2. se kwasea *(declare stupid)*

derive VERB nya firi

derogatory ADJ 1. deɛ egu anim ase 2. deɛ egu fi

descend VERB 1. siane; si 2. si fam

antonym	foro
	ascend; climb

descendant NOUN aseni *(plural: asefoɔ)*

describe VERB 1. kyerɛkyerɛ mu; kyerɛ mu 2. kyerɛ aseɛ

description NOUN 1. nkyerɛkyerɛmu 2. nkyerɛaseɛ

desecrate VERB 1. gu ho fi 2. sɛe 3. de anim twitwi fam

desert VERB 1. dwane gya 2. gyae akyiri di 3. to asaworam NOUN 4. ɛserɛ so *(of land)*

deserve VERB 1. fata 2. sɛ

design VERB 1. dwinni; di adwinni NOUN 2. adwinnie

designate VERB 1. de dwumadie hyɛ (obi) nsa 2. tu hyɛ (obi) nsa

desire NOUN 1. ɔpɛ VERB 2. pɛ; pere pɛ

desist VERB 1. gyae yɛ 2. twe ho firi

desk NOUN adamadwa

desolate ADJ 1. amamfo so 2. deɛ emu atu *(that which is empty)* 3. deɛ ne werɛ aho *(one who is sad)* VERB 4. ma emu tu *(make empty)* 5. ma werɛ ho *(make unhappy)*

despair NOUN 1. abammuo VERB 2. pa aba 3. ma abam bu

desperate ADJ 1. deɛ n'ani abere biribi ho 2. deɛ wayɛ kekakeka 3. deɛ ne ho yera no biribi ho

despise VERB 1. kyiri kɔkɔkɔ *(dislike deeply; feel repugnance for)* 2. bu animtia *(look down on)*

despoil VERB 1. wia *(steal)* 2. hwim *(take by force)*

despot NOUN 1. deɛ ɔbu ɔman tirimuɔden kwan so 2. ɔhyɛfoɔ 3. otirimuɔdenfoɔ

destination NOUN 1. beaeɛ a obi rekɔ 2. beaeɛ a ɛkɔwie

destined ADJ 1. deɛ ɛsɛ sɛ ɛba; deɛ ɛsɛ sɛ ɛsi *(that which is meant to come; that which is meant to happen)* 2. deɛ ɛyɛ nkrabea

destiny NOUN 1. hyɛbrɛ 2. nkrabea

destitute ADJ 1. deɛ ahia no buruburoo 2. deɛ ɔnni bie

destroy VERB 1. sɛe *(spoil; ruin)* 2. bubu *(demolish; break down)*

detach VERB 1. te mu 2. te firi ho 3. ma ɛte ne ho 4. twe ho firi *(detach oneself from)*

detail VERB 1. kyerɛkyerɛ mu fann *(explain; give more information about)* 2. de dwumadie hyɛ obi nsa *(assign someone a task)*

detain VERB 1. si kwan 2. kyere tom *(keep in custody)*

detect VERB 1. hunu *(see; discover; identify)* 2. hwehwɛ mu hunu *(investigate and find)*

detective NOUN 1. opolisini a ɔhwehwɛ nspm mu 2. deɛ ɔhwehwɛ bɔneyɔ mu 3. opolisini tetɛfoɔ

detergent NOUN samina pɔɔda; samina pɔɔda a etu fi

deteriorate VERB 1. kɔ so ara sɛe 2. sɛe koraa

determination NOUN nwetasoɔ

determine VERB 1. hwehwɛ mu hunu *(establish by research)* 2. de si ani so; si bo; we henam so

determined ADJ 1. deɛ wasi ne bo 2. deɛ wawe ahenam so

detest VERB 1. kyiri kɔkɔkɔkɔ *(dislike intensely)* 2. tan *(hate)*

dethrone VERB tu adeɛ so

devastate VERB 1. sɛe *(destroy)* 2. ma ahodwiri *(cause shock)*

devastation NOUN 1. ɔsɛeɛ *(destruction)* 2. ahodwiri *(shock)*

develop VERB 1. nyini *(grow)* 2. tu mpɔn *(progress)* 3. firi aseɛ *(of a problem/difficulty: begins to occur)* 4. si; hyehyɛ *(build; construct)*

development NOUN 1. mpuntuo 2. nkankorɔ

deviate VERB 1. kyea 2. fom kwan 3. yera kwan

devil NOUN ɔbonsam; bonsam

devise VERB 1. bɔ tirimupɔ 2. hyehyɛ

devote VERB 1. tu ho ma 2. tu ho si hɔ ma 3. de si hɔ ma

devotion NOUN 1. ɔsom *(worship)* 2. mpaebɔ *(prayers)*

devour VERB 1. we *(chew)* 2. di *(eat)* 3. memene *(swallow)* 4. kenkan ntɛmtɛm *(read quickly)*

devout ADJ deɛ watu ne ho asi hɔ ama ɔsom bi

dew NOUN 1. bosuo 2. hasuo

dexterity NOUN biribiyɛ mu nimdeɛ

dexterous ADJ deɛ wakwadare biribiyɛ mu

diabetes NOUN asikyireyareɛ

diabolic ADJ 1. deɛ ɛfiri bonsam *(that which is caused by or belong to the devil)* 2. deɛ ɛnyɛ koraa 3. deɛ ɛyɛ bɔne

diagnose VERB 1. hwehwɛ mu hunu 2. yɛ nhwehwɛmu hunu 3. feefee mu hunu

dialect NOUN 1. ɔfa bi kasabea 2. sɛdeɛ ɔfa bi ka kasa bi

dialogue NOUN 1. baanu nkɔmmɔ 2. baanu nkɔmmɔ wɔ nwoma/sini/agodie mu *(conversation between two in a book/film/play)*

diamond NOUN 1. dɛnkyɛmmoɔ; ahemmoɔ *(precious stone)* 2. adaman *(shape)*

diarrhoea NOUN ayamtuo

diary NOUN daadaa dwumadie nwoma

diastema NOUN ɛgyerɛ

dick NOUN kɔteɛ

dictate VERB 1. hyɛ *(give order)* 2. ka/kenkan ma wɔntwerɛ/wɔntwe *(say/read for others to write/record)* NOUN 3. ɔhyɛ *(order)*

dictation NOUN ɔkatwerɛ

dictionary NOUN 1. nsɛmfua nkyerɛaseɛ nwoma 2. kasa bi mu nsɛmfua nkyerɛaseɛ nwoma

die VERB wu *(past: wuu/wuiɛ; future: bɛwu; progressive: rewu; perfect: awu; negative: nwu)* □ *obiara bɛwu*

| *everybody will die* □ *menwu da* | *I will never die*

diet NOUN 1. nnuane ahodoɔ a wodie VERB 2. twe ho firi nnuane bi ho

dietician NOUN nnuanedie mu nimdefoɔ

difference NOUN nsonsonoeɛ

different ADJ da nso; deɛ ɛda nso

difficult ADJ 1. deɛ ɛyɛ den 2. deɛ ɛnna fam 3. deɛ ɛnyɛ mmerɛ

diffident ADJ 1. deɛ ɔfɛre adeɛ *(one who is shy)* 2. deɛ ɔnnye ne ho nnie *(one who does not believe in him/herself)*

dig VERB 1. tu; tutu; *(past: tuu/tuiɛ; future: bɛtu; progressive: retu; perfect: atu; negative: ntu)* 2. tu fam; tutu fam 3. tu amena; tutu amena □ *kraman no tuu amena wɔ fam hɔ* | *the dog dag a hole in the ground* NOUN 4. adetuo *(act of digging)* 5. amenatuo *(act of hole digging)*

digest VERB 1. yam *(grind)* 2. bubu mu *(break down; break into pieces)*

digestion VERB aduaneyam

dignify VERB 1. hyɛ animuonyam 2. ma anim ba nyam

dignity NOUN animuonyam

digress VERB 1. twa fa nkyɛn 2. gyae ka; twerɛ foforɔ 3. yera kwan

dilapidated ADJ 1. deɛ atete apansam 2. deɛ asɛe

dilate VERB 1. ma ɛtrɛ *(make wider)* 2. ma ɛyɛ kɛseɛ *(make larger)*

dildo NOUN krawa kɔte

dilemma NOUN 1. asɛnkɛseɛ 2. asɛnkɛseɛ a ɛbɔ adwene ntanta

diligent ADJ deɛ n'ani ku n'adwuma ho

dilute VERB 1. fra mu NOUN 2. deɛ wɔafra mu

dim ADJ 1. deɛ ani dum 2. deɛ ɛnhyerɛnn 3. deɛ ɛyɛ wisiwisi 4. deɛ ɛyɛ kusuu VERB 5. dum ani 6. ma ani dum

diminish VERB 1. ma ɛso te; ɛso te 2. ma ɛyɛ ketewa

diminutive ADJ deɛ ɛsua pa ara; ketekete

dimple NOUN afono mu tokuro

dining place NOUN adidibea

dinner NOUN anwummerɛ aduane *(evening meal)*

dip VERB 1. de hyɛ mu 2. de nu mu

diplomacy NOUN amanaman nkutahodie dwuma

direct ADJ 1. deɛ ɛkɔ tee 2. deɛ ɔdi nokorɛ *(a direct person; honest)* VERB 3. de kyerɛ 4. de hwɛ *(aim at)* 5. kyerɛ kwan *(direct someone somewhere)*

direction NOUN 1. ɛkwan *(a course; a way)* 2. nkyerɛkyerɛ *(guidance)*

director NOUN 1. ɔkandifoɔ; kandifoɔ *(leader)* 2. ɔkwankyerɛfoɔ 3. opanin *(plural: mpanimfoɔ)*

dirt NOUN efi; fi

dirty ADJ 1. deɛ ayɛ fi VERB 2. yɛ fi *(make dirty)*

disability NOUN ɛdɛm

disabled ADJ deɛ wadi dɛm

disabuse VERB 1. ma obi hu sɛ biribi nyɛ nokorɛ 2. sesa obi adwene

disagree VERB 1. ɛne obi nyɛ adwene 2. ɛne obi adwene bɔ abira

disagreeable ADJ 1. deɛ ɛmfata 2. deɛ ɔmpɛ nnipa *(one who is unfriendly)* 3. deɛ ne bo nkyɛre fu; deɛ ne koko nyɛ *(one who is bad-tempered)*

disagreement NOUN ntawantawa

disappear VERB 1. year 2. tu mem

disappoint VERB 1. di hwammɔ 2. bu bɔhyɛ so

disappointment NOUN hwammɔ

disapprove VERB kyerɛ sɛ wo ne biribi/obi nyɛ adwene

disarm VERB gye akodeɛ firi obi/ɔman bi nsam

disaster NOUN 1. atoyerɛnkyɛm 2. asiane

disastrous ADJ 1. deɛ ɛde ɔsɛeɛ ba 2. deɛ ɛde nsunsuansoɔ bɔne ba *(that which has bad consequences)*

disburse VERB 1. tua sika firi fotoɔ bi mu 2. tua sika

discard VERB 1. to twene 2. to gu 3. yi totwene NOUN 4. deɛ wɔayi no totwene

discharge VERB 1. yi (obi) *(from a hospital/prison)* 2. yɛ *(of duties/responsibilities)* 3. tua ka *(of debt)*

disciple NOUN 1. osuani *(plural: asuafoɔ)* 2. okyidifoɔ *(plural: akyidifoɔ)*

discipline NOUN 1. nteteeɛ pa *(good training)* 2. asotweɛ *(punishment)* VERB 3. tenetene 4. twe aso

disclaim VERB 1. yi ma 2. yi totwene 3. to agyeegyeemu 4. po

disclose VERB 1. da adi; da no adi 2. pae mu ka

discolour VERB 1. sesa ahosuo 2. ma (biribi) ahosuo sesa

disconnect VERB 1. te mu 2. te ntam NOUN 3. ntemu

disconsolate ADJ 1. deɛ ne werɛ aho pa ara 2. deɛ waboto

discontented ADJ 1. deɛ ɛbo nnwo so 2. deɛ ani nnye ho

discontinue VERB 1. twa so *(carry on, past: twaa so; future: bɛtwa so; progressive: retwa so; perfect: atwa so; negative: ntwa so)* 2. gyae yɛ *(carry on, past: gyaee yɛ; future: bɛgyae yɛ; progressive: regyae yɛ; perfect: agyae yɛ; negative: nnyae yɛ)*

discord NOUN ntawantawa *(disagreement; strife)*

discount NOUN 1. (ɛboɔ) ntesoɔ; (ɛboɔ) nyisoɔ VERB 2. te (boɔ) so; yi (boɔ) so

discourage NOUN bu abam

discouragement NOUN abammuo

discover VERB hunu

discovery NOUN 1. deɛ wɔahwehwɛ ahu no foforɔ 2. adeyie 3. ahintasɛm a ada adi

discreet ADJ 1. deɛ ɔyɛ ahwɛyie 2. deɛ ɔhwɛ ne nkasaeɛ mu yie

discrepancy NOUN 1. nsonsonoeɛ *(difference)* 2. deɛ mfomsoɔ wɔ mu *(with a mistake)* 3. deɛ ɛbɔ abira

discriminate VERB 1. yiyi mu 2. yɛ nyiyimu

discrimination NOUN nyiyimu

discuss VERB 1. susu ho 2. toto (ho) adwene 3. di (ho) abooboo 4. booboo ho 5. di ho nkɔmmɔ

disdain NOUN 1. animtiabuo 2. abomfeaabuo VERB 3. bu abomfeaa 4. bu animtia

disease NOUN yareɛ; yadeɛ *(plural: nyarewa)* □ *kokoram yareɛ | cancer disease*

disembark VERB si fam; si firi ɛhyɛn mu

disentangle VERB 1. sane *(general)* 2. sane ahoma *(of a rope)* 3. sane ɛpɔ *(of a knot)* 4. gyae (obi) *(release someone)* 5. gye obi firi *(set someone free from...)*

disfigure VERB 1. sɛe ani 2. twitwi ani 3. ma ɛho te kyema 4. ma ɛdi dɛm *(deform)*

disgorge VERB 1. fe *(vomit)* 2. pu ba *(bring back (to mouth))* 3. gyae mu *(yield up unwillingly)*

disgrace VERB 1. gu anim ase NOUN 2. animguaseɛ

disgusting ADJ abofono

dishearten VERB 1. bu aba mu; bu abam *(discourage)* 2. brɛ anidasoɔ ase *(weaken hope)* 3. brɛ ahokeka ase *(weaken enthusiasm)*

dishes NOUN nkukuo

dishevel VERB 1. pɛsɛpɛsɛ nwi *(of hair)* 2. yɛ nnoɔma basabasa *(of clothes)*

dishonour VERB 1. bu animtia 2. sɛe din 3. gu anim ase 4. de (obi) anim twitwiri fam 5. bu so *(of agreement)*

disinfect VERB 1. te ho 2. de aduro ku mmoawammoawa

disinherit VERB kame awunyadeɛ

disintegrate VERB tete pansam

disk NOUN apaawa

dislocate VERB 1. hwane *(of a bone in a joint)* 2. yi firi baabi a ɛsɛ sɛ ɛhyɛ/ɛda *(move from its rightful place)*

dislocation NOUN firikyie *(of a bone in a joint)*

dismantle VERB 1. tutu; tete mu *(take apart)* 2. dwiri gu *(demolish)*

dismember VERB 1. twa nsa *(cut off hands)* 2. twa nan *(cut off legs)* 3. twitwa *(cut (body) into pieces)* 4. kyekyɛ mu *(divide; partition)*

dismiss VERB 1. yi adi *(sack)* 2. pamo *(drive away)* 3. yi firi adwennwene mu *(take away from thought)*

disorder NOUN 1. basabasayɔ 2. gyegyeegye

disown VERB 1. po *(reject)* 2. yi totwene 3. yi nsa firi so

disparity NOUN nsonsonoeɛ *(difference)*

dispatch VERB 1. soma 2. ma wɔde kɔ 3. Kra 4. gya kwan 5. Mane NOUN 6. ɔsoma 7. nkra 8. akwannya

dispel VERB 1. ma ɛyera 2. pamo 3. bɔ pete 4. gu

dispensary NOUN 1. nnufraeɛbea 2. ayarehwɛbea

dispense VERB 1. kyɛ *(distribute; share)* 2. ma; de ma *(give)* 3. ma aduro *(of medicine: give)*

disperse VERB 1. hwete 2. bɔ pete 3. paapae mu 4. tete mu

displace VERB yi firi ne gyinabea

display VERB 1. yi adi; da adi 2. yi kyerɛ NOUN 3. adiyi 4. oyikyerɛ

dispute NOUN 1. ntawantawa 2. ntɔkwa 3. akasakasa 4. ɔham 5. akyinnyegyeɛ VERB 6. gye akyinnyeɛ *(argue)* 7. twe manso *(litigate)*

disqualify VERB 1. yi firi mu *(take out)* 2. pamo *(drive/send away)* 3. si ho kwan *(prohibit; bar; debar)* 4. bane *(ban, borrowed)*

disquiet NOUN 1. ɔhaw VERB 2. ha

disrespect NOUN 1. animtia; animtiabuo VERB 2. mfa obuo mma 3. bu animtia

disrobe VERB 1. yi atadeɛ *(take off one's clothes)* 2. pa ho; pa ntoma 3. bɔ adagya *(go naked; strip)*

disrupt VERB 1. sɛe 2. ma ɛyɛ basaa 3. gu

disruption NOUN 1. basabasayɔ 2. ɔsɛeɛ 3. ntesimu

dissect VERB 1. pae mu 2. twa mu 3. pɛnsɛnpɛnsɛn mu *(analyse; examine)*

disseminate VERB 1. ma ɛhyeta 2. ma ɛtrɛ

dissent NOUN 1. akasakasa 2. ntawantawa VERB 3. ne asɛntitire bi nyɛ adwene

disservice NOUN 1. ɔhaw 2. nneyɛɛ a ɛha adwene

dissimulate VERB de sie; de atenka sie *(conceal/hide; conceal one's feeling)*

dissipate VERB 1. yera; ma ɛyera *(disappear; cause to disappear)* 2. hwete; ma ɛhyeta *(scatter; cause to scatter)* 3. sɛe *(waste; squander)*

dissociate VERB 1. te mu 2. te ntam 3. te firi ho 4. pae mu

dissolve VERB 1. nane 2. yera *(disapear)* 3. gu *(annul; end)*

distance NOUN 1. ɛkwan 2. kwan ntam *(interval; distance between two spots)* 3. kwan tenten *(long distance)* 4. kwan tiatia *(short distance)* 5. akyirikyiri *(a far-off point)* VERB 6. twe ho firi

distant NOUN 1. akyirikyiri 2. nohoaa

distil VERB 1. te ho 2. sɔne so 3. noa

distinctive ADJ 1. soronko 2. ɛda mu fua; deɛ ɛda mu fua *(distinctive)*

distinguish VERB da mu nsonsonoeɛ adi

distort VERB 1. kyea 2. kyim 3. sesa *(change; misrepresent)*

distortion NOUN asɛnkɔntɔnkye

distract VERB 1. twe adwene firi 2. twe (obi) adwene firi biribi so

distraction NOUN deɛ ɛtwe adwene firi biribi so

distress NOUN 1. ɔhaw 2. ɛyeaa 3. ateetee VERB 4. ha 5. teetee

distribute VERB 1. kyekyɛ 2. kyɛ ma

district NOUN mansini

disturb VERB 1. ha; ha adwene 2. teetee 3. tuatua aso

disturbance NOUN 1. basabasayɔ 2. ɔhaw 3. ateetee

disunion NOUN 1. mpaapaemu 2. ntetemu

ditch NOUN 1. bɔnka 2. nsuka 3. ɛka

ditto NOUN 1. saa ara; saa ara bio 2. ɛno pɛpɛɛpɛ

ditty NOUN ɛdwom; ɛdwom tiawa

dive VERB 1. huri tom 2. dɔ sukɔ 3. bɔre mu

diverge VERB 1. fa kwan foforɔ so *(take a different route)* 2. fom kwan *(deviate)* 3. ne... nyɛ adwene *(differ)*

diverse ADJ 1. ahodoɔ ahodoɔ 2. soronko

divert VERB 1. mane 2. de fa baabi foforɔ 3. sesa ne kwan 4. yi adwene firi biribi so *(distract (from something)*

divide VERB 1. kyɛ; kyɛ mu 2. pae mu

dividend NOUN 1. kyɛfa 2. mfasoɔ 3. nkyɛmade

divisible ADJ 1. wɔtumi kyɛ mu; deɛ wɔtumi kyɛ mu 2. wɔkyɛ mu a ɛyɛ yie; deɛ wɔkyɛ mu a ɛyɛ yie

division NOUN 1. mpaapaemu 2. nkyekyɛmu

divorce NOUN 1. awaregyaeɛ VERB 2. gyae awareɛ *(past: gyaee awareɛ; future: bɛgyae awareɛ; progressive: regyae awareɛ; perfect: agyae awareɛ; negative: nnyae awareɛ)*

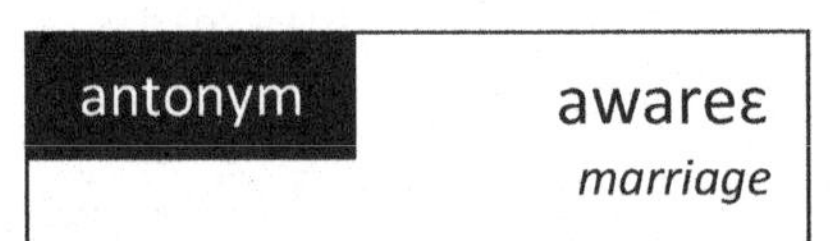

divulge VERB da adi; da ahintasɛm adi

dizziness NOUN anisobirie

DJ NOUN 1. nnwombɔfoɔ VERB 2. bɔ nnwom

do VERB yɛ

docile ADJ 1. deɛ ɔda dinn *(one who's quiet)* 2. deɛ ɔbrɛ ne ho ase *(one who's obedient/submissive)*

doctor NOUN 1. ɔyaresafoɔ *(plural: ayaresafoɔ)* 2. dɔkota *(borrowed)* □ *ɔyaresafoɔ/dɔkota no twerɛɛ aduro maa me | the doctor wrote (prescribed) me medicine* VERB 3. sesa; sesa mu *(change, i.e. to deceive)*

doctrine NOUN 1. gyedie *(belief)* 2. nkyerɛkyerɛ *(teachings)*

document NOUN 1. nwoma 2. krataa

dog NOUN ɔkraman *(plural: nkraman)* □ *ɔkraman no repɔ | the dog is barking* □ *Akwasi kraman fitaa no retu amirika | Akwasi's white dog is running*

dogma NOUN nkyerɛkyerɛ

doll NOUN abaduaba

dollar NOUN 1. dɔla *(borrowed)* 2. Amɛrikafoɔ sika

domestic ADJ 1. deɛ ɛfa afiyɔ ho 2. afiboa *(of an animal)*

donate VERB 1. yi ma 2. yi boa

donation NOUN 1. akyɛdeɛ 2. ntoboa

donkey NOUN afunumu pɔnkɔ □ *Yesu tenaa afunumu pɔnkɔ so | Jesus sat on a donkey*

door NOUN ɛpono; pono

dormant ADJ 1. ɛda faako; ɛtim faako; deɛ ɛda/ɛtim faako 2. ɛnkeka ne ho; deɛ ɛnkeka ne ho 3. ahokeka nnim; deɛ ahokeka nnim

dormitory NOUN 1. asukuufoɔ daberɛ 2. dodoɔ daberɛ

dose NOUN 1. dodoɔ *(of medicine/drug: amount; quantity)* VERB 2. ma aduro dodoɔ pɔtee bi *(administer a dose of medicine)*

doubt NOUN 1. akyinnyegye VERB 2. gye akyinnyeɛ

dough NOUN 1. ɛmmɔre 2. aburoo mmɔre *(corn dough)* 3. sika *(informal: money)*

dove NOUN abuburo

down ADV | PREP ɛfam; fam □ *ɛsoro ne fam | up and down* □ *Abena hwɛɛ fam | Abena looked down*

download VERB 1. twe NOUN 2. deɛ wɔatweɛ

dowry NOUN ɔbaa tiri nsa

drag VERB 1. twe ase *(pull along; haul)* 2. twentwɛn ho *(delay)*

drain VERB 1. twe mu nsuo 2. wo *(become dry)* 3. hata *(dry)* NOUN 4. ɛka 5. nsuka

draper NOUN ntomatɔnfoɔ

drastic ADJ 1. deɛ ano yɛ hye 2. deɛ ano yɛ den

draw VERB 1. dwi; drɔm *(sketch; make a drawing)* 2. twe *(pull; extract)*

dread VERB 1. de ehu hwɛ (biribi) anim *(anticipate with fear)* 2. suro; bɔ hu *(fear)* NOUN 3. ehu *(fear)* 4. mpɛsɛmpɛsɛ *(dreadlocks)*

dreadlocks NOUN mpɛsɛmpɛsɛ

dream VERB 1. so daeɛ NOUN 2. daeɛ

dredge VERB 1. te mu 2. te nsuo mu 3. te nsuka mu

dress VERB 1. siesie ho 2. hyɛ atadeɛ NOUN 3. atadeɛ; mmaa atadeɛ

dressing NOUN ahosiesie

dribble VERB 1. sosɔ *(of liquid: trickle; drip)* 2. hwie *(pour)* 3. twe *(in soccer/football)*

drift VERB 1. sene nyaa; sene bɔkɔɔ 2. nante nyaa *(walk slowly)*

drill VERB 1. bɔne; bɔne tokuro 2. tu; tu tokuro

drink VERB 1. nom *(past: nomm/nomeeɛ; future: bɛnom; progressive: renom; perfect: anom; negative: nnom)* □ *wobɛnom nsuo? | will you drink water?* □ *yɛnomm nsa | we drank alcohol* NOUN 2. nsa *(a drink; alcohol)* 3. anonneɛ *(a drink; soft drink)* 4. nsanom *(act of drinking)*

drive VERB 1. twi 2. ka

driver ants NOUN nkrane

driver NOUN 1. ofidikafoɔ *(plural: afidikafoɔ)* 2. drɔbani *(plural: adrɔbafoɔ)*

drizzle VERB 1. pete NOUN 2. osupete

dromedary NOUN yoma *(camel)*

drone VERB 1. kasa aniha so *(speak boringly)* NOUN 2. mmɔborɔ *(bee)* 3. mmɔborɔ barima *(a male bee)* 4. mpennowa

drongo NOUN kotokosambire

drop VERB 1. gya to fam *(let fall)* 2. te tɔ fam *(fall to the floor)* 3. wo *(of an animal: give birth)* 4. tɔ *(of rain: fall)* 5. de ba fam *(decrease)* 6. yi firi mu *(exclude; discard)* 7. yi to fam *(offload)* NOUN 8. ko *(a very *small amount of liquid)* 9. nsutɔ *(an instance of rainfall)*

drought NOUN ɔpɛberɛ

drown VERB 1. wu asuwuo 2. tɔ asuo mu wu 3. yiri *(flood)*

drug NOUN aduro *(plural: nnuro)* □ *babaso werɛmfoɔ aduro | HIV/AIDS drug*

drum NOUN 1. twene 2. mpintin 3. dondo 4. ankorɛ *(barrel)* VERB 5. bɔ twene 6. bɔ mpintin 7. bɔ dondo

drummer NOUN ɔkyerɛma

drunk ADJ 1. aboro; deɛ waboro NOUN 2. nsadweam 2. kɔwensani

drunkard NOUN 1. nsadweam 2. kɔwensani

dry ADJ 1. awo; deɛ awoɔ 2. wesee VERB 3. wo

dual ADJ abɔnta

duck NOUN dabodabo *(a certain water bird)*

dull ADJ 1. tebɔɔ; bɔtee 2. ɛyɛ aniha; deɛ ɛyɛ aniha 3. ahomka nnim; deɛ ahomka nnim 4. nyaa

dumb NOUN 1. emum *(a mute)* 2. ogyimifoɔ; tibɔnkɔso *(stupid person)*

dumbfound VERB nya ahodwiri

dung NOUN 1. mmoa agyanan 2. mmoa bini VERB 3. ne; gya nan *(of an animal: defecate)* 4. de agyanan pete so; de bini pete so *(spread dung on)*

dupe VERB 1. bu *(swindle)* 2. to bradɛ *(deceive)*

duplicate ADJ | NOUN 1. sɛso VERB 2. yɛ biribi sɛso *(make a copy of something)* 3. bɔ ho mmienu *(double; multiply by two)*

durability NOUN ɔkyɛ; biribi kyɛre

durable ADJ 1. ɛkyɛ; deɛ ɛkyɛ 2. ɛkyɛ sɛe; deɛ ɛkyɛ sɛe 3. papa

duration NOUN 1. berɛ santen 2. berɛ pɔtee bi mu

duress NOUN nhyɛ

dusk NOUN 1. anwummerɛ *(evening)* VERB 2. esum duru

dust NOUN 1. mfuturo 2. dɔteɛ VERB 3. popa ho 4. prapra ho

duster NOUN daseta *(borrowed)*

dustpan NOUN asesawura

dutiable ADJ deɛ wɔgye ho toɔ

duty NOUN 1. asɛdeɛ *(responsibility; obligation)* 2. adwuma *(work; task)* 3. ɛtoɔ *(levy; tax)*

dwarf NOUN 1. mmoatia 2. aboatia 3. nipa tiatia *(offensive: a short person)*

dwell VERB tena; tena baabi

dwelling NOUN atenaeɛ

dwindle VERB 1. ɛso te; ma ɛso te *(reduce/diminish; cause to reduce/diminish)* 2. yɛ ketewa

dyke NOUN ɔbaa-barima

dynamic ADJ 1. ɛsesa; deɛ ɛsesa berɛ-ano berɛ-ano *(changes; that which changes constantly)* 2. deɛ ɔkeka ne ho *(of a person: one who's active)* 3. deɛ ɔwɔ ahoɔden *(of a person: strong; energetic)*

dynasty NOUN adedie

dysentery NOUN 1. konkurowaa 2. ɔdɔɔ

Ee

each DET | PRON 1. ebiara ADV 2. emu biara

eager ADJ 1. ani ku ho 2. ho pere (biribiyɔ) ho 3. ani bere (biribiyɔ) ho

eagle NOUN ɔkɔdeɛ *(plural: akɔdeɛ)*

ear NOUN aso □ *w'aso sua | your ears are small*

earl NOUN ɔdehyepanin

early ADJ | ADV 1. ntɛm 2. anɔpa tutuutu *(early morning)* 3. ahemadakye *(dawn)*

earmark VERB 1. de to hɔ; de si hɔ 2. de sie; twa sie 3. twa (sika) to hɔ yɛ NOUN 4. ahyɛnsodeɛ

earn VERB 1. nya; brɛ nya 2. ma nsa ka

earring NOUN asomadeɛ

earth NOUN 1. asase 2. wiase *(world)* 3. dɔteɛ *(soil)* 4. anwea *(sand)*

earthenware NOUN ayowa

earthquake NOUN asase wosoɔ

earthworm NOUN sonsono *(plural: asonsono)*

ease NOUN 1. ahodwo 2. abotɔyam VERB 3. gya nan; ne *(defecate)* 4. yɛ ho yie *(euphemism: defecate)* 5. kɔ dua so *(euphemism: defecate)* 6. dwo; dwodwo *(abate)*

east NOUN apueeɛ

Easter NOUN Yesu wusɔreɛ da

easy ADJ 1. fo; ɛyɛ fo; deɛ ɛyɛ fo 2. ɛnyɛ den; deɛ ɛnyɛ den

eat VERB 1. di *(past: dii/diiɛ; future: bɛdi; progressive: redi; perfect: adi; negative: nni)* 2. didi *(intransitive, past: didiiɛ; future: bɛdidi; progressive: redidi; perfect: adidi; negative: nnidi)* □ *madidi | I have eaten* □ *madi fufuo | I have eaten fufu* □ *Kofi diiɛ | Kofi ate*

eatable ADJ 1. wɔtumi di; deɛ wɔtumi di NOUN 2. nnuane

eavesdrop VERB 1. tetɛ tie 2. wia ho tie

ebony NOUN okisibiri

eclipse NOUN 1. ɔsram duru sum *(of the moon)* 2. owia duru sum *(of the sun)*

ecstasy NOUN anigyeɛ mmorosoɔ

eczema NOUN ɛkorɔ

edge NOUN ano; ano pɛɛ

edible ADJ 1. deɛ wɔdi; deɛ wɔtumi di 2. wɔtumi di; deɛ wɔtumi di NOUN 3. nnuane

edit VERB 1. siesie; hwɛ mu siesie 2. ma ɛdi mu 3. sa mu; sesa mu

editable ADJ 1. wɔsesa mu a ɛyɛ yie; deɛ wɔsesa mu a ɛyɛ yie 2. wɔtumi siesie; deɛ wɔtumi siesie

editor NOUN 1. koowaa krataa mu samufoɔ *(of a newspaper)* 2. samufoɔ *(general)*

editorial NOUN koowaa krataa mu samufoɔ adwenkyerɛ

educate VERB 1. kyerɛ; kyerɛkyerɛ 2. ma nimdeɛ

education NOUN 1. adesua 2. nwomasua 3. nimdepɛ 4. sukuukɔ

eel NOUN oyoyo

eerie ADJ 1. ɛbɔ hu; deɛ ɛbɔ hu 2. ɛhunahuna; deɛ ɛhunahuna

efface VERB 1. popa; popa anim *(erase; erase surface)* 2. ma ɛyera *(make disappear)*

effect NOUN 1. nsunsuansoɔ; akyire nsunsuansoɔ 2. akyire asɛm 3. deɛ ɛde ba VERB 4. ma (biribi) si; ma (biribi) ba 5. ma ɛsi

effeminacy NOUN ahodom

effeminate ADJ ɔhodomfo

efficacious ADJ 1. ɛyɛ tatahwe; deɛ ɛyɛ tatahwe 2. ano yɛ nam; deɛ ano yɛ nam 3. ano yɛ den; deɛ ano yɛ den

efficacy NOUN 1. tatahwe; (biribi) tatahwe 2. ano nam; ano den

efficiency NOUN 1. pɛpɛɛpɛyɔ 2. mmɔdemmɔ

efficient ADJ 1. deɛ ɔdi dwuma yie 2. deɛ ɔbɔ ne ho mmɔden 3. deɛ n'ani ku n'adwuma ho

effigy NOUN abaduaba

effort NOUN 1. mmɔden; mmɔdemmɔ 2. anammɔntuo 3. mpemsoɔ

egg NOUN kosua *(plural: nkosua)* □ *dabodabo no ato nkosua dunkron | the duck has laid nineteen eggs*

ego NOUN 1. ahopɛ 2. ahogyedie 3. ahokamfoɔ

egoism NOUN 1. ahopɛ 2.

ahogyedie 3. ahokamfoɔ

egoist NOUN 1. ɔhopɛfoɔ 2. ɔhogyedifoɔ

egotist NOUN 1. ɔhopɛfoɔ 2. ɔhogyedifoɔ

egret NOUN belebele

eight hundred million NUM ɔpepem ahanwɔtwe

eight hundred NUM ahanwɔtwe

eight hundred thousand NUM mpem ahanwɔtwe

eight million NUM ɔpepem nwɔtwe

eight NUM nwɔtwe

eight thousand NUM mpem nwɔtwe

eighteen NUM dunwɔtwe

eighth NUM deɛ ɛtɔ so nwɔtwe

eighty million NUM ɔpepem aduɔwɔtwe

eighty NUM aduɔwɔtwe

eighty thousand NUM mpem aduɔwɔtwe

eighty-eight NUM aduɔwɔtwe nwɔtwe

eighty-five NUM aduɔwɔtwe num

eighty-four NUM aduɔwɔtwe nan

eighty-nine NUM aduɔwɔtwe nkron

eighty-one NUM aduɔwɔtwe baako

eighty-seven NUM aduɔwɔtwe nson

eighty-six NUM aduɔwɔtwe nsia

eighty-three NUM aduɔwɔtwe mmiɛnsa

eighty-two NUM aduɔwɔtwe mmienu

ejaculate NOUN 1. ahobaa 2. barima ho nsuo VERB 3. pe

eject VERB 1. tu; tu firi 2. pamo *(drive away)* 3. pu

elaborate ADJ 1. emu da hɔ fann; deɛ emu da hɔ fann VERB 2. kyerɛkyerɛ mu fann

elastic ADJ 1. atwetann; deɛ ɛyɛ atwetann 2. twann; deɛ ɛyɛ twann 3. ɛsɔ; deɛ ɛsɔ

elate VERB gye ani; ma anigyeɛ mmorosoɔ

elation NOUN anigyeɛ mmorosoɔ

elbow NOUN abatwɛ *(etymology: from abatwerɛ; 'aba' from 'abasa (arm)'; 'twerɛ' from 'twere (lean against)'. "the part of arm used in leaning")* □ *ɔtumi tafere n'abatwɛ | he/she is able to lick his/her elbow*

elder ADJ 1. panin *(senior)* NOUN 2. opanin *(plural: mpanimfoɔ)*

elect VERB 1. pa (obi) 2. yi (obi) 3. de tumi hyɛ (obi) nsa

election NOUN abatoɔ

elector NOUN 1. abatofoɔ 2. ɔpawfoɔ 3. osiahene

electorate NOUN 1. abatofoɔ 2. wɔn a wɔto aba

electricity NOUN anyinam ahoɔden

elegance NOUN 1. ahoɔfɛ 2. ɛfɛ

elegant ADJ 1. ɛyɛ fɛ; deɛ ɛyɛ fɛ *(of something)* 2. deɛ ne ho yɛ fɛ *(of a person)* 3. ɛsɔ ani; deɛ ɛsɔ ani

elegy NOUN 1. owufoɔ anwonsɛm 2. awerɛhodwom 3. kwadwom

elephant NOUN ɔsono *(plural: asono)* □ *yɛbɛpam ɔsono no akɔ nwuram | we will chase the elephant into the bush*

elephantiasis NOUN gyepim

elevate VERB 1. pagya mu *(raise/lift up)* 2. pagya kɔ soro 3. pagya dibea mu *(promote)* 4. bɔ aba so *(award)*

elevation NOUN 1. mpagyamu 2. abasobɔ

eleven NUM dubaako

eligible ADJ 1. ɛsɛ fata; deɛ ɛsɛ fata *(of something)* 2. ɔsɛ fata; deɛ ɔsɛ fata *(of a person)*

eliminate VERB 1. yi firi mu; yi firi mu koraa *(remove from; remove completely from; expel)* 2. kum *(kill; murder)* 3. twa mu

elimination NOUN nyifirimu

elite NOUN 1. asikafoɔ; adefoɔ *(the wealthy group; the privileged group)* 2. wɔn a wɔkuta tumi *(those who wield power)*

elongate VERB 1. twe mu 2. ma ɛyɛ tenten

elope VERB dwane; dwane kɔware

eloquence NOUN 1. anoteɛ 2. ano wesewese

eloquent ADJ 1. ano ate; deɛ n'ano ate 2. ano awo; deɛ n'ano awo 3. deɛ n'ano yɛ wesewese

elucidate VERB 1. kyerɛ mu; kyerɛkyerɛ mu 2. ma emu da hɔ fann

elude VERB 1. fa kɔn ho 2. yera (obi)

emaciate VERB 1. fɔn 2. twe

emaciated ADJ 1. deɛ wafɔn 2. deɛ watwe

email NOUN 1. intanɛt so nkra; abɛɛfo kwantempɔn so nkra *(of* *the message(s))* 2. intanɛt so nkratoɔ; abɛɛfo kwantempɔn so nkratoɔ *(of the act of sending the message(s))* VERB 3. to nkra fa intanɛt so 4. to nkra fa abɛɛfo kwantempɔn so

emasculate VERB 1. si obi barimayɔ ho kwan *(deprive a man of his male role)* 2. sa *(castrate)* 3. te ahoɔden so *(weaken; reduce strength)* 4. gye tumi firi nsam *(take power from)*

embalm VERB 1. kora *(preserve; store)* 2. de aduro hyɛ funu *(mummify)*

embargo NOUN osiakwan mmara

embark VERB 1. foro *(board)* 2. firi (biribiyɔ) ase; hyɛ aseɛ *(begin)*

embarrass VERB 1. hyɛ aniwuo 2. gu anim ase

embarrassment NOUN 1. animguaseɛ 2. aniwuo

embassy NOUN 1. ɔman ananmusini asoeɛ wɔ ɔman foforɔ mu 2. ɔman ananmusini tenabea wɔ ɔman foforɔ mu

embellish VERB 1. siesie; siesie ho 2. de bi keka ho

embellishment NOUN 1. nsiesie 2. nkekaho

ember NOUN ogyatanaa

embezzle VERB wia; wia sika a wɔde ahyɛ wo nsa *(steal; steal money placed in your trust)*

embezzlement NOUN 1. korɔno; korɔnobɔ 2. sikawia

embitter VERB 1. ma ɛhye (obi) 2. hyɛ abufuo 3. ma ɛyɛ (obi) ya

emblem NOUN 1. ahyɛnsodeɛ 2. agyinahyɛdeɛ

embrace VERB 1. bam 2. yɛ atuu 3. fam NOUN 4. atuu

embryo NOUN mogyatoa

emend VERB 1. sesa mu 2. yɛ yie 3. siesie

emerge VERB 1. pue; pue firi 2. firi baabi ba; firi baabi pue 3. bɛtɔ dwa *(become publicly known)*

emetic ADJ 1. abofonodeɛ *(nauseating substance)* 2. deɛ ɛma (obi) feɛ *(that which causes (someone) to vomit)* NOUN 3. afeduro *(of medicine: causing vomiting)*

emigrant NOUN 1. otufoɔ 2. batatufoɔ

emigrate VERB 1. tu kɔ 2. tu kɔtena 3. tu bata 4. tu; tu firi wo man mu

emigration NOUN 1. ntukɔ 2. ntukɔtena 3. batatuo 4. akwantuo

eminent ADJ 1. titire 2. okunini *(distinguished)* 3. deɛ wagye din *(famous)* 4. ani wɔ nyam; deɛ n'ani wɔ nyam

emissary NOUN 1. ɔsomafoɔ 2. ananmusni

emission NOUN 1. wisie *(smoke)* 2. ahobaa *(an ejaculation of semen)*

emit VERB pu *(discharge; release)* □ *keteke no pu wisie | the train emits smoke*

emotion NOUN atenka

emperor NOUN ɔhempɔn

emphasise VERB si so dua

employ VERB 1. fa (obi) adwuma 2. ma (obi) adwuma 3. de di dwuma *(make use of; use for)*

employee NOUN adwumayɛni *(plural: adwumay ɛfoɔ)*

employment NOUN adwuma

empty ADJ 1. hwee; deɛ emu yɛ hwee 2. da mpan; deɛ emu da mpan

empty-handed ADJnsapan □ *Kofi baa nsapan | Kofi came empty-handed*

emulate VERB 1. suasua; suasua obi 2. di (obi) anammɔn akyi

enable VERB 1. ma ho kwan 2. ma ho tumi 3. ma mpamden 4. sɔ (obi) sisi

enclose VERB 1. de fa ho; de fa ho nyinaa 2. de hyɛ mu *(place inside)*

encounter VERB 1. hyia 2. bɔ mpunimpu NOUN 3. nhyiamu

encourage VERB 1. hyɛ nkuran 2. hyɛ kutupa *(support, especially a wrongdoing)*

encouragement NOUN nkuranhyɛ

encroach VERB 1. didi wura obi asase mu; wura obi asase mu *(...into someone's land/territory)* 2. wura obi asɛm mu *(...into someone's issue/personal life)* 3. tra wo hyeɛ *(exceed/go beyond one's territory/border)*

encumber VERB 1. hyɛ so 2. si ho ho kwan *(hinder)*

encyclopaedia NOUN 1. nimdeɛ dodoɔ nwoma 2. ananwoma

endear VERB 1. ma wɔdɔ wo *(cause (others) to love you)*

2. ma wɔpɛ w'asɛm *(cause (others) to like you)*

endeavour VERB 1. bɔ mmɔden NOUN 2. mmɔdemmɔ

ending NOUN awieeɛ

antonym	mfitiaseɛ; ahyɛaseɛ *beginning*

endless ADJ 1. ɛnni awieeɛ; deɛ ɛnni awieeɛ *(unending)* 2. pii *(many)*

endorse VERB de nsa hyɛ aseɛ; de nsa hyɛ krataa ase

endow VERB 1. yi ma; gyae ma 2. yi bi ma *(donate)* 3. ma; de ma

endowment NOUN 1. fotoɔ 2. agyapadeɛ *(inheritance)*

endurance NOUN 1. ahohyɛsoɔ 2. amanehunu mu boasetɔ 3. nnyinano

endure VERB 1. fa mu; mia ani fa mu 2. kura mu 3. gyina ano

enema NOUN 1. asa *(the process/procedure)* 2. asaduro *(the liquid/medicine injected)*

enema syringe NOUN bɛntoa

enemy NOUN ɔtamfo *(plural: atamfo)* □ *me tamfo | my enemy*

energetic ADJ ahoɔden wɔ mu; deɛ ahoɔden wɔ mu

energy NOUN 1. ahoɔden *(strength)* 2. tumi *(power)*

enfetter VERB 1. de nkɔnsɔnkɔnsɔn gu 2. to mpokyerɛ

enfold VERB 1. twa ho hyia 2. fa ho 3. bam *(clasp lovingly in arms)* 4. de kyekyere ho

enforce VERB 1. hwɛ ma afoforɔ di mmara so 2. hwɛ ma mmara yɛ adwuma 3. hwɛ ma ɛyɛ adwuma

engage VERB 1. kye adwene *(catch attention)* 2. de ho hyɛ mu *(participate; become involved in)* 3. fa adwuma *(hire; employ)* 4. tu sa; ne... ko *(battle; fight with)* 5. de nsa to so; tu tiri nsa *(... to get married)*

engagement NOUN 1. awaregyeɛ 2. kɔkɔɔkɔbɔ 3. nhyehyɛeɛ *(arrangement)* 4. adwuma *(work; task)* 5. ɔko *(battle; fight)*

engine NOUN afidie

engineer NOUN 1. mfididwumayɛfoɔ 2. mfidiyɛfoɔ 3. mfididwomfoɔ VERB 4.

hyehyɛ *(design; build)* 5. di anim *(lead)*

engrave VERB 1. kurukyire 2. de... tintim mu 3. twa hyɛm 4. ka (adwene) mu *(permanently fixed in one's mind)*

engraver NOUN okurukyirefoɔ

engross VERB gye adwene (nyinaa)

engulf VERB 1. mene 2. fa nnɔmum *(inundate)* 3. yiri fa so *(flood over)*

enhance VERB 1. pagya mu 2. ma ɛdi mu 3. hyɛ mu kena

enigma NOUN 1. deɛ ne nteaseɛ yɛ den 2. deɛ emu nna hɔ 3. deɛ ɛyɛ hwanyann

enigmatic ADJ 1. hwanyann 2. kyenkyerɛnn; kyenkyerenkyenn

enjoy VERB 1. pɛ *(like)* 2. nya mu mfasoɔ *(benefit from)* 3. gye ani *(have fun)* 4. nya; ma nsa ka *(get; possess)*

enjoyment NOUN anigyeɛ

enlarge VERB 1. ma ɛyɛ kɛseɛ 2. bae mu 3. trɛ mu

enlargement NOUN 1. ntrɛmu 2. mmaemu

enlighten VERB 1. ma nimdeɛ; ma mu nimdeɛ 2. bue ani; te ani 3. kyerɛkyerɛ mu

enlightenment NOUN 1. anibue 2. nteaseɛ

enlist VERB 1. dɔm *(join)* 2. fa *(engage someone in a group/organization)*

enmity NOUN 1. ɔtan 2. anitan

enormous ADJ 1. ɛso; deɛ ɛso 2. kakraa 3. Kokuroo 4. duruduru

enough DET | PRON 1. ɛdɔɔso *(sufficient)* 2. bebree; pii *(ample; abundant)*

enquire VERB 1. bisa 2. bisa mu 3. hwehwɛ mu; yɛ nhwehwɛmu

enquiry NOUN 1. nhwehwɛmu 2. abisa

enrage VERB hyɛ abufuo

enroll VERB 1. twerɛ din wɔ sukuu mu *(register in a school)* 2. fa *(accept; admit)*

enrollment NOUN 1. dintwerɛ 2. ɔgyeɛ

enshrine VERB kora *(preserve)*

ensnare VERB 1. yi 2. sum afidie 3. de afidie kyere

ensue VERB si akyire

entangle VERB 1. kyekyere 2. bebare 3. fomfam

enter VERB 1. wura mu 2. hyɛn mu 3. bra mu

entertain VERB 1. gye (obi) ani *(an act of going or coming in)* 2. gye (hɔhoɔ); ma

akwaaba *(receive a guest; welcome)*
entertainment NOUN anigyeɛ; anigyesɛm
enthral VERB kyere adwene
enthrone VERB 1. si hene 2. de... si akonnwa so
enthusiasm NOUN ahokeka
enthusiast NOUN 1. deɛ n'ani gye biribi ho pa ara 2. deɛ n'ani gye biribiyɔ ho pa ara
entice VERB 1. daadaa 2. gyegye
enticement NOUN 1.nnaadaa 2. bradɛtoɔ
entire ADJ 1. nyinaa *(all)* 2. mua *(full)*
entitle VERB 1. wɔ ho kwan; nya ho kwan 2. wɔ ho tumi; nya ho tumi
entitlement NOUN akwannya
entrails NOUN 1. yam adeɛ; ayamdeɛ *(internal organs)* 2. nsono *(intestines)*
entrance NOUN 1. ɛkwan *(way; entry; access; admission)* 2. nwuramu *(an act of entering a somewhere)* 3. mmaeɛ *(coming)*
entreat VERB 1. srɛ; srɛ sɛ *(plead; plead that)* 2. pa kyɛw; pa kyɛw sɛ *(beg; beg that)* 3. koto srɛ
entrust VERB de hyɛ nsa
entry NOUN 1. nwuramu *(an act of going or coming in)* 2. ɛpono *(door)* 3. ɛkwan *(way)*
enumerate VERB 1. kan; kan mmaako mmaako 2. bobɔ
envelope NOUN 1. aduradeɛ 2. nkataho; nkatahodeɛ VERB 3. dura ho 4. kata ho
envious ADJ 1. ani bere; ani bere adeɛ 2. deɛ n'ani bere adeɛ *(one who is envious)*
environment NOUN atenaeɛ *(habitat; sitting place)*
envisage VERB 1. hwɛ anim *(look forward to)* 2. kyerɛ deɛ ɛrebɛsie *(predict what is to happen)* 3. hunu deɛ ɛrebɛsie *(see what is to happen)*
envy NOUN 1. anibere 2. ahoɔyaa
epidemic NOUN 1. nsaneyareɛ 2. owuyareɛ 3. ateseyareɛ
epilepsy NOUN etwirɛ
epileptic NOUN deɛ ɔtwa
epitaph NOUN 1. ɛnna so nkaedum 2. ɛnna so atwerɛeɛ
equal ADJ 1. korɔ 2. pɛ NOUN 3. afɛ; tipɛn *(peer; fellow; coequal)* VERB 4. yɛ *(be equal to)*
equality NOUN pɛpɛɛpɛyɔ
equally ADV 1. pɛ; pɛpɛɛpɛ *(in the same manner)* 2. saa ara;

saa ara na *(in addition and having the same importance)*
equilateral ADJ afa nyinaa yɛ pɛ; deɛ afa nyinaa yɛ pɛ
era NOUN berɛ bi mu; berɛ pɔtee mu
eradicate VERB 1. sɛe; sɛe koraa *(destroy; destroy completely)* 2. tɔre aseɛ *(put an end to; get rid of)*
erase VERB popa
erect NOUN 1. potii 2. kyirenn VERB 3. si *(build)* 4. pagya si hɔ 5. sɔre
erection NOUN 1. kɔtedenden 2. kɔtesɔreɛ
erode VERB 1. hi 2. we; wewe 3. sa
err VERB 1. fom *(mistaken)* 2. yɛ mfomsoɔ *(make a mistake)* 3. yɛ bɔne *(sin; do wrong)*
errand NOUN 1. ɔsoma 2. adwuma *(task; job)*
erroneous ADJ 1. ɛyɛ mfomsoɔ; deɛ ɛyɛ mfomsoɔ 2. ɛnni mu; deɛ ɛnni mu 3. ɛyɛ nnaadaa; deɛ ɛyɛ nnaadaa
error NOUN mfomsoɔ *(mistake)*
escape VERB 1. dwane *(bolt)* 2. fa kɔn ho *(elude)*
eschew VERB 1. twe ho firi; twe ho firi ho 2. gyae yɛ
escort NOUN 1. ɔhobammɔfoɔ VERB 2. gya; gya kwan
especially ADV titire; ne titire
espouse VERB 1. fa *(adopt)* 2. gye *(accept; take up)* 3. taa akyire *(support)* 4. ware *(archaic: marry)*
establish VERB 1. firi aseɛ *(start; initiate)* 2. kyerɛ *(show; demonstrate)* 3. hu mu nokorɛ *(establish its truth)*
establishment NOUN adwumakuo *(a business organization)*
esteem NOUN 1. obuo *(respect)* VERB 2. bu; de obuo ma *(respect; give respect to)* 3. de anidie ma
estimate VERB 1. de adwene bu 2. bu ano 3. sese
estimation VERB 1. nseseɛ; akontabuo; anobuo *(calculation)* 2. adwene 3. ɛboɔ *(price)*
estrange VERB 1. ntam te; te ntam *(distance)* 2. pa akyire
et al ABBREVIATION ne afoforɔ *(and others)*
etcetera ADV ne deɛ ɛkeka ho
eternal ADJ afebɔɔ
eternity NOUN afebɔɔ
ether NOUN ewiem *(the sky)*
Europe NOUN aburokyire

European NOUN oburoni *(plural: aborɔfo)*

evade VERB 1. dwane 2. kwati; ma ɛkwati

evangelism NOUN 1. asɛmpaka 2. asɛmpatrɛ

evangelist NOUN ɔsɛmpakani *(plural: asɛmpakafoɔ)*

evangelize VERB ka asɛm pa

even ADJ 1. pɛ; pɛpɛɛpɛ *(of equal number, amount, value)* 2. traa *(flat)* VERB 3. ma ɛyɛ pɛ; ma ɛyɛ pɛpɛɛpɛ *(make even)* ADV 4. mpo □ *ɔdware daa, mpo awɔ berɛ mu | he/she baths every day, even in cold times*

even if PHRASE sɛ mpo □ *sɛ mpo ɔyare a, ɔmmra | even if he/she is indisposed, he/she should come*

evening NOUN | ADV anwummerɛ

event NOUN 1. abasɛm; deɛ asie 2. adwabɔ *(a fair)* 3. akansie *(competition; contest)*

ever ADV 1. da 2. da biara; daa *(always; at all times)*

evergreen ADJ frɔmfrɔm; deɛ ɛyɛ frɔmfrɔm

every DET biara

evict VERB 1. tu *(eject; expel, e.g. from a property)* 2. pamo *(drive away)*

eviction NOUN otuo

evidence NOUN 1. adanseɛ VERB 2. di adanseɛ

evident ADJ emu da hɔ fann; deɛ emu da hɔ fann

evil ADJ | NOUN bɔne

evil spirit NOUN 1. honhommɔne 2. honhom fi

evoke VERB 1. de ba adwene mu *(bring to mind)* 2. frɛ *(invoke; call)* 3. twe ba

ewe NOUN odwan bedeɛ

exacerbate VERB ma ɛsɛe koraa; sɛe koraa

exact ADJ pɛpɛɛpɛ

exaggerate VERB hanehane ani ka

exaggeration NOUN anihanehane

exalt VERB 1. hoahoa 2. yi ayɛ 3. pagya 4. kamfo

exaltation NOUN 1. ayɛyie 2. nkamfoɔ

examination NOUN 1. nsɔhwɛ 2. mfeefeemu 3. mpɛnsɛnpɛnsɛmmu

examine VERB 1. pɛnsɛnpɛnsɛn mu 2. feefee mu 3. sɔ (obi) hwɛ *(test (someone))* 4. toto ano *(quiz)*

example NOUN nhwɛsoɔ

exasperate VERB hyɛ abufuo

exasperation NOUN abufuhyɛ *(annoyance)*

excavate VERB tu; tu fam; tu amena *(dig/extract; dig the ground; dig a hole)*

excavation NOUN 1. amenatuo 2. famtuo

exceed VERB 1. boro so; ma ɛboro so 2. tra; ma ɛtra 3. twa *(surpass)*

excel VERB 1. twa *(pass)* 2. hyerɛnn *(shine)* 3. bɔ mmɔden wɔ biribi mu *(be good at something)*

excellent ADJ 1. ɛkɔ yie; ɛtwa yie 2. papa pa ara

excess NOUN deɛ aboro so

exchange VERB de sesa; de di nsesa

excise NOUN 1. ɛtoɔ *(tax; levy)* 2. adwadeɛ ho toɔ *(tax on goods and commodities)* VERB 3. gye toɔ *(charge excise on; levy)*

excite VERB 1. ma ahokeka 2. kanyan 3. ma ahosɛpɛ; ma nna mu ahosɛpɛ *(arouse sexually)*

excitement NOUN 1. anigyeɛ mmorosoɔ *(elation)* 2. ahosɛpɛ; nna mu ahosɛpɛ *(sexual excitement)*

exclaim VERB 1. tea mu; team *(cry out)* 2. tea mu prɛko pɛ *(cry out suddenly)*

exclamation mark NOUN nteamudeɛ

exclamation NOUN nteamu

exclude VERB 1. yi firi mu 2. gya

exclusion NOUN nyifirimu

excommunicate VERB 1. yi firi mu 2. pamo

excrement NOUN 1. agyanan 2. tiafi 3. ebini

excreta NOUN 1. agyanan *(faeces)* 2. tiafi *(faeces)* 3. ebini *(faeces)* 4. dwonsɔ *(urine)*

excursion NOUN nsrahwɛ

excuse VERB 1. fa kyɛ; de kyɛ *(forgive)* 2. bu ani gu so *(overlook)* 3. gyae *(release; relieve)* 4. ma kwan *(allow)* 5. bisa kwan *(ask politely to leave)* NOUN 6. nnyinasoɔ *(justification)* 7. nkatasoɔ *(a cover-up)* 8. ntorɔ *(a lie)*

execute VERB 1. yɛ *(do; perform)* 2. di dwuma 3. di ho dwuma *(put into effect; carry out)* 3. kum *(kill)*

execution NOUN 1. ne yɛ; dwumadie *(its implemention)* 2. nipakum *(the killing of someone)*

executioner NOUN ɔbrafoɔ *(plural: abrafoɔ)*

exempt VERB 1. yi firi mu 2. gyae mu

exemption NOUN 1. nyifirimu 2. nnyaemu

exercise NOUN 1. apɔmutenetene *(... of the body)* 2. dwumadie *(a task)* VERB 3. tenetene apɔ mu

exert VERB 1. mia ani 2. biri mogya ani 3. bɔ mmɔden

exertion NOUN 1. animia 2. mmɔdemmɔ

exhale VERB gu ahome

exhaust VERB 1. yɛ ne nyinaa *(do all)* 2. ma ɛsa *(use up completely)* 3. pu *(expel, e.g. gas)* NOUN 4. wisie; afidie mu wisie

exhaustion NOUN ɔbrɛ

exhibit VERB 1. da (no) adi 2. yi kyerɛ; de kyerɛ

exhibition NOUN oyikyerɛ

exhort VERB hyɛ nkuran

exhume VERB tu funu

exigency NOUN ahiadeɛ; mprempren ahiadeɛ *(need; urgent need)*

exile NOUN 1. nkoasom VERB 2. twa asu 3. pamo

exit NOUN 1. apueeɛ 2. abɔntenfire 3. ɛpono *(door)* 4. owuo *(death)* VERB 5. pue 6. firi hɔ 7. kɔ 8. wu *(die)*

exonerate VERB 1. siane tire 2. bu bem

exoneration NOUN 1. tiri sianeɛ 2. bemmuo

exorbitant ADJ ne boɔ yɛ den dodo; deɛ ne boɔ yɛ den dodo

exorcise VERB 1. pamo; pamo honhom fi firi *(drive away; drive away evil spirit)* 2. te ho *(make clean)*

exotic ADJ ɛfiri amannɔne; deɛ ɛfiri amannɔne

expand VERB 1. bae mu 2. trɛ mu 3. ma ɛyɛ kɛseɛ

expansion NOUN 1. mmaemu 2. ntrɛmu

expatiate VERB kyerɛ mu yie; kyerɛkyerɛ mu yie

expect VERB 1. hwɛ anim 2. hwɛ kwan 3. de ani to so

expedite VERB 1. yɛ no ntɛm 2. ma ɛkɔ ntɛm

expedition NOUN akwantuo *(journey)*

expel VERB 1. yi adi 2. pamo

expend VERB 1. di 2. hwere

experience NOUN 1. suahunu VERB 2. fa mu 3. sua hunu 4. sɔ hwɛ

expert NOUN 1. biribi mu nimdefoɔ 2. deɛ wakwadare biribiyɔ mu 3. onimdefoɔ

expertise NOUN nimdeɛ; biribiyɔ mu nimdeɛ

expire VERB 1. twa mu; twam *(be outdated)* 2. sa *(run out)* 3. ba awieeɛ *(come to an end)* 2. wu *(die)*

explain VERB kyerɛ mu; kyerɛkyerɛ mu

explanation NOUN nkyerɛkyerɛmu

explicate VERB kyerɛ mu; kyerɛkyerɛ mu; kyerɛkyerɛ mu fann *(explain; explain in detail)*

explication NOUN nkyerɛkyerɛmu

explicit ADJ fann; emu da hɔ fann

explode VERB 1. pae; ma ɛpae 2. to; ma ɛto

exploit VERB 1. fa kwammɔne so nya ho mfasoɔ 2. de di dwuma kwammɔne so 3. sisi NOUN 4. mmaninsɛm

exploitation NOUN asisie *(cheating)*

exploration NOUN nhwehwɛmu

explore VERB 1. hwehwɛ; hwehwɛ mu *(investigate)* 2. booboo ho *(discuss)*

export VERB 1. de adwadeɛ kɔ amannɔne kɔtɔn; de adwadeɛ kɔ aburokyire kɔtɔn 2. de kɔ NOUN 3. adwadeɛ a wɔkɔtɔn no amannɔne

exportation NOUN 1. amaneɛ 2. adwadeɛ amaneɛ

expose VERB 1. te to 2. pa ntoma; pa ho ntoma 3. da no adi

exposed ADJ 1. deɛ wɔate ne to 2. deɛ wɔapa ho ntoma 3. deɛ wɔada no adi

express VERB 1. ka... adwene; ka w'adwene *(say... mind; say your mind)* 2. ka; kasa; pae mu ka *(say; say openly)*

expression NOUN 1. nkasaeɛ 2. asɛm 3. kasakoa *(idiom)*

expulsion NOUN nyifirimu

exquisite ADJ fɛfɛɛfɛ; deɛ ɛyɛ fɛ pa ara

extant ADJ 1. ɛda so wɔ hɔ; deɛ ɛda so wɔ hɔ 2. ɛda so te ase; deɛ ɛda so te ase

extend VERB 1. twe mu 2. bae mu 3. trɛ mu 4. yɛ bi ka ho 5. si bi ka ho 6. ka bi ka ho

extension NOUN 1. ntrɛmu *(the act of widening)* 2. nkaho; nkekaho *(addition)*

extenuate VERB 1. dwodwo; dwodwo ano 2. brɛ ase; brɛ ano ase

exterior ADJ | NOUN 1. abɔntene *(outside)* 2. akyire *(outer)*

exterminate VERB 1. tɔre aseɛ 2. hye aseɛ 3. sɛe koraa *(destroy completely)* 4. kum *(kill)*

extinct ADJ 1. aseɛ atɔre; deɛ aseɛ atɔre 2. aseɛ ahye; deɛ aseɛ ahye 3. ɛnni hɔ bio; deɛ ɛnni hɔ bio

extinguish VERB 1. dum; dum gya 2. Kum *(kill)*

extinguisher NOUN odumgya

extirpate VERB 1. tu aseɛ; tu aseɛ koraa 2. tɔre aseɛ; tɔre aseɛ koraa 3. sɛe; sɛe koraa

extol VERB 1. yi ayɛ 2. kamfo

extort VERB 1. nya kwammɔne so 2. gye kwammɔne so

extortion NOUN 1. adamugyeɛ 2. kɛtɛasehyɛ

extra ADJ 1. ɛka ho; deɛ ɛka ho NOUN 2. nkaho; nkekaho

extract VERB 1. twe firi mu; twe firim 2. yi firi mu; yi firim

extraction NOUN 1. ntwefirimu 2. nyifirimu

extraordinary ADJ 1. adutwam 2. ɛda nso; deɛ ɛda 3. nso *(different)* 4. soronko *(unique)* 5. ɛdi mu; deɛ ɛdi mu

extravagance NOUN sikasɛeɛ

extravagant ADJ deɛ ɔsɛe sika; sikasɛefoɔ *(spendthrift)*

extricate VERB 1. nya fawohodie; nya faahodie; nya ahofadie *(attain freedom)* 2. ma fawohodie; ma faahodie; ma ahofadie *(give freedom)* 3. de ho *(be free)*

exuberance NOUN deɛ anigyeɛ wɔ mu; deɛ anigyeɛ mmorosoɔ wɔ mu

eye NOUN 1. ani *(body part)* 2. nsusuiɛ *(opinion)* 3. paneɛ tokuro *(hole in a needle)* VERB 4. hwɛ; hwɛ hann; hwɛ sie *(look; look closely; secretly look)*

eyebrow NOUN ani ntɔn nwi □ *Abena ayi n'ani ntɔn nwi* | *Abena has shaved off her eyebrows*

eyeglasses NOUN ahwehwɛniwa

eyelashes NOUN anisoatɛtɛ

eyesight NOUN adehunu

eyesore NOUN 1. deɛ ɛyɛ tan pa ara *(that which is very ugly)* 2. beaeɛ a ɛyɛ tan pa ara *(ugly sight; ugly place)*

eyewitness NOUN ɔdanseni *(plural: adansefoɔ)*

Ff

fable NOUN 1. anansesɛm VERB 2. to anansesɛm
fabric NOUN ntoma; ntomatam
fabricate VERB 1. bɔ srɛ mu ka; bɔ srɛm ka 2. bɔ tiri mu ka; bɔ tirim ka
fabrication NOUN 1. bɔsrɛmuka 2. bɔtirimuka 3. ntorɔ *(a lie)*
fabulous ADJ 1. papa pa ara *(very good)* 2. adutwam
face NOUN 1. anim *(front of a person's head; front view)* 2. ani *(surface of something)* VERB 3. gye tom *(accept, e.g. reality)* 4. sɔre gyina *(stand up to it; confront)*

FACE | ANIM

- eye | **ani**
- ear | **aso**
- forehead | **moma**
- nose | **ɛhwene**
- chin | **abɔdweɛ**
- cheek | **afono**

facile ADJ 1. ani-ani *(surface; simplistic)* 2. emu nnɔ *(not deep)*
facilitate VERB 1. boa *(help)* 2. ma ɛyɛ mmerɛ *(make easy/easier)*
facsimile NOUN 1. sɛso VERB 2. yɛ sɛso
faction NOUN 1. ɔfa *(half)* 2. ɛdɔm kumaa *(small/minor group)* 3. ekuo *(group)*

factor NOUN 1. aboadeɛ 2. VERB 3. de ka ho *(add)*

factory NOUN 1. mfididwumabea 2. adwinnidan

factual ADJ 1. nokorɛ; deɛ ɛyɛ nokorɛ 2. kann; deɛ ɛyɛ kann 3. turodoo; deɛ ɛyɛ turodoo

fade VERB pa

faeces NOUN 1. agyanan 2. ebini; bini

fag VERB 1. yɛ adwumaden NOUN *(offensive)* 2. barima a ɔne mmarima da *(a male homosexual)* 3. adintrumu *(a male homosexual)*

faggot NOUN *(offensive)* 1. barima a ɔne mmarima da 2. adintrumu

fail VERB 1. di ntwo 2. di nkoguo 3. bɔ fam

failure NOUN 1. nkoguo 2. ntwo

faint VERB 1. twa hwe ADJ 2. ahoɔden nnim; mmerɛ *(without/lacking strength; feeble)* 3. hare; hahaaha *(lightweight)*

fair ADJ 1. deɛ ɔyɛ pɛpɛɛpɛ 2. deɛ ɔnyɛ mpaapaemu 3. nokorɛ; deɛ ɛyɛ nokorɛ 4. fitaa *(of the hair: blonde; white)* 5. kɔkɔɔ *(of complexion: light)* 6. kakra *(reasonable amount)* NOUN 7. adwabɔ; adwabɔ ase

faith NOUN gyedie

faithful ADJ 1. nokwafoɔ 2. di nokware; di nokware ma NOUN 3. akyidifoɔ *(followers)*

fake ADJ 1. deɛ ɛnyɛ papa 2. deɛ ɛyɛ nnaadaa 3. deɛ ɛnyɛ nokorɛ

fall VERB 1. te hwe 2. hwe ase 3. hwe fam 4. tɔ fam 5. bɔ fam NOUN 6. ahweaseɛ

fallacy NOUN 1. atosɛm 2. nnaadaa; deɛ ɛyɛ nnaadaa

fallible ADJ 1. tumi fom; deɛ ɔtumi fom 2. mfomsoɔ wɔ ne ho; deɛ mfomsoɔ wɔ ne ho

false ADJ 1. ɛnyɛ nokorɛ; deɛ ɛnyɛ nokorɛ 2. Kontompo 3. ntorɔ

falsehood NOUN 1. atorɔsɛm 2. nnaadaa; nnaadaasɛm

falsify VERB 1. di atorɔ 2. ka kyea 3. dane asɛm

falter VERB 1. po dodoɔ; horo so *(stammer)* 2. twentwɛn so

fame NOUN edin

familiar ADJ 1. deɛ wonim; deɛ wonim ho biribi 2. deɛ ɔnyɛ hɔhoɔ 3. deɛ wobɛn no

family member NOUN abusuani □ *Akyeampɔn yɛ m'abusuani | Acheampong is my family member*

family NOUN abusua □ *yɛyɛ*

abusua | we are family

famine NOUN ɔkɔm; ɔkɔm denden *(hunger; extreme hunger)*

famish VERB 1. kyere kɔm; ma ɛkɔm de *(keep (someone) hungry)* 2. ɛkɔm de

famished ADJ 1. deɛ wɔakyere no kɔm 2. deɛ ɛkɔm de no pa ara

famous ADJ 1. deɛ wagye din 2. din ahyeta; deɛ ne din ahyeta

fan NOUN 1. papa *(a handheld waving device for generating air)* 2. abɔmframa *(air-cooling apparatus/device)* 3. okyidifoɔ *(a follower)* VERB 4. hu; huhu 5. bɔ mframa

fanaticism NOUN 1. ɔsomtrasoɔ 2. akyidintrasoɔ

fantastic ADJ papa pa ara *(very good)*

far ADV 1. akyiri ADJ 2. akyirikyiri

farce NOUN 1. aseresɛm 2. nsɛnkwaa

farewell EXCLAM 1. nante yie *(literally: walk well)* 2. baabae 3. nkyirioo NOUN 4. ntetemu *(a parting)* 5. nkra; nkradie *(instance of saying 'goodbye')*

far-fetched ADJ 1. ɛntɔ aso mu; ɛntɔ asom 2. ɛmfa kwan mu 3. emu yɛ werɛm; deɛ emu yɛ werɛm

farm NOUN 1. afuo VERB 2. dɔ afuo 3. yɛ kua

farmer NOUN okuani *(plural: akuafoɔ)*

farrow NOUN 1. prakoba VERB 2. wo *(of a sow: give birth)*

fart NOUN 1. ɛta 2. mframa bɔne *(euphemism, bad air)* VERB 3. ta 4. yi mframa bɔne

fascinate VERB kyere adwene

fashion NOUN 1. deɛ aba soɔ 2. ɛfene 3. ɛkwan *(way/manner of doing something)*

fast ADJ 1. ntɛm; ntɛntɛm 2. deɛ ɛdwane *(e.g. of a car)* ADV 3. ahoɔhare so VERB 4. kyene kɔm *(abstain from food, past: kyenee kɔm; future: bɛkyene kɔm; progressive: rekyene kɔm; perfect: akyern kɔm; negative: nkyene kɔm)*

fasten VERB 1. kyekyere 2. bɔ mu 3. mia mu

fastidious ADJ pɛpɛɛpɛyɔfoɔ

fat NOUN 1. deɛ ɔso *(of a person)* 2. deɛ ɛso *(of something)* 3. ɔkɛseɛ *(of a person)* 4.

kɛseɛ *(general)* 5. obolobo 6. sradeɛ

fate NOUN nkrabea

father NOUN 1. agya 2. papa 3. ɔse; se □ *me papa din de Ɔpɔn Kyekyeku | my father's name is Oppong Kyekyeku* □ *ɔyɛ m'agya | he is my father* □ *ɔse awo no ama me | her father has given birth to her for me (from a song lyric)* 4. kɔfabae *(originator)* VERB 5. wo *(give birth; bring forth a child; become a father)*

father-in-law NOUN asew barima; ase barima

fathom VERB 1. te aseɛ *(understand)* 2. nya mu nteaseɛ *(gain understanding into)* 3. dwene ho te aseɛ *(understand after giving it a thought)*

fatigue NOUN 1. ɔbrɛ VERB 2. ma ɔbrɛ; hyɛ ɔbrɛ

fault NOUN mfomsoɔ

faulty ADJ 1. mfomsoɔ wɔ ho; deɛ mfomsoɔ wɔ ho 2. asɛe; deɛ asɛe

fauna NOUN 1. beaeɛ pɔtee bi mmoa 2. mmoa a wɔwɔ beaeɛ pɔtee bi

favour NOUN 1. adɔeɛ *(act of kindness)* 2. papayɛ *(good deed)* 3. mmoa *(help)* 4. adom *(grace)* VERB 5. yɛ (obi) papa 6. dom (obi) 7. da ɔdɔ adi

fear NOUN 1. ehu □ *ehu abɔ no | he/she is gripped in fear* VERB 2. suro *(be afraid of)* □ *ɔsuro me | he/she fears/is afraid of me*

fearful ADJ 1. ahunuabɔbirim 2. deɛ ɛyɛ hu *(of something: scary)* 3. deɛ ne ho yɛ hu *(of a person: scary)* 4. ohufoɔ

fearless ADJ 1. ɔkokoɔdurufoɔ 2. deɛ ɔnsuro adeɛ

fearlessness NOUN 1. akokoɔduro 2. aboɔduro

feast NOUN 1. apontoɔ VERB 2. to pono 3. gye ani

feather NOUN takra *(plural: ntakra)*

February NOUN Ɔgyefoɔ □ *Kwame awoda si Ɔgyefoɔ bosome mu | Kwame's birthday falls in the month of February*

federation NOUN 1. nkabom 2. baakoyɛ 3. koroyɛ

fee NOUN 1. akatua VERB 2. tua ka

feeble ADJ 1. mmerɛ; deɛ ɔyɛ mmerɛ *(weak; one who's weak)* 2. bɛtɛɛ; deɛ ɛyɛ bɛtɛɛ

feed VERB 1. ma aduane *(give food to)* 2. didi *(eat)* NOUN 3. aduane *(meal)* 4. aduane ma *(an act of giving food)*

feel VERB 1. te nka 2. nya atenka

feeling NOUN atenka

feign VERB 1. patu 2. hyɛ da

felicitate VERB ma amo *(congratulate)*

felicitations NOUN 1. nkamfoɔ *(praise)* 2. mo-ne-yɔ

feline ADJ 1. nkra; deɛ ɛfa nkra ho *(cats; that which relates to cats)* □ *nkra yareɛ | feline disease* NOUN 2. ɔkra; agyinamoa *(a cat)*

fellow NOUN 1. ɔyɔnkoɔ 2. adamfoɔ *(friend)* 3. otipɛnfoɔ *(age mate)* 4. afɛ

felon NOUN ɔbɔneyɛfoɔ

felony NOUN bɔne kɛseɛ

female NOUN 1. ɔbaa *(plural: mmaa)* 2. bedeɛ *(attached to animal names to indicate the female sex)*

fence NOUN ɛban; ban □ *apɔnkye no abu ban no | the goat has broken the fence*

fend VERB 1. hwɛ ho; hwɛ ankasa ho *(look after and provide for oneself)* 2. bɔ ho ban; bɔ ankasa ho ban *(defend oneself from attack)*

ferocious ADJ tirim yɛ den; deɛ ne tirim yɛ dɛ

ferry NOUN 1. atwareɛ VERB 2. twa asuo

fertile NOUN 1. asase papa *(a good land)* 2. asase a ɛtumi so aba *(a land capable of producing abundant vegetation)* 3. ɛtumi wo; deɛ ɛtumi wo *(of a person/animal: able to conceive/give birth)*

festival NOUN afahyɛ; ɛfa □ *Akwasidae afahyɛ | Akwasidae festival*

fetch VERB sa *(past: saa/saeɛ; future: bɛsa; progressive: resa; perfect: asa; negative: nsa)* □ *sa nsuo ma me | fetch water for me*

fete NOUN 1. apontoɔ *(party)* 2. afahyɛ *(festival)*

fetid ADJ ɛbɔn; deɛ ɛbɔn *(stinking; that which stinks)*

fetish NOUN 1. ɔbosom 2. suman

fetish priest NOUN 1. ɔbosomfo *(plural: abosomfo)* 2. ɔkɔmfo *(plural: akɔmfoɔ)*

fetter NOUN 1. nkɔnsɔnkɔnsɔn 2. mpokyerɛ VERB 3. de

nkɔnsɔnkɔnsɔn to 4. de abankaba to

fetus NOUN mogyatoa

feud NOUN 1. ntɔkwa 2. manso VERB 3. ko ntɔkwa 4. twe manso

fever NOUN atiridii

few DET | PRON | ADJ 1. kakraa bi 2. ketewa bi

fiasco NOUN nkoguo *(failure)*

fib NOUN 1. ntorɔ 2. kontompo VERB 3. twa ntorɔ

fibre NOUN ntɛtɛ

fiction NOUN 1. anansesɛm 2. ayɛsɛm 3. atorɔ *(lies)*

fiddle NOUN 1. sankuo VERB 2. sosɔ mu

fidelity NOUN 1. nokorɛdie *(faithfulness; truthfulness)* 2. pɛpɛɛpɛyɔ *(accuracy)*

field NOUN asase; asasetam

fifteen NUM dunum

fifth NUM deɛ ɛtɔ so num

fifty million NUM ɔpepem aduonum

fifty NUM aduonum

fifty thousand NUM mpem aduonum

fifty-eight NUM aduonum nwɔtwe

fifty-five NUM aduonum num

fifty-four NUM aduonum nan

fifty-nine NUM aduonum nkron

fifty-one NUM aduonum baako

fifty-seven NUM aduonum nson

fifty-six NUM aduonum nsia

fifty-three NUM aduonum mmiɛnsa

fifty-two NUM aduonum mmienu

fight VERB 1. ko *(past: koeɛ; future: bɛko; progressive: reko; negative: nko)* 2. ko ntɔkwa *(past: koo ntɔkwa; future: bɛko ntɔkwa; progressive: reko ntɔkwa; negative: nko ntɔkwa)* 3. ko tia *(fight against; struggle to overcome)* NOUN 4. ntɔkwa 5. ɔko 6. atwɛdeɛ

figure NOUN 1. mfonin *(picture)* 2. ohoni *(idol)* 3. nɔma; akontabudeɛ *(number)* 4. akontabuo *(arithmetic; calculations)* 5. nipadua mfonin *(picture of the human body)* VERB 6. susu *(consider; suppose)* 7. dwene; dwene ho *(think; think about)*

figurehead NOUN 1. ɔkandifoɔ 2. opanin

filch VERB wia

file NOUN 1. nkrataa adaka *(paper box)* VERB 2. de to;

de to hɔ; de to adaka mu *(place; place there; place in a box)*

fill VERB 1. hyɛ ma *(cause to become full)* 2. yɛ ma; ma ɛyɛ ma *(become full; cause to become full)*

film NOUN sini

filth NOUN 1. efi; fi 2. efi potɔɔ *(disgusting filth)*

final ADJ | NOUN 1. ɛtwa tɔɔ; deɛ ɛtwa tɔɔ *(comes last; that which comes last)* 2. awieeɛ *(ending)*

finance minister NOUN fotosanfoɔ; ɔman mu fotosanfoɔ

finance NOUN 1. sikasɛm *(monetary affairs)* 2. sika *(money)* 3. dwatire *(capital)* VERB 4. ma sika *(give money)* 5. hyɛ dwatire *(provide capital)*

financial ADJ | NOUN sikasɛm; deɛ ɛfa sikasɛm ho

find VERB 1. pɛ *(past: pɛɛ/pɛɛɛ; future: bɛpɛ; progressive: repɛ; perfect: apɛ; negative: mpɛ)* 2. hwehwɛ *(past: hwehwɛɛ/hwehwɛɛɛ; future: bɛhwehwɛ; progressive: rehwehwɛ; perfect: ahwehwɛ; negative: nhwehwɛ)*

fine ADJ 1. papa pa ara *(very good; excellent)* 2. kama *(good)* 3. ho yɛ; deɛ ne ho yɛ *(in good health; one who's in good health)* 4. teaa; feaa *(very thin)* VERB 5. asotweɛ sika *(financial penalty)* 6. twe aso *(punish)*

finger NOUN 1. nsateaa *(slender jointed parts attached to the hand)* VERB 2. de nsateaa hyehyɛ *(insert fingers into)*

fingernail NOUN 1. bɔwerɛ *(general, plural: mmɔwerɛ)* 2. nsa bɔwerɛ *(finger specific, plural: nsa mmɔwerɛ)* □ *mentumi mmubu me mmɔwerɛ | I'm unable to cut my fingernails*

finish VERB 1. wie *(past: wiee/wieeɛ; future: bɛwie; progressive: rewie; perfect: awie; negative: nwie)* NOUN 2. awieeɛ *(ending)*

fire NOUN 1. ogya VERB 2. sɔ gya *(start a fire)* 3. yi adi *(dismiss (from a job))* 4. to (tuo) *(shoot (a gun))*

fire service NOUN odumgya adwuma

firearm NOUN 1. etuo 2. akodeɛ

firewood NOUN 1. egya 2. yensin

firm ADJ 1. emu yɛ den; deɛ emu yɛ den *(hard; strong; solid)* 2. tim deɛ ɛtim; deɛ ɛtim deɛ ɛtim *(firmly grounded)* 3. ɛnsesa; deɛ ɛnsesa *(unchanging; that which does not change)* VERB 4. ma ɛyɛ den; ma emu yɛ den *(make strong/hard/solid)* NOUN 5. adwumakuo *(a company/organization/business)*

firmament NOUN ewiem

first born NOUN 1. abakan 2. piesie □ *ɔhene no abakan | the first born of the king*

first NUM 1. kane 2. deɛ ɛdi kan

first-born ADJ | NOUN 1. abakan 2. piesie

fiscal ADJ 1. ɛtoɔ; ɛtoɔ ho nsɛm *(taxes; tax issues)* 2. sikasɛm *(monetary issues)*

fish NOUN nsuomnam

fisherman NOUN ɔfareni *(plural: afarefoɔ)*

fishmonger NOUN 1. nsuomnamtɔnfoɔ 2. deɛ ɔtɔn nsuomnam

fist NOUN 1. kuturuku 2. twɛdeɛ

fit ADJ 1. ɛfata; deɛ ɛfata *(suitable; that which is suitable)* VERB 2. fata *(be suitable)* 3. kɔ *(of a dress/attire: be the right/correct size for)* 4. ka bom *(join; connect)* 5. twa *(have an epileptic attack)* NOUN 6. etwirɛ *(epilepsy)*

fitness NOUN 1. apɔmuden *((good) health)* 2. ahoɔden *(strength)*

five hundred million NUM ɔpepem ahanum

five hundred NUM ahanum

five hundred thousand NUM mpem ahanum

five million NUM ɔpepem num

five NUM enum

five thousand NUM mpem num

fix VERB 1. kyekyere *(fasten)* 2. de ani si *(direct one's eyes/attention at)* 3. hwɛ hann *(gaze/stare glaringly)* 4. siesie *(mend; repair)* 5. yɛ yie 6. hyehyɛ *(arrange)*

flabbergast VERB ma ahodwiri *(astonish)*

flabby ADJ 1. mmerɛmmerɛɛmmerɛ *(very soft)* 2. bɛtɛɛ 3. hodwohodwo *(loose)*

flag NOUN 1. frankaa VERB 2. twe adwene si so *(draw attention to)*

flagrant ADJ anidahɔ; deɛ ɛyɛ anidahɔ *(blatant)*

flame NOUN 1. ogyaframa VERB 2. hye *(burn)* 3. hyerɛnn *(shine)*

flank NOUN nkyɛnmu

flannel NOUN kuntutam

flash VERB 1. pa anyinam 2. te yerɛwyerɛw 3. yi adi prɛko pɛ; da adi prɛko pɛ *(display suddenly)*

flashy ADJ fɛ; fɛfɛɛfɛ; deɛ ɛyɛ fɛ

flask NOUN 1. tumpan 2. nsuohyeɛ tumpan

flatter VERB 1. de ano toto ho 2. dɛfɛdɛfɛ 3. to tɛkyerɛmakyene 4. korɔkorɔ

flattery NOUN 1. anodɛ 2. adɛfɛdɛfɛ 3. tɛkyerɛmakyene 4. akorɔkorɔ

flatulence NOUN ɛta

flavour NOUN ɛdɛ; ne dɛ

flaw NOUN 1. ɛdɛm *(defect)* 2. kyema 3. ɛkam 4. mfomsoɔ *(mistake)*

flax NOUN asaawa *(cotton)*

flea NOUN 1. ɔkramandwie 2. nwansena *(housefly)*

fledge VERB fu ntakra

flee VERB 1. dwane 2. de ho ka nwura

fleece NOUN odwan nwi

flesh NOUN 1. nam VERB 2. yɛ kɛse *(put on weight)* 3. kyerɛ mu; kyerɛkyerɛ mu *(explain; add more details)*

flex VERB 1. bu mu 2. koa; koa mu

flimsy ADJ 1. hare; deɛ emu yɛ hare *(light/lightweight; that which is light)* 2. mmerɛ; deɛ emu yɛ mmerɛ *(weak; that which is weak)* 3. tratra; traa *(thin)* NOUN 4. krataa tratra; krataa traa *(thin paper)*

fling VERB 1. to *(throw; hurl)* NOUN 2. berɛ tiawa anigyeɛ *(a short period of enjoyment)*

flint NOUN twɛreboɔ

flip VERB 1. dane 2. butu 3. to; to prɛko pɛ *(throw; suddenly throw)* 4. pia; pia prɛko pɛ *(push; suddenly push)* 5. tɔ na tɔn *(buy and sell)* 6. bue *(open, e.g. a book)*

float VERB 1. tɛ ani; tɛ nsuo ani 2. susu *(suggest; put forward)*

flock NOUN 1. asafo 2. kuo *(general: group; herd)* 3. mmoakuo *(a group/herd of animals)* 4. nnwankuo *(a herd of sheep)*

flog VERB 1. hwe 2. birim 3. twa mmaa 4. bo

flood NOUN 1. nsuyiri VERB 2. yiri 3. bu fa so 4. hyɛ ma *(fill)*

floor NOUN 1. ɛfam; fam □ *akwadaa no te fam | the child is sitting on the floor* 2. ɛpo ase *(the bottom of the sea)* VERB 3. bɔ hwe; bɔ hwe fam

flop VERB 1. hwe ase 2. di nkoguo 3. fom; yɛ mfomsoɔ *(mistaken)* NOUN 4. ahweaseɛ 5. mfomsoɔ

flour NOUN esam; sam

flourish VERB 1. nyini *(grow)* 2. tu mpɔn *(thrive; prosper)* 3. yɛ frɔmfrɔm *(grow)*

flout VERB bu mmara so

flow VERB tene

flower NOUN nhwiren

fluctuate VERB 1. kɔ soro ba fam 2. hinhim

flue NOUN owisikwan

fluency NOUN anoteɛ

fluent ADJ 1. deɛ n'ano awo 2. deɛ n'ano ate

fluid NOUN 1. nsuo ADJ 2. nsuonsuo

fluke NOUN siadeɛ

flute NOUN 1. abɛn VERB 2. bɔ abɛn; hyɛn abɛn

flutter VERB tu faafaa

fly VERB 1. tu *(past: tuu/tuiɛ; future: bɛtu; progressive: retu; perfect: atu; negative: ntu)* □ *sɛ menya ntaban a, nka mɛtu akɔ me dɔ nkyɛn | if I had wings, I would have flown to my love's place* NOUN 2. nwansena *(housefly)*

flying fox NOUN nankwaasere *(plural: nnankwaasere)*

foal NOUN pɔnkɔ ba *(plural: apɔnkɔ mma)*

foam NOUN 1. ahuro *(froth)* VERB 2. twa ahuro

foe NOUN ɔtamfo *(plural: atamfo)*

fog NOUN mununkum

foil VERB 1. twitwa kwan mu 2. bɔ gu 3. si ano; si ano kwan NOUN 4. nnuraho; senya nnuraho *(covering; aluminium covering)*

fold VERB 1. bobɔ 2. moa; moamoa NOUN 3. nnwan buo

foliage NOUN 1. nhaban 2. nwura

folk NOUN 1. ɔmamfoɔ 2. abusuafoɔ *(family members)*

follow VERB 1. di akyire 2. de ani di akyire

following NOUN akyidifoɔ

folly NOUN 1. nkwaseasɛm 2. gyimisɛm

fond ADJ ani gye

fondle VERB 1. miamia 2. sosɔ mu NOUN 3. amiamia 4. nsosɔmu

food NOUN aduane *(plural: nnuane)*

fool NOUN 1. ogyimifoɔ 2. ɔkwasea 3. deɛ ɔnnim nyansa VERB 4. gyimi 5. daadaa *(deceive)* 6. bu; yɛ bukata *(dupe; swindle)*

foolish NOUN 1. ogyimifoɔ 2. ɔkwasea 3. deɛ ɔnnim nyansa

foot NOUN 1. nantabono *(lower part of the leg)* 2. aseɛ *(base; bottom)* VERB 3. tua; tua ka *(pay the bill)*

foot rot NOUN 1. aporɔaporɔ 2. nan mu aporɔaporɔ

footprint NOUN anammɔn

footstep NOUN 1. anammɔn 2. nan sibea

forage VERB 1. hwehwɛ aduane; kyini hwehwɛ aduane 2. kyini pɛ NOUN 3. ɛserɛ; wira *(grass)* 4. pɔnkɔ aduane *(a horse's food)* 5. nantwie aduane *(a cattle's food)*

forbear VERB 1. hyɛ ho so 2. gyae 3. twe ho firi

forbid VERB 1. bara 2. si kwan

force NOUN 1. ahoɔden *(strength)* 2. nhyɛsoɔ 3. tumi *(power)* VERB 4. hyɛ; hyɛ obi *(compel)*

fore ADJ | NOUN anim; deɛ ɛdi anim

forefather NOUN 1. nana *(plural: nananom)* 2. nana saman *(plural: nananom nsamanfoɔ)* 3. odikanfo *(plural: adikanfo)*

forefinger NOUN akyerɛkyerɛkwan

foregather VERB hyia mu; hyiam

forehead NOUN moma

foreign ADJ 1. aburokyire *(overseas)* □ *aburokyire sika | foreign currency* 2. deɛ ɛyɛ hɔhoɔ

foreigner NOUN 1. ɔhɔhoɔ *(plural: ahɔhoɔ)* 2. ɔmamfrani *(plural: amamfrafoɔ)*

foreknow VERB 1. hunu sie 2. nim; nim ansa *(know; know before)*

foreman NOUN 1. opanin *(plural: mpanimfoɔ)* 2. ɔhwɛsofoɔ *(supervisor, plural: ahwɛsofoɔ)*

foremost ADJ 1. kan; deɛ ɛdi kan 2. ɛdi mu; deɛ ɛdi mu

forerun VERB 1. di kan 2. di anim kan

foresee VERB 1. hu 2. hunu sie; hu sie 3. hunu ansa; hu ansa

foresight NOUN nhunumu

foreskin NOUN kɔtebɔtɔ

forest NOUN 1. kwaeɛ 2. kwaeɛbirentuo
forest squirrel NOUN opurohemaa
forestall VERB si ano; si ano kwan
forewarn VERB bɔ kɔkɔ
forge VERB 1. yɛ 2. sesa mu; sakra mu 3. de kwammɔne yɛ sɛso
forgery NOUN nkontompodeyɔ
forget VERB 1. werɛ firi *(to... infinitive)* 2. ma werɛ firi *(cause to...)*
forgetfulness NOUN awerɛfire
forgive VERB fa kyɛ
forgiveness NOUN bɔnefakyɛ
fork NOUN adinam
form NOUN 1. yɛbea *(shape; structure)* 2. Tebea 3. gyinapɛn *(class; year in a school)* VERB 4. yɛ *(do; make)* 5. te *(set up; establish)*
former ADJ 1. atwam; deɛ atwam 2. dada; deɛ ɛyɛ dada 3. ɛdi kan; deɛ ɛdi kan 4. ɛdi anim; deɛ ɛdi anim
formidable ADJ 1. kɛse pa ara 2. ɛbɔ hu; deɛ ɛbɔ hu *(inspires fear; that which inspires fear)*
fornicate VERB bɔ adwaman
fornication NOUN 1. adwaman 2. adwamammɔ *(the act of...)*
forsake VERB 1. paw; pa akyiri 2. yi totwene 3. gyae mu
fort NOUN abankɛseɛ
forthright ADJ 1. penpen *(direct)* 2. deɛ ɔmfa asɛm nsie *(one who doesn't cover up issues)*
fortnight NOUN nnawɔtwe mmienu *(a period of two weeks)*
fortress NOUN abankɛseɛ
fortunate ADJ 1. tiri yɛ; deɛ ne tiri yɛ *(lucky; one who's lucky)*
fortune NOUN 1. ahonyadeɛ 2. sika *(money; wealth)*
forty million NUM ɔpepem aduanan
forty NUM aduanan
forty thousand NUM mpem aduanan
forty-eight NUM aduanan nwɔtwe
forty-five NUM aduanan num
forty-four NUM aduanan nan
forty-nine NUM aduanan nkron
forty-one NUM aduanan baako
forty-seven NUM aduanan nson
forty-six NUM aduanan nsia
forty-three NUM aduanan mmiɛnsa
forty-two NUM aduanan mmienu

foul ADJ 1. kankan *(of odour: smelly; repulsive)* 2. ɛnyɛ VERB 3. yɛ fi *(make dirty; polute)*

foundation NOUN 1. nnyinasoɔ *(basis; reason)* 2. abɔaseɛ 3. ntoaseɛ

fountain NOUN asutire

four hundred million NUM ɔpepem ahanan

four hundred NUM ahanan

four hundred thousand NUM mpem ahanan

four million NUM ɔpepem nan

four NUM ɛnan

four thousand NUM mpem nan

fourteen NUM dunan

fourth NUM deɛ ɛtɔ so nan

fowl NOUN 1. akokɔ *(fowl: cock/hen, plural: nkokɔ)* □ *akokɔ no hyɛ ne buo mu | the chicken is in its coup* 2. ntakraboa *(general: feathered animal)*

fox NOUN sakraman

fracas NOUN 1. ntawantawa 2. gyegyeegyeyɔ 3. ntɔkwa gyegyeegye 4. basabasayɔ

fragile ADJ 1. ɛyɛ mmerɛ; deɛ ɛyɛ mmerɛ 2. ɛtumi bɔ; deɛ ɛtumi bɔ *(can be broken; that which can be broken)* 3. emu nyɛ den; deɛ emu nyɛ den *(weak; that which is weak)*

fragment NOUN 1. ɔfa VERB 2. bubu mu

fragrance NOUN aduhwam

frail ADJ 1. mmerɛ; mmerɛmmerɛɛmmerɛ 2. emu nyɛ den; deɛ emu nyɛ den 3. ahoɔden nni mu; deɛ ahoɔden nni mu

frame NOUN 1. mponnua *(of a window)* 2. aponnua *(of a door)* VERB 3. si mponnua 4. si aponnua

franchise NOUN abatoɔ mu tumi; abatoɔ mu fawohodie

francolin NOUN aboko

frank ADJ 1. penpen *(direct)* 2. deɛ ɔmfa asɛm nsie *(one who doesn't cover up issues)*

fraternize VERB 1. de ho bɔ *(associate)* 2. fa yɔnkoɔ *(be friends)* 3. ɛne (obi) di agorɔ *(play/socialize with (someone))*

fraud NOUN 1. apoobɔ 2. bukata 3. amim 4. apoobɔfoɔ *(a fraudster)*

fraudster NOUN apoobɔfoɔ

freak NOUN anwonwasɛm

free ADJ 1. de ho *(not under the control of another)* 2. wɔ ho kwan *(able to)* 3. nhyɛ obiara ase *(independent)* 4. ɔkwa 5. wɔ berɛ *(have time; unoccupied)* VERB 6. gyae *(release; set free)*

free time NOUN 1. adagyeɛ 2. berɛ

freeze VERB 1. de nwunu kyene 2. gyina; ma ɛgyina; gyina hɔ dinn

frequency NOUN mprɛ; mprɛ dodoɔ

fresh ADJ foforɔ

fricassee NOUN forɔeɛ

friction NOUN 1. ntwitwiho 2. nkyeresoɔ

Friday NOUN Efiada □ *wɔn a wɔwoo wɔn Fiada no ani yɛ den pa ara | those who were born on Fridays are very fierce.*

fridge NOUN 1. asukɔkyea adaka 2. firigyi *(borrowed)*

friend NOUN 1. adamfoɔ; adamfo *(plural: nnamfonom; nnamfoɔ)* 2. ɔyɔnkoɔ; yɔnkoɔ *(plural: ayɔnkofoɔ)* □ *m'adamfo ne Janet, nti deɛn? | Janet is my friend, and so what?* □ *ɔyɔnkoɔ bi sene nua | a certain friend is more than a brother/sister*

frock NOUN atadeɛ; ɔbaa atadeɛ *(a dress; a woman's dress)*

frog NOUN 1. apɔnkyerɛne 2. apɔtorɔ

from PREP firi □ *me*<u>*firi*</u> *Kumase | I'm from Kumasi*

front NOUN | ADJ 1. anim VERB 2. di anim *(lead)*

frontier NOUN ɛhyeɛ *(border)*

froth NOUN 1. ahuro VERB 2. twa ahuro

frown VERB 1. muna 2. ka anim si so 3. bɔ anim pɔ NOUN 4. anim muna 5. anim pɔ

frugal ADJ ahwɛyie; sikadie mu ahwɛyie

fruit NOUN aduaba *(plural: nnuaba)*

fruitful ADJ 1. ɛso aba *(of a plant: bears fruits)* 2. ɛho wɔ mfasoɔ *(beneficial)* 3. wo mma *(of a person: bears children)*

frustrate VERB 1. ha 2. teetee 3. hyɛ anibere 4. hyɛ abufuo

frustration NOUN 1. ɔhaw 2. ateetee

fry VERB kye *(past: kyee/kyeeɛ; future: bɛkye; progressive: rekye; perfect: akye; negative: nkye)* □ *Badu rekye nam | Badu is frying meat* □ *woakye awie? | are you done frying?* □

kye kosua ma me | fry me an egg

fuck VERB di

fuddle NOUN borɔ; nsaborɔ *(state of being intoxicated)*

fuel NOUN 1. ɔyere *(borrowed: oil)* 2. ngo; fango *(oil; crude oil)* 3. bidie *(charcoal)* 4. aduane *(food)*

fufu NOUN fufuo

fugitive NOUN 1. odwanefoɔ 2. deɛ wadwane

fulfil VERB 1. ma ɛba mu 2. yɛ *(carry out; do)* 3. di so *(comply with)* 4. nya anigyeɛ *(gain happiness)*

full ADJ ma □ *wo kuruwa ayɛ ma | your cup is full*

full stop NOUN osiwieeɛ

fullness NOUN 1. mayɛ 2. muayɛ

fulminate VERB 1. kasa tia *(protest; speak against)* 2. kasa abufuo so *(speak angrily)*

fume NOUN 1. wisie *(smoke)* 2. ntutuo *(vapour)* VERB 3. pu wisie *(emit smoke)* 4. pu ntutuo *(emit vapour)*

fun NOUN 1. anigyeɛ *(happiness; enjoyment)* 2. anigyedeɛ *(a source of fun)*

function NOUN 1. dwumadie *(task)* 2. mfasoɔ 3. nsunsuansoɔ *(consequence)* 4. apontoɔ *(party)* 5. afahyɛ *(festival)*

fund NOUN 1. sika; sika puduo *(money; a large sum of money)* 2. dwatire *(capital)* 3. sika *(money)* VERB 4. bɔ dwatire 5. ma sika

fundamental ADJ | NOUN 1. abɔaseɛ 2. nnyinasoɔ *(basis)* 3. deɛ ɛho hia pa ara *(that which is very necessary)*

funeral NOUN ayie

fungus NOUN apotobibire

funnel NOUN 1. funerɛ *(borrowed)* VERB 2. de fa mu *(channel through)*

funny ADJ 1. ɛyɛ sere; deɛ ɛyɛ sere 2. ɛyɛ anika; deɛ ɛyɛ anika 3. ne ho yɛ sere; deɛ ne ho yɛ sere *(of a person)*

furious ADJ 1. bo afu yie; deɛ ne bo afu yie 2. ani abere; deɛ n'ani abere

furnish VERB 1. siesie mu *(of a house/room: decorate)* 2. ma; ma nsa ka *(give/provide; make available)*

furniture NOUN 1. ɛdan mu nneɛma *(general)* 2. ɛdan mu

nkonnwa ne mpa *(chairs and beds in a room)*
furthermore ADV bio
fury NOUN abufuhyew
futile ADJ 1. anyɛ yie; deɛ anyɛ yie *(did not work; that which did not work)* 2. ɛso amma mfasoɔ; deɛ ɛso amma mfasoɔ *(did not yield results; that which did not yield results)* 3. kwa *(vain)*
future NOUN | ADJ daakye

Gg

gab VERB 1. kasa pii 2. toatoa NOUN 3. kasa tenten 4. ntoatoa

gabble VERB 1. toatoa 2. kasa kurokuro NOUN 3. ntoatoa

gad VERB 1. kyinkyini 2. kyinkyini pɛ anigyeɛ

gadget NOUN afidie

gaffe NOUN mfomsoɔ *(a mistake; blunder)*

gag NOUN 1. ntoma sini *(a piece of cloth)* VERB 2. de ntoma sini kyekyere ano 3. mua ano 4. ka ano tom

gaiety NOUN anigyeɛ

gain VERB 1. nya *(get; obtain)* 2. nya so mfasoɔ *(profit from)* 3. nsa ka 4. duru *(reach; arrive)* NOUN 5. mfasoɔ *(profit)* 6. ahonya; ahonyadeɛ

gala NOUN 1. agokansie *(a sporting event/competition)* 2. anigyeberɛ

gale NOUN 1. ahum 2. mframa dennen

gall bladder NOUN bɔnwono

gall NOUN bɔnwoma

gallant ADJ 1. bo yɛ duru; deɛ ne bo yɛ duru 2. wɔ akokoɔduru; deɛ ɔwɔ akokoɔduru NOUN 3. ɔkatakyie

gallon NOUN 1. galɔn *(borrowed)* 2. akoradeɛ *(a storage unit)*

gallop VERB 1. hurihuri 2. tu ammirika *(of a horse)* 3. tu pɔnkɔ mmirika *(of a person: run/race like a horse)* NOUN 4. pɔnkɔ mmirika

gallows NOUN asɛnnua

galore ADJ 1. pii 2. bebree

gamble VERB 1. to kyakya 2. to prɛ NOUN 3. kyakyatoɔ

gambler NOUN kyakyatofoɔ

game NOUN 1. agorɔ 2. agokansie *(a sporting contest)*

3. nwuram nam *(bush meat)* VERB 4. goro; di agorɔ 5. to kyakya *(gamble)*
gang NOUN 1. mmaratofoɔ *(lawbreakers)* 2. asafo 3. fekuo
gangster NOUN mmaratoni *(lawbreaker)*
gaol NOUN 1. afiase 2. nneduadan VERB 3. de to afiase
gap NOUN 1. tokuro *(hole; opening)* 2. ɛkwan *(way)*
garb NOUN ntadeɛ
garbage NOUN 1. nwira 2. bɔɔla *(borrowed)*
garden egg NOUN nyaadewa *(plural: nnyaadewa)*
garden NOUN 1. turo 2. afikyifuo
gargantuan ADJ 1. kɛseɛ; kɛse pa ara 2. Kakraa 3. Gramo 4. deɛ ɛso
garlic NOUN 1. galeke *(borrowed)* 2. anwo
garment NOUN 1. atadeɛ 2. ntoma *(cloth)*
garner VERB boa ano *(gather)*
garnish VERB 1. siesie ho *(decorate)* 2. ma ɛyɛ akɔnnɔ
garrulous ADJ 1. ɔkasafoɔ; ɔkasapɛfoɔ 2. deɛ ɔpɛ kasa 3. deɛ ɔyɛ ntoatoa
gas NOUN 1. mframagya 2. tutuo 3. gaase *(borrowed)*
gasoline NOUN 1. fango 2. ɔyerɛ *(borrowed)*
gasp VERB 1. tee so 2. home ntɛmtɛm NOUN 3. nteesoɔ
gate NOUN 1. aboboɔ 2. ɛpono
gather VERB boa ano *(gather)*
gathering NOUN 1. nhyiamu 2. anoboa
gay ADJ | NOUN 1. barima a ɔne mmarima da *(a male homosexual)* 2. adintrumu *(offensive: a male homosexual)* ADJ 3. deɛ n'ani gyeɛ 4. deɛ ɔmfa hwee ho *(one who's carefree)*
gaze VERB 1. hwɛ haa NOUN 2. nhwɛhaa
gecko NOUN 1. efiewura 2. abosomakoterɛ
gem NOUN 1. ɔbohene *(jewel)* 2. hyerɛmmoɔ
gender NOUN 1. ɔbaayɛ *(the state of being female)* 2. barimayɛ *(the state of being male)* 3. ɔbaa anaa barimayɛ *(the state of being female or male)* 4. mmaa *(females; women)* 5. mmarima *(males; men)*
general ADJ 1. ɛfa biribiara ho; ɛfa ne nyinaa ho *(concerns all)* NOUN 2. ɔsahene

generate ADJ 1. de ba *(give rise to)* 2. yɛ; ma ɛyɛ

generator ADJ anyinam ahoɔden afidie

generous ADJ 1. deɛ ne nsa mu yɛ mmerɛ 2. deɛ ne tirim nyɛ den 3. deɛ ɔkyɛ adeɛ

genesis NOUN 1. mfitiaseɛ 2. ahyɛaseɛ

genital NOUN 1. ase *(general)* 2. kɔteɛ *(penis)* 3. ɛtwɛ *(vagina)*

genius NOUN 1. nimdeɛ mmapa *(great intelligence; exceptional brilliance)* 2. onimdefo *(intelligent person)* 3. ɔnyansafoɔ *(sensible person)* ADJ 4. nyansa wɔ mu; deɛ nyansa wɔ mu

genocide NOUN 1. nnipadɔm kum 2. nnipadɔm ase tɔre

genteel ADJ 1. adebufoɔ 2. deɛ ɔbu ade pa ara

gentile NOUN 1. ɔbosonsomni 2. ɔpaefoɔ *(apostate)*

gentle ADJ 1. ho dwo; deɛ ne ho dwo *(calm; one who's calm)* 2. nkakrankakra *(gradual)*

gentleman NOUN 1. onimuonyamfoɔ *(a honourable person)* 2. adebufoɔ; deɛ ɔbu adeɛ *(respectful person)* 3. barima a ne ho dwoɔ *(a calm man)* 4. barima a ɔda dinn *(a quiet man)*

genuine ADJ 1. kann 2. turodoo 3. deɛ wɔmfraa mu

geography NOUN asase ho adesua

germ NOUN aboawa; aboawa a ɔma yareɛ

get VERB 1. nya 2. nsa ka

ghastly ADJ 1. ɛbɔ hu; deɛ ɛbɔ hu *(causes fear; frightful)* 2. hoyaa *(pale)*

ghetto NOUN ahiafoɔ tenabea

ghost NOUN ɔsaman *(plural: nsamanfoɔ)*

giant ADJ 1. kɛse pa ara 2. kakraa 3. gramo

gibbet NOUN asɛnnua

gift NOUN 1. akyɛdeɛ VERB 2. kyɛ; de kyɛ *(past: kyɛɛ/kyɛɛɛ; future: bɛkyɛ; progressive: rekyɛ; perfect: akyɛ; negative: nkyɛ)*

gigantic ADJ 1. kɛse pa ara 2. kakraa 3. gramo

giggle VERB 1. nweenwee 2. sere; sere kakraa bi

gin NOUN nsaden

ginger NOUN akekaduro

girdle NOUN abɔsoɔ

girl NOUN 1. abaayewa *(female child)* 2. ababaawa *(young* *woman)* 3. ɔbabaa *(a person's daughter)* □ *abaayewa no reto dwom | the girl is singing*

girlfriend NOUN mpena □ *Kofi wɔ mpena | Kofi has a girlfriend*

give VERB ma *(past: maa/maeɛ; future: bɛma; progressive: rema; perfect: ama; negative: mma)* □ *wobɛma me bi oo, womma me oo, mɛdi | whether you will give me some or not, I will eat*

glad ADJ 1. ani agye; deɛ n'ani agye *(pleased/delighted/happy; one who's pleased/delighted/happy)* 2. deɛ ɛma anigyeɛ; deɛ ɛde anigyeɛ ba *(that which causes happiness)* VERB 3. gye ani 4. ma anigyeɛ

glamorous ADJ 1. ɛyɛ fɛ; deɛ ɛyɛ fɛ 2. ɛkye; deɛ ɛkye

glamour NOUN 1. deɛ ɛkyeɛ *(that which allures)* 2. ahoɔfɛ; ahoɔfɛ a ɛkyeɛ *(beauty; beauty that allures)*

glance VERB 1. de ani bɔ so 2. hwɛ ntɛm so

glare VERB 1. hwɛ abufuo so *(stare/look angrily)* 2. hwɛ haa *(gaze)* 3. hyerɛnn *(of the sun: shine)* NOUN 4. ɛhann *(light; bright light)* 5. nhwɛhaa *(gaze)*

glaring ADJ 1. pefee 2. ɛnyɛ ahintasɛm; deɛ ɛnyɛ ahintasɛm

glass NOUN 1. tɔmmɛ 2. toa *(bottle)*

gleam VERB 1. hyerɛnn 2. te yerɛwyerɛw

glean VERB 1. nya *(get; obtain)* 2. di mpɛpɛwa 3. tase; tasetase

glee NOUN 1. anigyeɛ *(happiness)* 2. anigyeɛ mmorosoɔ *(great delight)*

glide VERB siane

glimmer VERB 1. nyinam 2. hyerɛnn

glimpse VERB 1. de ani bɔ so NOUN 2. ɔhwɛ

glitter VERB hyerɛnn □ *ɛnyɛ deɛ ɛhyerɛnn nyinaa na ɛyɛ sika kɔkɔɔ | not all that glitters is gold*

global ADJ wiase afanan nyinaa

globe NOUN 1. ewiase *(the earth)* 2. ade kurukuruwa *(a spherical object)*

gloom NOUN 1. kusuu 2. tumm

gloomy ADJ 1. deɛ ɛyɛ kusuu 2. deɛ ɛyɛ tumm 3. anidasoɔ nnim; deɛ anidasoɔ nnim

glorification NOUN 1. ayɛyie 2. Ntontom 3. animuonyamhyɛ

glorify VERB 1. yi ayɛ 2. Tontom 3. hyɛ animuonyam

glory NOUN 1. animuonyam 2. ntontom

gloss NOUN 1. deɛ ɛhyerɛnn 2. deɛ ɛyɛ hyɛmm 3. deɛ ɛyɛ nahanaha VERB 4. ma ɛhyerɛnn 5. ma ɛyɛ hyɛmm 6. ma ɛyɛ nahanaha

glossary NOUN nsɛmfua nkyerɛkyerɛmu

glossy ADJ 1. deɛ ɛyɛ nahanaha 2. deɛ ani yɛ torotoro 3. deɛ ɛso yɛ hyɛmm

glove NOUN nsa bɔha

glow VERB 1. dɔ kɔɔ; yɛ kɔɔ 2. hyerɛnn

glue NOUN 1. ataredeɛ 2. setaakye *(borrowed: from 'starch')*

glutton NOUN 1. odidifoɔ 2. aduanepɛfoɔ

gluttonness NOUN 1. adiditrasoɔ 2. adidifurum

gnash VERB twerɛ ɛse

gnaw VERB 1. we *(chew)* 2. ka *(bite)*

go VERB kɔ *(past: kɔɔ/kɔeɛ; future: bɛkɔ; progressive: rekɔ; perfect: akɔ; negative: nkɔ)* □ *kɔ wo kurom | go to your hometown* □ *kɔ na bra | go and come* □ *Ama kɔ sukuu | Ama goes to school*

goal NOUN botaeɛ *(aim)*

goalkeeper NOUN deɛ ɔgyina atena mu

goat NOUN 1. abirekyie *(plural: mmirekyie)* □ *Alidu wɔ abirekyie | Alidu has a goat* □ *mmirekyie pu wesa | goats chew their cud* 2. apɔnkye *(plural: mpɔnkye)* □ *apɔnkye no yɛ fitaa | the goat is white* □ *w'ani atwa Amakye apɔnkye no so? | have you sighted Amakye's goat?*

gobble VERB 1. memene ntɛmtɛm 2. di ahoɔhare so; didi ahoɔhare so

go-between NOUN ntamgyinafoɔ

god NOUN 1. ohoni 2. bosom 3. suman

God NOUN 1. Onyankopɔn 2. Awurade 3. Nyame 4. Ɔbɔadeɛ 5. Otweduampɔn

goitre NOUN kɔmpɔ

gold dust NOUN sikafuturo

gold NOUN sika kɔkɔɔ *(precious metal; colour)* □ *wɔretu sika kɔkɔɔ | they are mining gold* □ *sika kɔkɔɔ ahosuo | the colour of gold*

gold ore NOUN sikafraeboɔ

golden stool NOUN sikadwa

goldsmith NOUN sikadwinnifoɔ

gong NOUN 1. dawuro 2. tontonsansan

gonorrhoea NOUN babaso

good ADJ | NOUN 1. pa; papa 2. deɛ ɛyɛ; deɛ ɛyɛ papa

goodbye EXCLAM 1. nante yie *(literally: walk well)* 2. *baabae (borrowed)* 3. *nkyirioo* NOUN 4. ntetemu *(a parting)* 5. nkra *(instance of saying 'goodbye')*

goodnight PHRASE | EXCLAM da yie

goods NOUN 1. nneɛma 2. adwadeɛ *(plural: adwanneɛma)*

goose pimples NOUN awɔse

goosebumps NOUN awɔse

gorge VERB didi fuufuu

gorgeous ADJ 1. ɛyɛ fɛ; deɛ ɛyɛ fɛ 2. ɛho twa; deɛ ɛho twa

gormandize VERB didi boro so

gospel NOUN 1. Asɛmpa no 2. Awurade Asɛm; Nyame Asɛm *(God's word)* 3. nokwasɛm; nokorɛ turodoo *(the truth; the absolute truth)* 4. Nyame nnwom *(... music)*

gossip NOUN 1. kɔnkɔnsa 2. nsekuro VERB 3. di kɔnkɔnsa 4. di nsekuro

gouge VERB tu; tutu

govern VERB 1. bu man *(of a state/country)* 2. di so *(general: head over)*

government NOUN aban

gown NOUN 1. atade tenten *(general: a long dress)* 2. ayeforɔ atadeɛ *(wedding dress)*

grab VERB 1. sɔ mu 2. kye *(catch)*

grace NOUN 1. adom *(of the Christian faith: God's unmerited favour)* VERB 2. de animuonyam ba *(bring honour to)*

gradate VERB hyehyɛ; hyehyɛ nnidisoɔ nnidisoɔ

gradual ADJ nkakrankakra

graduate NOUN 1. deɛ wawie suapɔn agye mu abodin krataa 2. nwomanimfoɔ VERB 3. wie suapɔn 4. nya suapɔn mu abodin krataa *(receive a university degree)* 5. kɔ anim *(move forward; progress)* 6. sesa *(change)*

grain NOUN 1. aba *(seed)* 2. ɛmo *(rice)*

grammar NOUN kasa mmara □ *Twi kasa mmara | Twi grammar*

grand NOUN 1. kɛseɛ 2. kakraa 3. kunini 4. deɛ ɛso

grandchild NOUN nana

grandfather NOUN 1. nanabarima *(grandfather)* 2. nana *(general)* □ *nanabaa ne nanabarima | grandmother and grandfather*

grandmother NOUN 1. nanabaa *(grandmother)* 2. nana *(general)* □ *nanabaa baa ha nnɛ | grandmother came here today*

grandparent NOUN 1. nana *(general)* 2. nanabarima *(grandfather)* 3. nanabaa *(grandmother)* □ *me nana te ase | my grandparent is alive*

grant VERB 1. ma kwan; ma ho kwan *(allow)* 2. ma *(give)* 3. de ma 4. pene so *(agree)* NOUN 5. akyɛdeɛ *(gift)* 6. sika akyɛdeɛ *(monetary gift)*

grape NOUN bobe aba

grapple VERB 1. tentam *(wrestle)* 2. di asie 3. sɔ mu *(grab)*

grasp VERB 1. sɔ mu 2. kuta mu; kura mu 3. te aseɛ; nya mu nteaseɛ *(understand; gain understanding into)* NOUN 4. nteaseɛ *(understanding)*

grass NOUN 1. ɛserɛ 2. nwura *(weed)*

grasscutter NOUN akranteɛ *(plural: nkranteɛ)* □ *mede akranteɛ bɛyɛ nkwan anwummerɛ yi | I will use grasscutter to prepare soup this evening.*

grasshopper NOUN abɛbɛ *(plural: mmɛbɛ)*

grateful NOUN ani sɔ; deɛ n'ani sɔ

gratis ADV 1. kwa ADJ 2. deɛ wɔde kyɛ 3. deɛ wɔde ma kwa 4. deɛ wɔntua ho sika

gratitude NOUN 1. ayɛ 2. anisɔ

gratuity NOUN sika akyɛdeɛ

grave NOUN 1. ɔdamena 2. efunu amena ADJ 3. ano yɛ den; deɛ ano yɛ den 4. anim yɛ nyam; deɛ anim yɛ nyam

gravel NOUN abosea

graveside NOUN asieeɛ *(cemetery)*

gravy NOUN abomu

gray ADJ | NOUN nsonso; deɛ ɛyɛ nsonso

graze VERB 1. we nwura *(chew grass)* 2. de... kɔ adidie *(take... to feed)* NOUN 3. wɔtere; honam ani wɔtereɛ

grease NOUN 1. sradeɛ 2. ngo 3. ɔyerɛ *(borrowed)* VERB 4. de sradeɛ sra 5. de ɔyerɛ sra 6. sra mu ngo

great ADJ 1. kɛseɛ *(big; huge)* 2. okokuroko *(eminent)* NOUN 3. onimuonyamfoɔ *(honourable person)* 4. okunini *(a prominent person)*

great grandfather NOUN 1. nanabarima prenu *(male-specific)* 2. nana prenu *(general)*

great grandmother NOUN 1. nanabaa prenu *(female-specific)* 2. nana prenu *(general)*

greatness NOUN kɛseyɔ

greed NOUN 1. adufudepɛ 2. pɛsɛmenkomenya *(selfishness)*

greedy ADJ 1. deɛ ɔyɛ adufudepɛ 2. deɛ ɔyɛ pɛsɛmenkomenya

green NOUN | ADJ ahabammono □ *ahabammono ahosuo | green colour*

greet VERB kyea *(past: kyeaa/kyeaeɛ; future: bɛkyea; progressive: rekyea; perfect: akyea; negative: nkyea)*

greeting NOUN nkyea

grey NOUN | ADJ nsonso

grief NOUN awerɛhoɔ

grievance NOUN meneasepɔ

grill VERB 1. ho 2. toto

grimace NOUN 1. muna; anim muna VERB 2. muna; muna anim

grin VERB 1. nwenwene NOUN 2. anweenwee

grind VERB 1. potɔ 2. Twi 3. yam

grip VERB 1. sɔ mu denneennen 2. kuta mu denneennen; kura mu denneennen

groan VERB 1. si apene NOUN 2. apenesie

grog NOUN 1. nsaden VERB 2. nom nsa *(drink alcohol)* 3. boro; boro nsa *(booze)*

groom VERB 1. siesie 2. hwɛ so *(look after)* 3. tete *(train; prepare)* NOUN 4. apɔnkɔhwɛfoɔ *(one who takes care of horses)* 5. ayefokunu; ayeforɔ kunu *(bridegroom)* 6. ɔsomfo *(one who serves)*

grope VERB 1. de nsa keka hwehwɛ *(search by feeling with the hands)* 2. sosɔ mu *(touch (repeatedly) for sexual pleasure; fondle)* 3. miamia *(fondle)* NOUN 4. nsosɔmu 5. amiamia

gross ADJ 1. deɛ ɛmfa kwan mu; deɛ ɛntwa yie *(that which is unacceptable)* 2. nyinaa *(entire; total; complete)* 3. obuo nnim; deɛ obuo nnim *(rude/disrespectful; that which is rude/disrespectful)* 4. anibue nnim; deɛ anibue nnim *(unrefined; uncivilized)* VERB 5. nya *(get; earn; make)* NOUN 6. ɔha ne aduanan nan *(one hundred and forty-four)* 7. akatua botene *(a gross pay)* 8. mfaso botene *(a gross profit)*

ground NOUN ɛfam; fam

ground squirrel NOUN amoakua *(plural: mmoakua)*

group NOUN ekuo

grow VERB 1. nyini *(of human; animal)* 2. fu *(of weeds; plants)*

growl VERB 1. woro so 2. pɔ *(bark)* 3. su *(cry)*

gruelling ADJ ɛma ɔbrɛ; deɛ ɛma ɔbrɛ

gruesome ADJ 1. huhuuhu *(scary; horrid; frightful)* 2. ani yɛ nyan; deɛ ani yɛ nyan *(unsightly)*

grumble VERB 1. nwiinwii 2. kwane *(nag; complain)* 3. kasa huhuhuhu 4. pa so NOUN 5. anwiinwii

grunt VERB 1. su *(of a pig: cry)* NOUN 2. prako su *(a cry of a pig)*

guarantee NOUN 1. bɔhyɛ *(assurance; promise)* 2. agyinamudeɛ *(of something: surety)* VERB 3. hyɛ bɔ *(promise)* 4. gyina mu ma

guarantor NOUN agyinamdifoɔ

guard VERB 1. bɔ ho ban 2. wɛn NOUN 3. ɔbammɔfoɔ 4. ɔwɛmfoɔ

guardian NOUN 1. ɔbammɔfoɔ 2. ɔwɛmfoɔ 3. ɔhwɛfoɔ

guava NOUN gɔva *(borrowed)*

guess VERB 1. bɔ srɛ mu ka; bɔ srɛm ka NOUN 2. bɔsrɛmuka

guest house NOUN 1. ahɔhogyebea 2. ahɔhofie

guest NOUN ɔhɔhoɔ

guide NOUN 1. ɔkwankyerɛfoɔ VERB 2. gye taa taa 3. kyerɛ kwan 4. ma akwankyerɛ 5. tenetene

guillotine NOUN 1. atwitwatire; atwitwatire afidie VERB 2. twa tire

guilt NOUN 1. ɛfɔ 2. ɛfɔdie 3. ɛso

guiltiness NOUN 1. ɛfɔ 2. ɛfɔdie

guiltless ADJ di bem; deɛ ɔdi bem

guilty ADJ di fɔ; deɛ ɔdi fɔ

guinea fowl NOUN akɔmfɛm *(plural: nkɔmfɛm)* □ *Akosua yɛn nkɔmfɛm | Akosua rears guinea fowls*

guitar NOUN sankuo

gullet NOUN 1. menewa 2. menemu

gulp VERB mene

gum NOUN ɛse akyi nam *(body part; root of the teeth)* □ *Kofi se akyi nam refiri mogya | Kofi is bleeding in the gum*

gumboil NOUN anom kuro

gun NOUN 1. etuo VERB 2. to tuo

gun power NOUN atuduro

gusto NOUN anigyeɛ; biribi mu anigyeɛ

gut NOUN 1. yafunu *(stomach; belly)* 2. nsono *(intestine)* 3. yam adeɛ; ayamdeɛ *(internal organs)*

gutter NOUN 1. ɛka 2. nsuka

guy NOUN ɔbarima

guzzle VERB 1. didi fuufuu 2. didi ntɛmtɛm

gym NOUN 1. apɔmutenetenebea 2. beaeɛ a wɔtenetene apɔ mu

gymnasium NOUN 1. apɔmutenetenebea 2. beaeɛ a wɔtenetene apɔ mu

gymnastics NOUN apɔmutenetene

Hh

habit NOUN 1. nneyɛɛ 2. su

habitable ADJ 1. wɔtena hɔ a ɛyɛ yie; beaeɛ a wɔtena hɔ a ɛyɛ yie 2. wɔtena mu a ɛyɛ yie *(of an enclosure, e.g. a building/room)*

habitat NOUN 1. atenaeɛ 2. efie *(home)*

hack VERB 1. twitwa *(cut; chop)* 2. bɔ *(kick)* 3. de kwammɔne wura mu *(enter illegally; gain unauthorized access into)* 4. bɔ wa toatoa so *(cough persistently)*

haematuria NOUN dwonsɔmogya

haemorrhage NOUN mogyahwereɛ *(loss of blood)*

haemorrhoid NOUN kooko

hag NOUN ɔbayifoɔ *(plural: abayifoɔ)*

haggle VERB 1. di ano *(bargain)* 2. pere ntesoɔ *(strive for price reduction)* NOUN 3. nniano *(bargain)*

hail VERB 1. kyea *(greet)* 2. frɛ *(call)* 3. yi ayɛ *(praise)* 4. bɔ abodin *(give appellation)* 5. hoahoa

hair NOUN 1. nwi *(general)* 2. tiri nwi *(on head)* □ *ababaawa no nwi rebubu | the young woman's hair is breaking Delila twaa* □ *Samson tiri nwi | Delilah cut Samson's hair*

hairdresser NOUN deɛ ɔsiesie (afoforɔ) tiri nwi

hale ADJ 1. te apɔ; deɛ ɔte apɔ 2. wɔ apɔmuden; deɛ ɔwɔ apɔmuden

half NOUN ɛfa; fa

half-moon NOUN ɔsramfa *(of celestial body; shape)*

halfway ADJ mfimfini

hall NOUN asa so; asa

hallelujah NOUN haleluia *(borrowed)*

hallow VERB 1. yɛ kronkron 2. ma ɛyɛ kronkron 3. te ho 4. dwira

hallucinate VERB hunu deɛ ɛnni hɔ

halt VERB 1. gyina 3. gyae *(stop, e.g. an activity)*

ham NOUN 1. prakontwerɛ 2. prako serɛ a wɔahyɛ no nkyene

hamlet NOUN akuraa

hammer NOUN 1. hama *(borrowed)* VERB 2. de hama bɔ *(hit with a hammer)* 3. bɔ *(hit)* 4. kɔ so ara bɔ so; kɔ so ara si so *(drum; keep repeating)*

hamper NOUN 1. kɛntɛn *(basket)* 2. kɛntɛn a wɔahyɛ mu nnuanne *(a basket filled with foods)* VERB 3. twitwa anan mu *(come between; hinder)* 4. si kwan *(prevent; barricade)*

hand NOUN 1. nsa *(body part)* 2. nsa ano *(handwriting)* 3. nsam *(power to direct, e.g. in his hands)* 4. mmoa *(help)* VERB 5. fa ma *(pick and give to)*

handbill NOUN dawurubɔ krataa a wɔkyekyɛ

handcuff NOUN 1. abankaba 2. Adansa VERB 3. de abankaba to (nsa)

handful NOUN 1. nsa ma 2. kakraa bi *(a small amount/number)*

handicap NOUN 1. ɛdɛm; ɛdɛmdie 2. akwansideɛ *(hindrance; impediment)* VERB 3. yɛ ho akwansideɛ *(be a hindrance to)*

handicapped ADJ deɛ wadi dɛm

handicraft NOUN adwinnie

handjob NOUN aboasi; aboasipem

handkerchief NOUN 1. hankete *(borrowed)* 2. apopaanim

handkerchief NOUN hankete *(borrowed)*

handle VERB 1. kuta mu; kura mu 2. sɔ mu 3. yere mu 4. yɛ *(do)* NOUN 5. nsa

handsome ADJ 1. ho yɛ fɛ; deɛ ne ho yɛ fɛ *(of a man: good-looking; one who's good-looking)* 2. ɛsɔ ani; deɛ ɛsɔ ani *(of a number/amount/quantity: considerable; sizeable)*

handy ADJ 1. ɛho hia; deɛ ɛho hia *(useful; that which is useful)* 2. ɛbɛn; deɛ ɛbɛn *(near; that which is near)* 3. ne pɛ nyɛ den; deɛ ne pɛ nyɛ den *(not difficult to find; that which is not* *difficult to find)* 4. deɛ wakwadare biribiyɔ mu *(one who's skilled at something)*

hang VERB 1. sɛn; sensɛn; de sɛn 2. hyɛ akɔmfo *(execute by hanging)* 3. kum *(kill)*

hangman NOUN 1. ɔbrafoɔ 2. nipasɛnfoɔ 3. nipakumfoɔ

hangover NOUN nsanom akyiri yareɛ

haphazard ADJ 1. basaabasaa 2. biarabiara 3. nwonworann

hapless ADJ tibɔne

happen VERB 1. si; ma ɛsi 2. ba mu; ma ɛba mu 3. yɛ hɔ; ma ɛyɛ hɔ 4. to; ma ɛto *(befall)*

happily ADV anigyeɛ so □ *ɔgyee no anigyeɛ so | he/she received him/her happily*

happiness NOUN anigyeɛ □ *ahotɔ de anigyeɛ ba | comfort brings happiness*

antonym	awerɛhoɔ *sadness*

happy ADJ 1. ani agye 2. bo dwo so

harass VERB 1. ha adwene 2. Teetee 3. haahae

harassment NOUN 1. ateetee 2. ahaahae

harbour NOUN 1. suhyɛn gyinabea VERB 2. de hyɛ adwene mu 3. de hyɛ... mu

hard ADJ 1. den; dennen; denneennen 2. ɛyɛ den; deɛ ɛyɛ den 3. emu yɛ den; deɛ emu yɛ den 4. ano yɛ den; deɛ ano yɛ den ADV 5. den; dennen; denneennen; denneennen so

hard disk NOUN kɔmputa mu akoradeɛ

hardship NOUN 1. ahokyerɛ 2. ɔbrɛ

hardware NOUN nnadeɛ adwadeɛ

hardworking ADJ. nsiyɛfoɔ

hare NOUN 1. adanko *(rabbit)* VERB 2. dwane ntɛm so *(run hurriedly)*

harlot NOUN 1. odwamanfoɔ 2. tuutuuni 3. gyantrani *(slut)* 4. ahyawoni

harm VERB 1. pira *(physically injure)* 2. yɛ bɔne; di bɔne *(do bad; mistreat)* NOUN 3. ɛyeaa *(pain)* 4. bɔne 5. amanehunu *(suffering)*

harmattan NOUN ɔpɛ; ɔpɛberɛ

harness VERB de di dwuma *(utilize)*

harp NOUN sankuo

harpoon NOUN 1. pea VERB 2. to pea

harry VERB 1. tu so sa; kɔ so ara tu so sa *(attack e.g. an enemy's territory; keep attacking)* 2. ha adwene; kɔ so ara ha adwene *(worry/harass; keep attacking/harassing)* 3. teetee; kɔ so ara teetee *(trouble/harass; keep troubling/harassing)*

harsh ADJ 1. ano yɛ den; deɛ ano yɛ den *(severe; that which is severe)* 2. atirimuɔden 3. ɛnyɛ anika; deɛ ɛnyɛ anika

harvest VERB 1. twa 2. nu *(e.g. palm fruit)* 3. tu *(of tubers)* NOUN 4. nnɔbaeɛ *(yield)* 5. nnɔbaetwa *(the process of harvesting)*

haste ADJ ntɛm; ntɛmtɛm

hasten VERB yɛ ntɛm

hasty ADJ 1. ahoɔhare so; deɛ wɔyɛ no ahoɔhare so 2. ntɛm so; deɛ wɔyɛ no ntɛm so

hat NOUN ɛkyɛ

hatch VERB 1. hwane *(of an egg: open and produce a young animal)* 2. bɔ tirimupɔ *(devise)* NOUN 3. wiemhyɛn pono *(an aircraft's door)*

hate VERB 1. tan *(past: tann; future: bɛtan; progressive: retan; perfect: atan; negative: ntan)* □ *menyɛɛ no bɔne biara nso ɔtann me | I haven't done him/her any wrong but he/she hates me* □ *sɛ wotan me a, ɛmfa me ho | If you hate me, I don't care* □ *wotan Abena? | do you hate Abena?* 2. kyiri *(past: kyirii; future: bɛkyiri; progressive: rekyiri; perfect: akyiri; negative: nkyiri)* NOUN 3. ɔtan

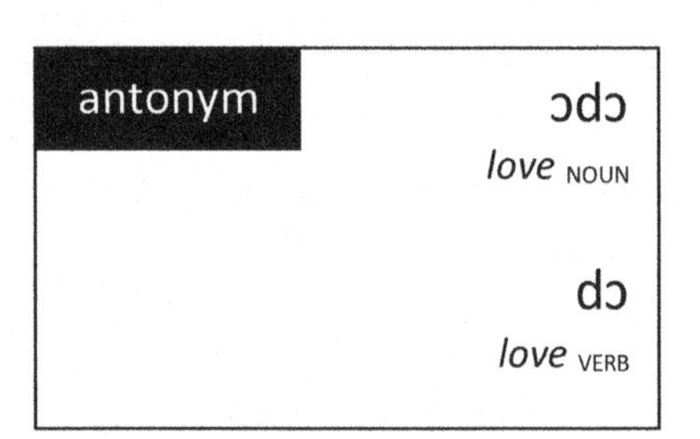

hatred NOUN ɔtan □ *ɔtan ahyɛ w'akoma mu ma | hatred has filled your heart* □ *ɔtan ne anibere | hatred and envy*

haughty ADJ 1. ahomasoɔ; deɛ ɔyɛ ahomasoɔ 2. ahantan; deɛ ɔyɛ ahantan 3. deɛ ɔmema ne ho so

haul VERB 1. twe *(pull)* 2. twe ase *(drag)*

haunt VERB 1. hunahuna *(constantly scare)* 2. taataa *(persistently disturb)*

have VERB 1. wɔ *(irregular verb, negative: nni)* □ *wɔwɔ fie kɛseɛ | they have a big house* □ *yɛwɔ akokoɔduro | we have courage* □ *ɔnni sika | he/she does not have money* 2. a *(perfect marker; prefixed to a past participle to form the perfect, pluperfect, and future perfect tenses)* □ *watoa nananom | he/she has joined the ancestors* □ *Buruwaa anoa aduane no awie | Buruwaa has finished cooking the food* □ *madi akradeɛ no | I have won the lottery*

haven NOUN 1. dwanekɔbea *(a refuge)* 2. asomdwoeɛbea *(a peaceful place)* 3. suhyɛn gyinabea *(a port; anchorage; harbour)*

havoc NOUN 1. ɔsɛeɛ *(destruction)* 2. atoyerɛnkyɛm *(disaster)* 3. basabasayɔ *(disorder; chaos)*

hawk NOUN akorɔma □ *akokɔ ba no hunuu akorɔma no ara na ɔdwaneeɛ | the chick ran as soon as it saw the hawk*

hay NOUN 1. ɛserɛ a awoɔ *(dried grass)* 3. ɛserɛ a wɔahata ama awoɔ *(grass that has been dried)* 4. pɔnkɔha 5. nantwiha

hazard NOUN 1. asiane; deɛ ɛtumi de asiane ba 2. akwanhyia

hazardous ADJ 1. deɛ asiane; deɛ ɛtumi de asiane ba 2. deɛ ɛtumi de akwanhyia ba

haze NOUN 1. ɛbɔ 2. kusukuukuu 3. anisobirie *(dizziness; daze; confusion)* VERB 4. biri ani so *(confuse)* 5. kata so *(cover)*

he PRON

3rd person singular (male)

ɔno *(changes into the prefix ɔ- when it is directly followed by a verb)* □ *ɔso bɔtɔ | he is carrying a sack* □ *ɔdii aduane no | he ate the food* □ *ɔno na ɔnim | it is he who knows*

head NOUN 1. etire *(body part)* 2. opanin; ti; titenani *(person in charge: leader; director; chairperson)* VERB 3. da ano; di so *(be in charge)* 4. de ani kyerɛ *(move in a specific direction)* 5. de tire pem *(of soccer: hit with head)*

headache NOUN 1. tipaeɛ *(pain in the head)* 2. tipaeɛ; ɔhaw; dadwene *(a problem; burden)*

headgear NOUN 1. duku 2. ɛkyɛ *(a hat)*

heading NOUN atifi asɛm

headmaster NOUN 1. sukuu panin 2. barima a ɔda sukuu ano; barima a ɔdi sukuu so

headmistress NOUN 1. sukuu panin 2. ɔbaa a ɔda sukuu ano; ɔbaa a ɔdi sukuu so

headquarters NOUN 1. asoeɛ *(base)* 2. kɛseɛ mu; kɛseɛm *(head office)*

headstrong ADJ 1. nwetaresoɔ; nwetaasoɔ 2. deɛ wasi ne bo

headtie NOUN 1. duku 2. abotire

headway NOUN 1. kankorɔ 2. mpuntuo

heady ADJ 1. ano yɛ den; deɛ ano yɛ den *(of alcoholic drink: strong; that which is strong)* 2. ɛboro; deɛ ɛboro *(intoxicating; that which is intoxicating)*

heal VERB 1. sa yareɛ *(relieve of ailment/sickness)* 2. nya apɔmuden *(gain good health)* 3. dwodwo *(alleviate)*

healer NOUN ɔyaresafoɔ *(plural: ayaresafoɔ)*

health insurance NOUN apɔmuden nsiakyibaa

health NOUN apɔmuden □ *w'apɔmuden ho hia | your health is important*

healthcare NOUN ayarehwɛ

healthy ADJ 1. te apɔ; deɛ ɔte apɔ *(of a person)* 2. te apɔ; deɛ ɛte apɔ *(of something)* 3. ahoɔden wɔ mu; deɛ ahoɔden wɔ mu

heap VERB 1. de sum hɔ 2. hyɛ ma

hear VERB 1. te *(past: tee/teeɛ; future: bɛte; progressive: rete; perfect: ate; negative: nte)* 2. tie *(listen, past: tiee/tieeɛ; future: bɛtie; progressive: retie; perfect: atie; negative: ntie)* □ *tie me su | hear my cry* □ *mete dede wɔ m'asom | I hear noise in my ear* □ *metee ɛnne dɛdɛɛdɛ bi | I heard a very sweet voice*

hearer NOUN 1. ɔtefoɔ *(hearer)* 2. otiefoɔ *(listener)*

hearken VERB tie *(listen)*

hearsay NOUN atesɛm

hearse NOUN efunu hyɛn; efunu kaa

heart NOUN 1. akoma *(organ)* □ *obi agye me yere; m'akoma yɛ me ya | someone has snatched* *my wife; my heart aches* 2. mfimfini *(middle; innermost; central)* □ *kuro no mfimfini pɛɛ | right in the heart of the town* 3. nnyinasoɔ *(essence; vital part)* □ *asɛm no nnyinasoɔ | the heart of the matter*

heartache NOUN 1. akomayareɛ 2. akomateɛ

heartbeat NOUN akomabɔ

heartbreak NOUN 1. akomateɛ 2. ateetee 3. abasamtuo

heartburn NOUN 1. bohyehyeɛ 2. akomahyehyeɛ

hearth NOUN 1. asommurofi 2. muka

heat NOUN 1. ɔhyew *(high temperature)* 2. ahuhuro *(hot weather condition)* VERB 3. yɛ hye *(become hot)* 4. ka hye; ma ɛyɛ hye *(make hot)*

heathen NOUN 1. ɔpaefoɔ *(apostate)* 2. owiaseni *(a worldly/secular person)* 3. deɛ ɔnyɛ Kristoni *(a non-Christian)*

heave VERB 1. pagya; de ahoɔden pagya *(lift; lift with great effort)* 2. gu ahome; gu ahomekokoɔ *(breathe heavily; sigh)* NOUN 3. ahome; ahomekokoɔ

heaven NOUN 1. ɔsoro ahemman mu *(God's abode; paradise)* 2. ɔsoro *(the skies)*

heaviness NOUN duruduruyɛ

heavy ADJ duru; duruduru; du

heckle VERB 1. tweetwee 2. tete si (obi) kasa mu *(disrupt/interrupt someone's speech/talk)*

hectic ADJ 1. ɔbrɛ wɔ mu; deɛ ɔbrɛ wɔ mu *(tiring; that which is tiring)* 2. ɛyɛ den; deɛ ɛyɛ den *(difficult; that which is difficult)*

hedge NOUN 1. ɛban *(fence)* 2. ahobammɔ *(protection)*

hedgehog NOUN apɛsɛ

hedonist NOUN 1. deɛ ɔpɛ anigyeɛ 2. anigyepɛfoɔ

heed VERB 1. tie *(listen i.e. to a piece of advice)* 2. de adwene di akyire 3. di so *(follow i.e. what is advised/suggested)* 4. hwɛ yɛ

heel NOUN nantini □ *Kofi nante a, ne nantini nka fam | when Kofi walks, his heels do not touch the ground*

hefty ADJ 1. duruduru; emu yɛ duru; deɛ emu yɛ duru *(heavy; that which is heavy)* 2. kakraka; kakraa; deɛ ɛyɛ kakraka; deɛ ɛyɛ kakraa *(large; that which is large)*

he-goat NOUN ɔpapo

heifer NOUN 1. nantwie a ɔnwoo da *(a cow that has not borne a calf before)* 2. nantwie a wawo baako pɛ *(a cow that has borne only one calf)*

height NOUN 1. tenten 2. ne tenten; biribi tenten *(its height; something's height)*

heinous ADJ 1. kɛseɛ 2. atratrasɛm

heir NOUN odideɛfoɔ

heirloom NOUN 1. agyapadeɛ 2. awugyadeɛ

hell NOUN 1. ɔbonsam gyam *(of the spiritual realm: the devil's fire)* 2. amanehunu *(suffering)* 3. asamando

hello EXCLAM 1. hɛloo *(borrowed)* 2. huu *(used at the farm/in the bush/forest to locate a partner's location)* 3. agoo *(used to draw attention; ask for way to be made; knock on someone's door)* NOUN 4. nkyea *(a greeting)*

helmet NOUN ahobammɔ kyɛ

help VERB 1. boa NOUN 2. mmoa

helper NOUN ɔboafoɔ *(plural: aboafoɔ)*

hem NOUN 1. ano; ano a wɔabu so *(of a cloth/clothing: the edge; the edge that has been turned under (and sewn))* VERB 2. bu ano 3. pam; pam ano; bu ano pam

hemisphere NOUN ntwahohyiafa

hemorrhage NOUN 1. mogyatuo 2. ɔhwereɛ *(loss)* VERB 3. tu mogya 4. hwere *(lose)*

hemorrhoid NOUN kooko

hemorrhoids NOUN kooko

hen NOUN akokɔ bedeɛ

hence ADV 1. ɛno nti 2. ne saa nti

henceforth ADV ɛfiri nnɛ rekɔ

henchman NOUN 1. okyidifoɔ *(a follower, plural: akyidifoɔ)* 2. okyitaafoɔ *(a supporter, plural: akyitaafoɔ)*

her PRON

3rd person singular (female)

1. no □ *Ama piaa no | Ama pushed her* □ *ɔnsuro no | he/she is not afraid of her* □ *aberanteɛ no frɛɛ no | the young man called her*

PRON

3rd person possessive adjective

2. ne *(changes into the prefix n' when the name of the*

possessed entity begins with letter 'a') □ ne mpaboa no afɔ | her shoes are wet □ medii n'aduane no | I ate her food □ Kofi fee n'ano | Kofi kissed her lips

herb NOUN ahaban *(leaf, plural: nhaban/nhabamma)*

herbal medicine NOUN 1. abibiduro 2. nhabannuro

herbalist NOUN odunsini *(plural: adunsifoɔ) □ odunsini no asa no yareɛ | the herbalist has cured him/her of the disease*

herculean ADJ adwumasono *(arduous work/task)*

herd NOUN mmoakuo

herdsman NOUN mmoakuo so hwɛfoɔ

here ADV ɛha; ha □ *Agya Putu baa ha | Agya Putu came here*

antonym	ɛhɔ *there*

hereditary ADJ 1. wɔde wo; deɛ wɔde wo 2. Adedie 3. abusuayareɛ *(of a disease/sickness)*

heresy NOUN abusuɛm

heritage NOUN 1. agyapadeɛ *(inheritance)* 2. amammerɛ *(tradition)*

hernia NOUN nkwoe

hero NOUN 1. ɔdɔmmarima 2. nkonimdifoɔ *(victor)*

heron NOUN nsunoma

herring NOUN amane

hers PRON

3rd person possessive

ne dea □ *afuo no yɛ ne dea | the farm is hers □ kaa no yɛ ne dea | the car is hers □ ɛyɛ ne dea | it's hers*

herself PRON

reflexive

1. ne ho □ *ɔsiesiee ne ho | she dressed herself □ Boatemaa redwene ne ho. | Boatemaa is thinking about herself.*

PRON

intensive

2. ɔno ara *(pronounced: ɔnoaa) □ ɔno ara na ɔfaeɛ | she took it herself*

hesitate VERB 1. twetwe nan ase 2. twentwɛn so

hesitation NOUN ntwentwɛnsoɔ

hew VERB 1. twa *(cut)* 2. twitwa *(chop)*

hexagon NOUN ahinnsia

heyday NOUN 1. mmeranteberɛ mu *(a person's prime period)* 2. nkonimdiberɛ *(a period of success)* 3. anigyeberɛ *(a period of happiness)*

hiccup NOUN kɔterekɔ

hide VERB 1. tɛ; tetɛ *(past: tetɛɛ/tetɛeɛ; future: bɛtetɛ; progressive: retetɛ; perfect: atetɛ; negative: ntetɛ)* 2. sie; de sie *(past: de siee/de sieeɛ; future: de bɛsie; progressive: de resie; perfect: de asie; negative: mfa nsie)* □ *mfa wo dɔ ntetɛ me | don't hide your love from me*

hideous ADJ 1. tantaantan *(extremely ugly)* 2. huhuuhu *(horrific)*

high ADJ 1. tenten *(tall; lofty)* 2. ɛsoro; deɛ ɛwɔ soro 3. dibea kɛseɛ *(high rank)*

highlight NOUN 1. mpɛmpɛnso kɛseɛ *(high point; climax)* VERB 2. twe adwene si so *(draw attention to)*

highway NOUN kwantempɔn

hilarious ADJ 1. ɛyɛ sere yie; deɛ ɛyɛ sere yie 2. ɛyɛ anika yie; deɛ ɛyɛ anika yie 3. ne ho yɛ sere pa ara; deɛ ne ho yɛ sere pa ara *(of a person)*

hill NOUN bebɔ

him PRON

3rd person singular object

no □ *Boatemaa waree no | Boatemaa married him* □ *ɔtoo ne nsa frɛɛ no | he/she invited him* □ *Yaa hia no | Yaa needs him*

himself PRON

reflexive

1. ne ho □ *ɔsiesiee ne ho | he dressed himself* □ *Kofi redwene ne ho. | Kofi is thinking about himself.*

intensive

2. ɔno ara *(pronounced: ɔnoaa)* □ *ɔno ara na ɔfaeɛ. | he took it himself.*

hind ADJ akyire *(back)*

hinder VERB 1. si kwan 2. twitwa anan mu

hindrance NOUN 1. osiakwan 2. akwansideɛ

hint VERB 1. bɔ ani; bɔ ani kyerɛ 2. yi apra 3. yi asotire 4. bɔ kɔkɔ 5. bɔ nkaeɛ NOUN 6. nsɛnnahɔ *(clue; sign)* 7. afotuo *(advice)*

hip NOUN 1. pa 2. dwonku 3. kyepe □ *woso wo pa | shake your hip* ADJ 4. deɛ aba sɔɔ *(that which is in vogue; fashionable)*

hippopotamus NOUN susono

hire VERB 1. bɔ paa *(engage/employ for a short period)* 2. fa adwuma *(employ)* 3. han *(rent, borrowed)* NOUN 4. ahan *(rental, borrowed)*

his ADJ

3rd person possessive

1. ne *(changes into the prefix n' when the name of the possessed entity begins with letter 'a')* □ *ɛyɛ n'adesoa | it is his burden* □ *ne nan mu abu | his leg is broken* □ *ɔkɔ n'asɔre | he/she goes to his church*

PRON

3rd person possessive

2. ne dea □ *afuo no yɛ ne dea | the farm is his* □ *kaa no yɛ ne dea | the car is his* □ *ɛyɛ ne dea | it's his*

history NOUN abakɔsɛm

HIV/AIDS NOUN babaso werɛmfoɔ

hive NOUN nwowa dan; nwowa buo *(a beehive)*

ho NOUN 1. ahyawoni; ahyawoni baa 2. Tuutuuni 3. gyantrani; gyantrani baa

hoard NOUN 1. deɛ wɔde asum kokoam 2. deɛ wɔde asie VERB 3. boa ano sie 4. de sum kokoam

hoarse NOUN afa; ɛnne a afa *(of a person's voice)*

hoax NOUN 1. nnaadaa *(deception)* VERB 2. daadaa *(deceive)*

hobby NOUN anigyeɛ dwumadie

hoe NOUN asɔ

hoist VERB 1. si frankaa NOUN 2. frankaasie

hold VERB 1. kuta *(grasp)* 2. twentwɛn so *(take a break; pause)* NOUN 3. nkuramu 4. ntwentwɛnsoɔ

hole NOUN tokuro

holiday NOUN 1. afoofi da 2. ahomegyeɛ da *(a resting day)*

holiness NOUN 1. ahoteɛ 2. kronkronyɛ

hollow ADJ 1. tokuro da mu; deɛ tokuro da mu *(having hole inside; that which has hole inside)* 2. hwee; deɛ emu yɛ hwee *(empty; that which is empty)* 3. mfasoɔ nni so; deɛ mfasoɔ nni so *(worthless; that which is worthless)* 4. emu da kwan 5. emu da mpan NOUN 6. tokuro *(a hole)*

holocaust NOUN 1. ɔsɛeɛ *(destruction)* 2. nnipakum *(the killing of people/a mass)*

holy ADJ 1. kronkron; deɛ ɛyɛ kronkron *(...; that which is...)* 2. ɛho te; deɛ ɛho te

homage NOUN obuo *(respect)*

home NOUN efie

homesick ADJ 1. ani agyina 2. anigyina *(noun)*

homicide NOUN nipakum

honest ADJ 1. ɔnokwafoɔ *(of a person: truthful)* 2. deɛ ɛyɛ nokorɛ *(that which is truthful)* 3. di nokorɛ *(verb, be truthful)*

honesty NOUN nokorɛdie

honey NOUN 1. ɛwoɔ *(of bees)* 2. dɔkɔdɔkɔdeɛ *(general: something sweet)* 3. ɔdɔ yewu *(darling)* 4. akoma mu tɔfe; akomam tɔfe *(sweetheart)*

honeymoon NOUN 1. ayefohyia akyi ahomegyeɛberɛ 2. ayefohyia akyi sram

honour NOUN 1. animuonyam 2. dinpa *(good name)* 3. nnidie VERB 4. bu *(respect)* 5. de nnidie ma 6. hyɛ animuonyam

honourable ADJ 1. onimuonyamfoɔ 2. deɛ n'anim wɔ nyam

hoof NOUN tɔte

hook NOUN 1. kɔtɔkorɔ 2. darewa *(fish hook)* VERB 3. de sɔ mu

hooligan NOUN basabasayɔfoɔ

hoop NOUN 1. dantaban 2. hankra

hoot NOUN 1. tutubɔ 2. ehuro 3. atweetwee VERB 1. bɔ tutuo 2. huro 3. tweetwee 4. sere

hop VERB 1. huri; hurihuri NOUN 2. ahuriahuri

hope NOUN 1. anidasoɔ 2. awerɛhyɛmu VERB 3. hwɛ anim *(expect; look forward to)* 4. nya awerɛhyɛmu 5. nya anidasoɔ; de ani to so

hopeless ADJ 1. anidasoɔ nni mu; deɛ anidasoɔ nni mu *(...; that which is...)* 2. mfasoɔ nni so; deɛ mfasoɔ nni so *(worthless; that which is worthless)*

horizon NOUN ewiem ne asase ahyiaeɛ

horn NOUN 1. abɛn; abebɛn *(of cattle, sheep, goats, etc: outgrowth on head)* 2. abɛn; totorobɛnto *(musical instrument)* VERB 3. hyɛn totorobɛnto

hornbill NOUN akyenkyena

horrible ADJ 1. ɛyɛ hu; deɛ ɛyɛ hu 2. huhuuhu *(scary; horrifying)*

horror NOUN 1. ehu *(fear)* 2. ahodwiri *(astonishment)* 3. awɔse *(goose pimples)*

horse NOUN pɔnkɔ *(plural: apɔnkɔ)* □ *pɔnkɔ biara tu amirika | every horse runs*

horseman NOUN ɔpɔnkɔkafoɔ

hose NOUN 1. dorobɛn *(pipe)* 2. ntwontwo

hospital NOUN 1. ayaresabea 2. asopiti *(borrowed)*

hospital NOUN 1. ayaresabea 2. asopiti *(borrowed)* □ *merekɔ ayaresabea/asopiti | I am going to the hospital*

hospitality NOUN ahɔhogyeɛ

host NOUN 1. ahɔhogyefoɔ *(one who receives guests)* 2. ɔkasafoɔ *(speaker; presenter)* 3. ɛdɔm; nnipadɔm *(a multitude (of people))* VERB 4. gye ahɔhoɔ *(receive guests)*

hostage NOUN 1. deɛ wɔafa no nnɔmum 2. deɛ wɔakyere no asie

hostel NOUN 1. asukuufoɔ daberɛ *(of students)* 2. dodoɔ daberɛ 3. ahomegyebea *(general: a resting place)* 4. ahɔhogyebea *(a guest house)*

hot ADJ 1. ɛyɛ hye; deɛ ɛyɛ hye *(...; that which is...)*

hotel NOUN 1. ahɔhogyebea 2. ahɔhofie

hound NOUN 1. ɔkraman *(a dog)* 2. ɔha kraman *(a hunting dog)*

hour NOUN dɔnhwere *(plural: nnɔnhwere)*

house NOUN 1. ɛdan 2. efie 3. abansoro; aborosan *(a storey building)* VERB 4. ma baabi da *(provide with shelter/accommodation)*

housebreaking NOUN 1. adammuo 2. korɔnobɔ *(stealing)*

housefly NOUN nwansena □ *ntentan no akyere nwansena no | the cobweb has caught the housefly*

housekeeper NOUN 1. fidua so hwɛfoɔ 2. abaawa

housekeeping NOUN 1. fidua mu ntotoeɛ 2. fidua mu ntotoeɛ sika

housemaid NOUN 1. abaawa 2. fidua mu abaawa

housewife NOUN ɔbaa warefoɔ a ɔnyɛ adwuma

how ADV 1. ɛkwan bɛn so 2. sɛn

however ADV 1. nanso 2. nso 3. mmom

howl VERB 1. pɔ so; pa so 2. keka mu NOUN 3. nkekamu

huff VERB 1. home teetee *(breathe heavily)* 2. da abufuo adi *(express annoyance)* NOUN 3. abufuo *(anger; temper)*

hug VERB 1. bam 2. fam; fomfam 3. yɛ atuu 4. tare NOUN 5. afomfam 6. atuuyɛ 7. ntentam *(wrestling)*

huge ADJ 1. kɛseɛ 2. kakraka; kakraa 3. ɛso; deɛ ɛso 4. kokuroo

hullabaloo NOUN 1. basabasayɔ 2. Gyegyeegye 3. Dede 4. akasakasa

hullo EXCLAM 1. hɛloo *(borrowed)* 2. huu *(used at the farm/in the bush/forest to locate a partner's location)* 3. agoo *(used to draw attention; ask for way to be made; knock on someone's door)* NOUN 4. nkyea *(a greeting)*

human being NOUN 1. onipa dasani; ɔdasani 2. onipa; nipa *(human, plural: nnipa)*

human NOUN | ADJ 1. onipa; nipa *(plural: nnipa)* 2. onipa dasani; ɔdasani *(human being)*

humane ADJ 1. deɛ ɔdɔ wɔ mu 2. deɛ ɔwɔ dɔ *(of a person: having love)* 3. deɛ ɔwɔ tema *(of a person: having compassion)*

humanitarian ADJ | NOUN 1. ahummɔborɔ

humble ADJ 1. brɛ ase; brɛ ho ase 2. dibea ketewa *(low rank)*

humbleness NOUN ahobrɛaseɛ

humbug NOUN 1. nnaadaa VERB 2. daadaa

humid ADJ 1. fɔsɔ 2. fɔnwunu

humiliate VERB 1. gu anim ase 2. de anim twitwi fam

humiliation NOUN animguaseɛ

humour NOUN 1. deɛ ɛma sereɛ; deɛ ɛyɛ sere 2. aseresɛm 3. deɛ ɛyɛ anika

hunch VERB 1. kunkon *(raise one's shoulders and bend the top of the body forward)* NOUN 2. atenka *(a feeling)*

hunchback NOUN akyakya

hundred NUM ɔha

hundred thousand NUM mpem (ɔ)ha

hunger NOUN ɛkɔm

hunt VERB 1. yɛ ha 2. kɔ hayɔ 3. pamo; di akyire *(chase)* 4. hwehwɛ *(search)* NOUN 5. ahayɔ

hunter NOUN ɔbɔmmɔfoɔ *(plural: abɔmmɔfoɔ)*

hunting NOUN ahayɔ

hurdle NOUN akwansideɛ

hurl VERB to *(throw)*

hurricane NOUN 1. ahum 2. mmoatia mframa *(whirlwind)*

hurry VERB 1. keka ho 2. yɛ ntɛm NOUN 3. ntɛmpɛ

hurt VERB 1. pira *(injure; wound)* 2. di dɛm *(maim)* 3. te akoma *(emotionally: break heart)*

husband NOUN okunu; kunu □ *Akosua kunu yɛ adwuma wɔ sikakorabea | Akosua's husband works at the bank*

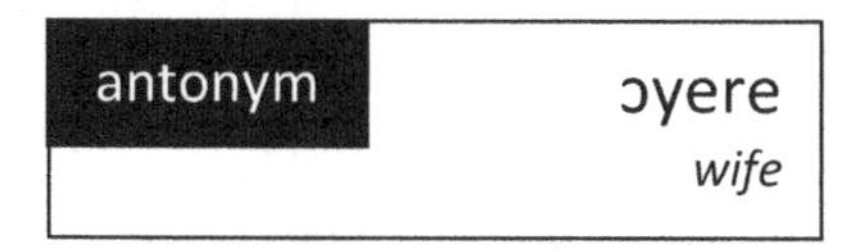

husbandman NOUN okuani *(farmer, plural: akuafoɔ)*

husbandry NOUN kuayɔ

husk NOUN 1. ntɛtɛ 2. hono

husky ADJ 1. weserewesere 2. deɛ emu nna hɔ

hustle VERB 1. piapia *(jostle; push)* 2. tontɔn *(sell briskly)* 3. yɛ bodwabodwa 4. fa kwammɔne so nya *(obtain illicitly)*

hut NOUN 1. sese 2. apata

hydrotherapy NOUN nsuom apɔmutenetene mu ayaresa

hyena NOUN 1. pataku *(plural: mpataku)* 2. ofui *(plural: afui)*

hygiene NOUN 1. ahonidie 2. ahoteɛ

hygienic ADJ ɛho te; deɛ ɛho te

hymn NOUN ayɛyie nnwom VERB yi ayɛ *(praise)*

hyperbole NOUN anihanehane

hypertension NOUN mogyaborosoɔ

hyphen NOUN nkabom nsɛnkyerɛne *(-)*

hypocrisy NOUN nyaatwom

hypocrite NOUN nyaatwomni

hysteria NOUN 1. anikrakra 2. hatuhatu

Ii

I PRON

1st person subject

me □ *mewɔ sika | I have money* □ *medware mprɛnsa | I bath thrice* □ *mefiri Ghana | I am from Ghana*

ice NOUN 1. nsukyeneeɛ 2. asukɔkyea

idea NOUN 1. Adwene 2. tirimupɔ 3. nsusuiɛ

ideal ADJ 1. ɛyɛ; deɛ ɛyɛ 2. ɛyɛ pa ara; deɛ ɛyɛ pa ara 3. papa; deɛ ɛyɛ papa 4. pɛpɛɛpɛ; deɛ ɛyɛ pɛpɛɛpɛ

identical ADJ 1. ɛsɛ; deɛ ɛsɛ 2. ɛyɛ pɛ; deɛ ɛyɛ pɛ 3. korɔ; deɛ ɛyɛ korɔ

identify VERB 1. hunu *(spot; see; recognize)* 2. hunu ho sɛ *(recognize/assign oneself as)* 3. de toto ho *(associate with)* 4. kyerɛ *(show)* 5. da adi *(reveal)*

ideology NOUN 1. nsusuiɛ 2. gyedie *(belief)*

idiocy NOUN gyimie *(stupidity)*

idiom NOUN kasakoa

idiot NOUN 1. ɔkwasea *(plural: nkwaseafoɔ)* 2. ogyimifoɔ *(plural: agyimifoɔ)* 3. tibɔnkɔso 4. ogyegyentwie

idle NOUN 1. aniha 2. akwadworɔ 3. nyɛ adwuma; deɛ ɔnyɛ adwuma *(unemployed; one who is unemployed)* 4. ɛnni dwuma di; deɛ ɛnni dwuma di *(inactive; that which is inactive)* 5. ɛnni mfasoɔ; deɛ ɛnni mfasoɔ *(pointless)* 6. ɛnni nnyinasoɔ; deɛ ɛnni nnyinasoɔ *(baseless)* VERB 7. ɛnyɛ hwee *(do nothing)*

idleness NOUN 1. aniha 2. akwadworɔ

idol NOUN 1. Ohoni 2. ɔbosom 3. deɛ wagye din; deɛ ne din ahyeta *(star)*

if CONJ sɛ... a □ *sɛ ɔba a,*

yɛbɛpue | if he/she comes, we'll go out

igloo NOUN nsukyeneeɛ sese

ignite VERB 1. sɔ; sɔ gya 2. pa gya to mu 3. hyɛ mu kena *(kindle)*

ignition NOUN 1. egyasɔ 2. kenahyɛ

ignominious ADJ 1. animguaseɛ *(humiliating)* 2. ɛyɛ aniwu; deɛ ɛyɛ aniwuo *(shameful; that which is shameful)*

ignominy NOUN 1. animguaseɛ *(disgrace)* 2. aniwuo *(shame)* 3. badwam aniwuo *(public shame)* 4. badwam animguaseɛ *(public disgrace)*

ignoramus NOUN 1. ogyimifoɔ 2. tibɔnkɔso 3. ɔkwasea

ignorant ADJ 1. deɛ ɔnnim nyansa; kwasea *(knowledgeable; senseless; stupid)* 2. deɛ ɔnni biribi mu nimdeɛ *(one who lacks knowledge in something)*

ignore VERB 1. bu ani gu so 2. yi ani 3. brabra so

ill ADJ 1. yare; deɛ ɔyare 2. nte apɔ; deɛ ɔnte apɔ 3. nni apɔmuden; deɛ ɔnni apɔmuden

illegitimate ADJ 1. mmara mma ho kwan; deɛ mmara mma ho kwan *(not permitted by law; that which is not...)* 2. ɛnyɛ mmara; deɛ ɛnyɛ mmara

illicit ADJ 1. mmara mma ho kwan; deɛ mmara mma ho kwan *(not permitted by law; that which is not...)* 2. ɛnyɛ mmara; deɛ ɛnyɛ mmara

illiterate ADJ 1. nnim atwerɛ ne akenkan NOUN 2. deɛ ɔnnim atwerɛ ne akenkan

ill-natured ADJ 1. bo nkyɛre fu *(bad-tempered)* 2. otirimuɔdenfoɔ *(wicked person)*

illness NOUN yareɛ; yadeɛ *(plural: nyarewa)*

illogical ADJ 1. nyansa nnim 2. ɛmfa kwan mu

illuminate VERB 1. hyerɛn *(shine; brighten)* 2. siesie *(decorate)* 3. kyerɛ mu; kyerɛkyerɛ mu *(clarify; explain)*

illumination VERB 1. ɛhann *(brightness; radiance)* 2. asiesie *(decoration)* 3. nkyerɛkyerɛmu *(explanation; clarification)*

illustrate VERB 1. kyerɛ mu; kyerɛkyerɛ mu *(explain; clarify)*

2. kyerɛ *(show; display; demonstrate)*

illustration NOUN 1. mfatoho; mfatoho mfonin *(exemplification; exemplification picture/sketch)* 2. nkyerɛkyerɛmu *(explanation; clarification)* 3. nkyerɛkyerɛ *(demonstration; showing)*

illustrious ADJ 1. agye din; deɛ wagye din *(well-known; one who's well known)* 2. okunini *(distinguished)*

image NOUN 1. mfonin *(photograph; picture)* 2. sɛso *(replica; likeness)*

imagine VERB 1. de adwene bu 2. susu *(suppose; assume)*

imbecile NOUN 1. ogyimifoɔ 2. ɔkwasea 3. tibɔnkɔso

imbibe VERB 1. nom; nom nsa *(drink; drink alcohol)* 2. twe kɔ mu *(draw in)* 3. mene *(swallow; ingest)* 4. de kɔ mu *(take in)*

imitate VERB suasua

imitation NOUN 1. asuasua 2. sɛso *(copy)*

immaculate ADJ 1. ɛho te *(clean)* 2. nkekaawa nni ho *(without blemish)* 3. kronkron *(holy)* 4. mfomsoɔ nni ho *(free of flaws)*

immaterial ADJ ɛho nhia; deɛ ɛho nhia *(unimportant; that which is unimportant)*

immediate ADJ 1. anim-anim ara *(instant; instantaneous; current)* 2. ɛbɛn; deɛ ɛbɛn *(near; that which is near)* 3. ɛnni akyire; deɛ ɛnni akyire *(not distant; that which is not distant)*

immediately ADV 1. anim-anim ara *(instantly)* 2. ɛhɔ ara *(right there)*

immemorial ADJ 1. tete *(ancient)* 2. atwam; deɛ atwam 3. tete nteredee

immense ADJ 1. ɛso; deɛ ɛso 2. kakraka; deɛ ɛyɛ kakraka 3. kakraa; deɛ ɛyɛ kakraa 4. kokuroo; deɛ ɛyɛ kokuroo

immerse VERB 1. de nu nsuo mu *(dip/submerge in water)* 2. bɔ asu *(baptize)* 3. de ho hyɛ mu; de ho wura mu *(involve oneself in)*

immersion NOUN 1. asubɔ *(baptism)* 2. ahohyɛmu *(involvement of oneself in something)*

immigrant NOUN otubrani *(plural: atubrafoɔ)*

immigrate VERB 1. tu bra 2. tu bɛtena

immigration NOUN 1. ntubra 2. ntubɛtena

imminent ADJ abɛn; deɛ abɛn *(close; that which is close)*

immoral ADJ 1. bɔne *(bad)* 2. ɛnsɛ mfata; deɛ ɛnsɛ mfata 3. ɛnyɛ; deɛ ɛnyɛ

immortal ADJ 1. ɛte ase daa; deɛ ɛte ase daa *(forever living; that which is forever living)* 2. ɛnwu da; deɛ ɛnwu da *(never dies; that which never dies)* 3. ɔte ase daa; deɛ ɔte ase daa *(forever living; one who lives forever)* 4. ɔnwu da; deɛ ɔnwu da *(never dies; one who never dies)*

immovable ADJ 1. pintinn 2. ɛnhinhim; ɔnhinhim *(unshakable: of something; of a person)*

impair VERB 1. sɛe *(damage; spoil)* 2. ma ɛho te kyema

impart VERB ma; de ma

impartial ADJ nyɛ nyiyimu; deɛ ɔnyɛ nyiyimu

impasse NOUN 1. akwansideɛ 2. osiakwan 3. ntawantawa 4. nwantwininwantwini

impatient ADJ 1. deɛ ɔnni aboterɛ *(one who lacks patience)* 2. deɛ ne bo fu ntɛm; deɛ ne koko nyɛ *(one who gets angry/irritated quickly)*

impeach VERB 1. toto dibea 2. toto ano *(question)* 3. bɔ nkuro

impeccable ADJ mfomsoɔ biara nni ho; deɛ mfomsoɔ biara nni ho

impede VERB 1. si kwan 2. twitwa anan mu

impediment NOUN 1. akwansideɛ 2. osiakwan

impend VERB ɛrebɛsi *(be about to happen)*

impending ADJ ɛrebɛsi; deɛ ɛrebɛsi *(about to happen; that which is about to happen)*

impenetrable ADJ 1. ɛkwan nna mu; deɛ ɛkwan nna mu 2. deɛ wɔntumi mfa mu *(that which is impassable)* 3. nteaseɛ nni mu; deɛ nteaseɛ nni mu *(lacks understanding; that which lacks understanding)*

imperative ADJ 1. ɛho hia pa ara; deɛ ɛho hia pa ara *(very important/crucial; that which is very important/crucial)* 2. nhyɛ; deɛ ɛyɛ nhyɛ *(commanding;*

that which is commanding) NOUN 3. nhyɛ *(command)*

imperturbable ADJ 1. deɛ hwee nha no *(one who's not perturbed by anything)* 2. deɛ hwee mfa ne ho *(one who's carefree)*

implacable ADJ 1. deɛ wɔntumi mpata no *(one who's unappeasable)* 2. deɛ ɔmfa bɔne nkyɛ *(one who's unforgiving)*

implicate VERB 1. de ka bɔnedie ho 2. de hyɛ bɔnedie mu 3. de ka asɛm ho 4. twe hyɛ asɛm mu 5. kyerɛ sɛ *(convey that)*

implication NOUN 1. asekyerɛ; nkyerɛasɛ *(meaning; inference)* 2. nsunsuansoɔ *(consequence)*

implore VERB 1. srɛ 2. koto srɛ 3. pa kyɛw

imply VERB kyerɛ sɛ

import VERB 1. kra; kra ... ba 2. kra nneɛma ba 3. de ba NOUN 4. asekyerɛ *(meaning; inference)* 5. adwadeɛ a wɔakra aba *(imported commodities)*

important ADJ 1. ɛho hia; deɛ ɛho hia 2. ɛsom bo; deɛ ɛsom bo

importation NOUN 1. nkradwuma 2. adwadeɛ nkra

imposter NOUN 1. ɔdaadaafoɔ *(deceiver)* 2. bradɛtofoɔ

impotence NOUN 1. kɔtewuiɛ 2. mmerɛwyɛ; mpa mu mmerɛwyɛ

impotent ADJ 1. mmerɛ; deɛ ɛyɛ mmerɛ *(weak; that which is weak)* 2. ɛnni mfasoɔ; deɛ ɛnni mfasoɔ *(worthless; that which is worthless)* 3. ahoɔden nni mu; deɛ ahoɔden nni mu *(lacks strength; that which lacks strength)* 4. dɔ benada *(of a man's sexuality)* 5. ho nni hɔ *(of a man's sexuality)*

impound VERB 1. kyere; kye 2. gye firi nsam *(seize; take hold of)* 3. to ... mu; de ... to mu *(lock up)*

impoverish VERB 1. ma ... di hia *(make ... poor/become poor)* 2. di hia *(be poor)* 3. de hia bɛto *(bring poverty onto)* 4. yɛ mmerɛ; ma ɛyɛ mmerɛ *(be weak; weaken)*

impoverishment NOUN 1. ohia *(poverty)* 2. ahokyerɛ 2. ohiadie *(the act of being poor)*

imprecate VERB 1. dome 2. bɔ dua

imprecation NOUN 1. nnome 2. duabɔ

imprison VERB 1. de to afiase 2. de to mu; de tom

imprisonment NOUN afiaseda

impromptu ADJ | ADV 1. putupuru 2. mpofirim

impudence NOUN 1. aniamɔn 2. aniamɔnsɛm

impudent ADJ 1. deɛ ɔyɛ aniamɔn 2. deɛ ɔmmu adeɛ 3. deɛ n'ani nsɔ adeɛ

impulse NOUN 1. atenka *(feeling; instinct)* 2. kɔfabae; farebae *(stimulus; motivation)*

impure ADJ 1. ɛho nte; deɛ ɛho nte *(unclean; that which is unclean)* 2. wɔafra mu; deɛ wɔafra mu *(mixed/adulterated; that which has been mixed/adulterated)*

in order that CONJ sɛdeɛ ɛbɛyɛ a □ *maame no daa kɔm, sɛdeɛ ɛbɛyɛ a akwadaa no bɛdidi | the woman slept hungry, so that/in order that the child will eat*

in spite of PREP 1. ne nyinaa akyi no 2. yei nyinaa akyi no □ *n'ahonya bebrebe nyinaa akyi no, ɔdwo pa ara | in spite of his/her wealth, he/she is very calm*

inadvertence NOUN 1. agyeegyeemu 2. asaworam

inadvertent ADJ 1. ɛnyɛ anidahɔ; deɛ ɛnyɛ anidahɔ *(accidental; that which is accidental)* 2. wɔanhyɛ da anyɛ; deɛ wɔanhyɛ da anyɛ *(done unintentionally; that which was done unintentionally)*

inapt ADJ 1. ɛnsɛ; ɛnsɛ mfata 2. ɛmfata

inarticulate ADJ 1. ɔnnim kasa; deɛ ɔnnim kasa 2. deɛ ne 3. kasa mu nna hɔ 4. deɛ ɔntumi nkasa fann

inasmuch ADV 1. ɛno nti; ɛno nti na 2. ne saa nti; ne saa nti na

inaugurate VERB 1. da adi 2. pa ho ntoma

inauguration NOUN 1. ntomapa 2. nnyetomu *(admission)*

inborn ADJ 1. su 2. deɛ wɔde awo ...

incalculable ADJ 1. deɛ wɔkan a ɛnyɛ yie 2. deɛ wɔnhu ano 3. bebree

incense NOUN 1. wisihwam 2. ɔhyehwam VERB 3. hyɛ abufuo *(make angry)* 4. hye wisihwam *(burn incense)*

incentive NOUN 1. nkuranhyɛdeɛ *(general)* 2. nkuranhyɛ sika *(of money)* 3. nkanyan sika *(of money)*

incentivise VERB 1. hyɛ nkuran 2. kanyan

inception NOUN 1. mfitiaseɛ 2. ahyɛaseɛ

incessant ADJ 1. ɛtoɔ ntwa da; deɛ ɛtoɔ ntwa da *(ceaseless; that which is ceaseless)* 2. ɛtoatoa so; deɛ ɛtoatoa so *(continuous; that which is continuous)*

incest NOUN mmogyafra

incident NOUN 1. asɛm 2. asideɛ; deɛ asie *(happening)* 3. basabasayɔ *(disturbance; chaos)*

incise VERB twa; twa mu

incite VERB 1. hyɛ kutupa 2. kanyan

include VERB de ka ho

incoherent ADJ 1. ɛnsisi so; deɛ ɛnsisi so 2. nteaseɛ nni mu; deɛ nteaseɛ nni mu

income NOUN 1. akatua *(pay; salary)* 2. mfasoɔ *(profit)*

incomparable ADJ 1. ɛnni sɛso; deɛ ɛnni sɛso *(matchless; that which is matchless)* 2. soronko *(different; unique)*

incompatible ADJ 2. ɛmfa; deɛ ɛmfa 2. deɛ ɛnsiaa soɔ 3. deɛ ɛbɔ abira

incompetent ADJ 1. deɛ ɔnnim biribi yɔ 2. deɛ ɔnyɛ adeɛ 3. deɛ wasa

inconsequential ADJ ɛho nhia; deɛ ɛho nhia *(unimportant; that which is unimportant)*

inconsiderable ADJ 1. ketewa pa ara; ketekete 2. deɛ ɛsua koraa

inconvenience NOUN 1. ɔhaw 2. ateetee VERB 3. ha *(worry)*

inconvenient ADJ 1. ɛma ɔhaw; deɛ ɛma ɔhaw 2. ɛma ateetee; deɛ ɛma ateetee

incorporate VERB 1. de ka ho *(include)* 2. ka bɔ mu; ka bom *(combine)*

increase VERB 1. dɔɔso; ma ɛdɔɔso *(become greater in number; make greater in number)* 2. yɛ kɛseɛ; ma ɛyɛ kɛseɛ *(become greater in size; make greater in size)* 3. kɔ soro; ma ɛkɔ soro *(go up, e.g. in price; cause to go up, e.g. in price)* 4. to mu *(... the price of something)* 5. pagya mu *(raise)* NOUN 6. ntomu *(... in price)* 7. mpagyamu *(rise)*

incredible ADJ 1. nwonwa; ɛyɛ nwonwa 2. ɛkyere adwene; deɛ ɛkyere adwene

increment NOUN 1. ntomu 2. mmɔho

incriminate VERB 1. de asɛm to (obi) so 2. ma (obi) di fɔ

inculcate VERB 1. de hyɛ ... mu *(instil into ...)* 2. kyerɛ; kyerɛkyerɛ

incumbent ADJ 1. deɛ ɔkuta dibea seesei 2. deɛ dibea hyɛ ne nsa seesei

incur VERB 1. gye to ho so *(become liable for; suffer the consequence)* 2. gye tua *(take responsibility of paying for)* 3. bɔ ka

incursion NOUN 1. ɔsatuo *(invasion)* 2. ntohyɛsoɔ *(attack)*

indebted ADJ 1. de ka; deɛ ɔde ka *(owing; one who's owing)* 2. de aseda ka; deɛ ɔde aseda ka *(owing gratitude; one who's owing gratitude)*

indecency NOUN 1. nneyɛɛ bɔne 2. nneyɛɛ a ɛmfata 3. kasafi *(indecent expression)*

indecent ADJ 1. ɛmfata; deɛ ɛmfata 2. ɛho nte; deɛ ɛho nte 3. ɛmfa kwan mu; deɛ ɛmfa kwan mu

indecision NOUN 1. ntanta; adwene ntanta 2. tumi a (obi) ntumi nsi n'adwene pi

indeed ADV 1. nokorɛ ni 2. ampa

indefatigable ADJ 1. deɛ ɔmmrɛ 2. deɛ ɔyɛ nsi ne anem 3. deɛ ɔyɛ nkoden

indelible ADJ 1. ɛmpopa; deɛ ɛmpopa 2. ɛnkɔ; deɛ ɛnkɔ 3. aka; deɛ aka

indemnification NOUN mpata; mpatama

indemnity NOUN 1. nsiakyibaa *(insurance)* 2. mpatadeɛ 3. mpata sika *(compensatory money)*

independence day NOUN fawohodie da

independence NOUN fawohodie

independent ADJ 1. de ho; deɛ ɔde ne ho 2. nhyɛ ... ase; deɛ ɔnhyɛ ... ase

indicate VERB 1. kyerɛ *(show)* 2. kyerɛ sɛ *(point out; show that)* 3. gyina hɔ ma *(be a sign of)*

indication NOUN sɛnnahɔ

indicative NOUN 1. ɛkyerɛ sɛ 2. ɛgyina hɔ ma 3. ɛyɛ sɛnnahɔ ma

indifferent ADJ 1. deɛ hwee mfa ne ho 2. adantam

indigene NOUN 1. kuroba *(native i.e. of a town, plural: kuromma)* 2. ɔmanni *(citizen, plural: amamfoɔ)*

indigenous NOUN 1. ɔmanni *(citizen, plural: amamfoɔ)* 2. kuroba *(native i.e. of a town, plural: kuromma)* 3. ɛfiri fie; deɛ ɛfiri fie *(of something: from home)*

indigent ADJ | NOUN 1. ohiani *(plural: ahiafoɔ)* 2. onnibie

indignant ADJ bo afu; deɛ ne bo afu

indignation NOUN 1. abufuo *(anger)* 2. ɛyeaa *(pain; hurt)*

indignity NOUN animguaseɛ *(shame; humiliation)*

indiscretion NOUN 1. deɛ wɔnnwene ho yie 2. deɛ ahwɛyie nni mu

indispensable ADJ wɔkwati a ɛnyɛ yie; deɛ wɔkwati a ɛnyɛ yie

indisposed ADJ ho mfa [PRON] □ *me ho mfa me | I am indisposed* □ *Ama ho mfa no | Ama is indisposed*

indisposition NOUN yareɛ

individual NOUN 1. ankorɛankorɛ 2. kɔntɛkorɔ

indolence NOUN akwadworɔ

indolent ADJ 1. akwadworɔ *(lazy; laziness)* 2. ɔkwadwofoɔ *(a lazy person)*

indomitable ADJ 1. deɛ wɔntumi nni ne so nkonim *(one who cannot be defeated)* 2. deɛ wɔntumi nka no nhyɛ *(one who cannot be subdued)* 3. ɔkokoɔdurufoɔ *(a brave person)* 4. deɛ wɔntumi ntwi mfa ne so *(one who is unsurpassable)*

indulge VERB ma kwan *(allow)*

indurate VERB yɛ den; ma ɛyɛ den

industrial action NOUN 1. ɔyɛkyerɛ *(protest; demonstration)* 2. adwumayɛfoɔ ɔyɛkyerɛ *(protest by workers)*

inebriate VERB 1. boro; bo 2. boro nsa; nom nsa boro

inebriation NOUN nsaborɔ; nsabo

ineffable ADJ 1. deɛ ɛboro nkyerɛmu 2. deɛ wɔntumi mfa anofafa nkyerɛ mu 3. deɛ wɔnka

inestimable ADJ 1. wɔsese a ɛnyɛ yie; deɛ wɔsese a ɛnyɛ yie 2.

wɔkan a ɛnyɛ yie; deɛ wɔkan a ɛnyɛ yie

infallible ADJ 1. mfomsoɔ nni ho; deɛ mfomsoɔ nni ho 2. deɛ ɔnyɛ bɔne *(one who doesn't fault/make mistakes)*

infamous ADJ nni din pa; deɛ ɔnni din pa

infancy NOUN 1. nkwadaaberɛm 2. mmɔfraberɛm

infant NOUN 1. akɔkoaa *(plural: nkɔkoaa)* 2. abotafowa *(plural: mmotafowa)*

infanticide NOUN 1. akɔkoaa kum 2. ɔbadoma kum 3. abotafowa kum

infantry NOUN 1. asraafoɔ; asogyafoɔ *(soldiers)* 2. anammɔn mu asraafoɔ 3. anammɔn mu akofo

infatuate VERB 1. nya ɔdɔ soronko ma 2. nya ɔdɔ soronko bere tiawa mu ma

infatuation NOUN bere tiawa dɔ; bere tiawa dɔ soronko

infect VERB 1. sane 2. de yɛ

infection NOUN 1. yareɛ 2. nsaneyareɛ *(contagious ailment)*

infer VERB 1. si pɔ 2. si gyinaeɛ *(conclude)* 3. dwene ho nya mu nteaseɛ pɔtee bi *(reason to gain a specific understanding)* 4. kyerɛ *(imply)*

inference VERB 1. agyinaeɛ *(conclusion)* 2. nteaseɛ *(understanding)* 3. nkyerɛaseɛ *(meaning)*

inferior ADJ 1. dibea wɔ fam; deɛ ne dibea wɔ fam *(low in rank; that/one which/who has a low rank)* 2. ɛnyɛ papa; deɛ ɛnyɛ papa *(not good; that which is not good)* 3. ɛnsɔ ani; deɛ ɛnsɔ ani

inferno NOUN 1. ogyatanaa 2. beaeɛ a ɛhɔ yɛ hye pa ara *(a place that is very hot)* 3. beaeɛ a ɛhɔ wɔ dede pa ara *(a place that is very noisy)*

infidel NOUN 1. deɛ ɔnnye Nyankopɔn nni *(one who does not believe in/in the existence of God)* 2. ɔpaefoɔ *(apostate)*

infidelity NOUN 1. awareɛ akyi adwamammɔ 2. ɔyere/okunu akyifa

infiltrate VERB 1. wura mu 2. bɔ wura mu

infiltration NOUN 1. nwuramu 2. mmɔwuramu

infirm ADJ 1. yɛ mmerɛ; deɛ ɔyɛ mmerɛ *(of a person)* 2. ɔgo; deɛ ɔgoɔ *(of a person)* 3. ɛgo; deɛ ɛgoɔ *(of something)*

infirmary NOUN 1. ayaresabea *(hospital)* 2. asopiti *(borrowed, hospital)* 3. ayarehwɛbea

inflame VERB 1. ka gya gu mu 2. sɔ; sɔ gya gu mu *(light up)* 3. kanyan *(incite; arouse)* 4. hyɛ abufuo *(anger; provoke)*

inflammation NOUN mpumpunnya

inflate VERB 1. hu *(blow, e.g. a balloon)* 2. hyɛ mu mframa *(fill with air)* 3. to mu *(increase i.e. price)* 4. pagya mu *(raise)* 5. hanehane ani *(exaggerate)*

inflexible ADJ 1. twann; twintwann 2. kokotako 3. bawee

inflict VERB 1. de gu so 2. de to so 3. ha

infliction NOUN 1. akatua 2. asotwe 3. ɔhaw

influence NOUN 1. tumi *(power)* 2. nsunsuansoɔ *(effect)* VERB 3. nya ... so tumi

influential ADJ wɔ ... so tumi; deɛ ɛwɔ/ɔwɔ ... so tumi

influenza NOUN 1. papu *(cold)* 2. hwene mu sosɔ

inform VERB 1. bɔ amanneɛ 2. ka; ka kyerɛ *(say)*

infringe VERB 1. bu so; bu mmara so *(flaunt/break; break a law)* 2. tena ... so

infringement NOUN mmara so buo

infuriate VERB hyɛ abufuo

infuriating ADJ ɛhyɛ abufuo; deɛ ɛhyɛ abufuo

infuriation NOUN abufuhyew

infuse VERB 1. hyɛ mu; hyɛ mu ma 2. nom; nonom 3. dɔn; donnɔn

ingenious ADJ 1. nim nyansa; deɛ ɔnim nyansa 2. ɔnyansafoɔ *(a sensible person)* 3. deɛ ɔdwene

ingenuity NOUN nyansa *(sense)*

ingrained ADJ 1. atim; deɛ atim 2. agye nhini; deɛ agye nhini

ingratitude NOUN bonniayɛ

inhabit VERB 1. te ... 2. tena ...

inhabitant NOUN 1. kuromanni 2. deɛ ɔte (baabi)

inhale VERB 1. home kɔ mu 2. twe kɔ mu

inherit VERB di adeɛ

inheritance NOUN 1. agyapadeɛ *(that which is/is to be inherited)* 2. awunyadeɛ *(that which is/is to be inherited)* 3. adedie *(the act of inheriting)*

inhibit VERB si kwan

inhibition NOUN 1. fɛreɛ *(shyness)* 2. osiakwan *(hindrance)*

inhuman ADJ 1. ɛnkyerɛ ɔdɔ; deɛ ɛnkyerɛ ɔdɔ *(does not show love; that which does not show love)* 2. ɔdɔ nni mu; deɛ ɔdɔ nnim *(lacks love; that which lacks love)* 3. atirimuɔden *(cruelty)*

inhumane ADJ 1. ɛnkyerɛ ɔdɔ; deɛ ɛnkyerɛ ɔdɔ *(does not show love; that which does not show love)* 2. ɔdɔ nni mu; deɛ ɔdɔ nnim *(lacks love; that which lacks love)* 3. atirimuɔden *(cruelty)*

inimitable ADJ 1. soronko *(different; unique)* 2. ɛda mu fua; deɛ ɛda mu fua *(distinctive)*

initial ADJ 1. ahyɛaseɛ *(beginning)* 2. mfitiaseɛ *(beginning)* NOUN 3. deɛ ɛdi kan *(that which comes first)* VERB 4. de nsa hyɛ aseɛ *(sign; authorise)*

initiate VERB 1. hyɛ aseɛ; ma ɛhyɛ aseɛ *(begin; cause to begin)* 2. gye ... ka ekuo bi ho *(accept ... into a certain group)* 3. bɔ asu *(baptise)* 4. de kyerɛ; de kyea *(introduce)*

initiation NOUN 1. nnyetomu *(acceptance; admission)* 2. oyikyerɛ *(introduction; exhibition)* 3. ahyɛaseɛ *(beginning)* 4. mfitiaseɛ *(beginning)*

inject VERB 1. wɔ paneɛ *(of a syringe)* 2. de hyɛ mu *(insert; introduce)* 3. de wura mu *(insert; introduce)*

injection NOUN 1. paneɛ 2. paneɛwɔ *(the act of injecting)*

injunction NOUN 1. nhyɛ 2. ahyɛdeɛ

injure VERB pira

injury NOUN 1. ekuro *(wound)* 2. pira

ink NOUN 1. inki *(borrowed)* 2. adubiri

in-law NOUN asew; ase □ *asew kɔnnɔfoɔ | a lovely in-law*

inlet NOUN 1. ahyɛne 2. ɛkwan *(way; entry)* 3. nsuka *(gutter)*

inmate NOUN 1. deɛ ɔda afiase *(prisoner)* 2. deɛ ɔda ayaresabea *(a patient)*

inn NOUN 1. ahɔhofie 2. ahɔhodan

innovate VERB 1. de nsesaeɛ ba *(bring about change)* 2. sesa mu *(make changes in)* 3. de ade foforɔ ba *(bring something new)* 4. tu anammɔn foforɔ *(pursue something new)*

innovation NOUN 1. nsesaeɛ *(change)* 2. nsesamu *(change)* 3. ade foforɔ *(something new)* 4. anammɔn foforɔ tuo *(pursuit of something new)*

inoculate VERB 1. wɔ paneɛ 2. wɔ paneɛ si yareɛ ano kwan

inoperable ADJ 1. deɛ wɔntumi nyɛ ho opiresan 2. deɛ wɔyɛ ho opiresan a ɛnyɛ yie 3. deɛ wɔntumi mfa nyɛ hwee *(that which is unusable)*

inquest NOUN 1. nhwehwɛmu *(investigation)* 2. owuo mu nhwehwɛmu *(... into the death of someone)*

inquire VERB 1. bisa 2. bisa mu 3. hwehwɛ mu; yɛ nhwehwɛmu

inquiry NOUN 1. nhwehwɛmu 2. abisa

inquisitive ADJ 1. deɛ ɔyɛ mfeefeemu 2. deɛ ɔfeefee nsɛm mu 3. deɛ ɔyɛ awurawura

insane ADJ 1. abɔ dam; deɛ wabɔ dam 2. nyansa nni mu; deɛ nyansa nni mu *(lacks sense/irrational; that which lacks sense/is irrational)*

inscribe VERB 1. kurukyire 2. twerɛ *(write)*

inscription NOUN 1. kurukyire 2. atwerɛeɛ; atwerɛ

inscrutable ADJ 1. ɛnni nteaseɛ; deɛ ɛnni nteaseɛ 2. wɔntumi nte aseɛ; deɛ wɔntumi nte aseɛ 3. nteaseɛ nni mu; deɛ nteaseɛ nni mu

insect NOUN 1. akoekoeboa 2. aboawa

insensate ADJ 1. nni atenka; deɛ ɔnni atenka *(unfeeling; one who's unfeeling)* 2. nni tema; deɛ ɔnni tema *(lacks compassion; one who lacks compassion)* 3. nni adwene; deɛ ɔnni adwene *(lacking sense/reason; one who lacks sense/reason)*

insert VERB 1. de hyɛ mu 2. de wura mu 3. de ka ho *(incorporate; add)* NOUN 4. deɛ wɔde ahyɛ mu 5. deɛ wɔde aka ho

inside ADJ emu; mu

insight NOUN 1. Nhunumu 2. nteaseɛ *(understanding)*

insignia NOUN 1. ahyɛnsodeɛ *(sign)* 2. nnyinahɔma

insignificant ADJ 1. ɛho nhia; deɛ ɛho nhia *(unimportant; that which is unimportant)* 2. ketekete *(very small)* 3. nni tumi; deɛ ɔnni tumi *(of a person: lacks power; one who lacks power)*

insinuate VERB 1. kyerɛ; kyerɛ sɛ *(imply; imply that)* 2. wia ho wura *(slide oneself in by dubious means)*

insinuation NOUN asekyerɛ *(meaning)*

insist VERB 1. si so 2. gyina so 3. hyɛ ketee

insolent ADJ 1. mmu adeɛ; deɛ ɔmmu adeɛ 2. ani nsɔ adeɛ; deɛ n'ani nsɔ adeɛ

insomnia NOUN kɔdaanna

inspect VERB 1. hwɛ; sra hwɛ 2. hwehwɛ mu

inspection NOUN 1. nsra; nsrahwɛ 2. ɛsohwɛ

inspector NOUN 1. ɔhwɛsofoɔ 3. ɔsrasrafoɔ

inspiration NOUN 1. nkanyan 2. home *(breath)* 3. ntwekɔmu *(inhalation)*

inspire VERB 1. kanyan *(arouse; motivate)* 2. de ba *(give rise to)* 3. home; home kɔ mu *(breathe; breathe in)* 4. twe kɔ mu *(inhale)*

install VERB 1. si; de si 2. de ... di adeɛ *(induct; swear in)*

installment NOUN 1. ɔfa 2. adesie

instant ADJ 1. amonom hɔ ara 2. seesei ara 3. mprempren

instantaneous ADJ ɛsi amonom hɔ ara; deɛ ɛsi amonom hɔ

instigate VERB 1. hyehyɛ aseɛ 2. hyɛ takrawogyam 3. hyɛ kutupa

instigator NOUN 1. kɔfabae 2. deɛ ɔhyehyɛ ... aseɛ 3. ɔkɔtwebrɛfoɔ

instinct NOUN atenka *(feeling)*

institute VERB 1. yɛ 2. hyɛ aseɛ; firi aseɛ 3. si; de si 4. hyɛ to hɔ; de si hɔ

instruct VERB 1. hyɛ *(order)* 2. kyerɛ; kyerɛ adeɛ *(teach)* 3. bɔ amanneɛ *(inform)* 4. ka; ka kyerɛ *(say)* 5. ma akwankyerɛ *(give guidance)*

instruction NOUN 1. nhyɛ *(order)* 2. nkyerɛkyerɛ *(teachings)* 3. akwankyerɛ *(guidance)*

instrument NOUN 1. adeyɔdeɛ 2. asusudeɛ *(measuring device)* 3. abɛn *(flute)* 4. afidie *(machine)*

insubordinate ADJ 1. deɛ ɔyɛ aniammɔnho 2. deɛ ɔbu mmara so 3. deɛ ɔnni mmara so

insubordination NOUN 1. aniammɔnho 2. mmara so buo 3. ahomasoɔ

insult VERB 1. di atɛm; didi atɛm *(past: dii atɛm/didii atɛm; future: bɛdi atɛm; progressive: redi atɛm; perfect: adi atɛm; negative: nni atɛm)* 2. twa adapaa *(past: twaa adapaa; future: bɛtwa adapaa; progressive: retwa adapaa; perfect: atwa adapaa; negative: ntwa adapaa)* 3. sopa *(past: sopaa/sopaeɛ; future: bɛsopa; progressive: resopa; perfect: asopa; negative: nsopa)* NOUN 4. atɛnnidie 5. adapaatwa

insurance NOUN 1. nsiakyibaa 2. daakye ahotɔsoɔ nhyehyɛeɛ

insurgence NOUN 1. atuateɛ *(rebellion; riot)* 2. abantuguo *(overthrow of government)*

insurgent NOUN otuatefoɔ

intact ADJ 1. ɛho ntee kyema; deɛ ɛho ntee kyema *(undamaged; faultless)* 2. mua *(whole; full)*

intangible ADJ 1. deɛ wɔntumi nsɔ mu 2. deɛ wɔsɔ mu a ɛnyɛ yie

integrate VERB 1. ka bɔ mu; ka bom *(combine)* 2. de ka ho *(add)* 3. de hyɛ mu

integrity NOUN 1. nokorɛdie *(honesty; truthfulness)* 2. animuonyam *(honour)*

intellect NOUN 1. adwene 2. nyansa *(sense)*

intellectual NOUN 1. ɔnyansafoɔ *(sensible person)* 2. onimdefoɔ *(knowledgeable person)*

intend VERB 1. yɛ adwene 2. bɔ pɔ 3. ani sa 4. bɔ tirim pɔ 5. susu

intent NOUN botaeɛ

intention NOUN 1. botaeɛ 2. tirimupɔ 3. nsusuiɛ

intentional ADJ 1. boapayɔ; deɛ ɛyɛ boapayɔ 2. deɛ wɔahyɛ da ayɔ 3. anidahɔ; deɛ ɛyɛ anidahɔ

interact VERB di nkutaho

interaction NOUN nkutahodie

intercede VERB 1. di agyinamu 2. di ma 3. srɛ ma 4. ka bi ma

intercept VERB si kwan

intercession NOUN 1. odima 2. srɛma 3. agyinamu

intercessor NOUN 1. odimafoɔ 2. ɔkamafoɔ 3. ɔkasagyefoɔ

interchange VERB 1. di nsesa NOUN 2. nsesa; nsesaeɛ *(exchange)* 3. akasakasa *(exchange of words)*

intercourse NOUN 1. nkutahodie *(communication/dealings between individuals/groups)* 2. nsawɔsoɔ 3. ahyiadie; edie *(sex)*

interest NOUN 1. aniku *(keenness)* 2. mfasoɔ *(profit)* 3. kyɛfa *(share)* 4. anigyeɛ dwumadie *(hobby)* 5. mfɛmtom

interfere VERB 1. twitwa anan mu 2. wurawura mu; de ho wurawura mu

interior ADJ | NOUN emu

interlude NOUN ntwaremu

intermediary NOUN ntamgyinafoɔ

intermediate ADJ | NOUN 1. Ntam 2. Adantam 3. hɔ-ne-hɔ

interment NOUN 1. funsie 2. Amusie 3. amukora

interminable ADJ deɛ ɛntwa da; deɛ ɛtoɔ ntwa da

internal ADJ emu

international ADJ amanaman □ *amanaman dwadie | international trade* □ *amanaman nkutahodie | international relations*

international relations NOUN amanaman ntam nkutahodie

internet NOUN intanɛt *(borrowed)*

interpellate VERB twa ano *(interrupt a speech/talk)*

interpret VERB 1. kyerɛ aseɛ *(give meaning to; translate)* 2. kyerɛ mu; kyerɛkyerɛ mu *(explain; expantiate)* 3. te aseɛ *(understand)*

interpretation NOUN 1. asekyerɛ 2. nkyerɛmu 3. nteaseɛ *(understanding)*

interrogate VERB 1. toto ano 2. bisabisa

interrogation NOUN 1. ntotoano; anototoɔ 2. abisa; abisabisa

intersect VERB 1. bea mu 2. pae mu 3. twa mu

intersection NOUN 1. mfimfini *(middle)* 2. mmeamu *(crossing)* 3. nkwanta *(junction)*

intersperse VERB 1. de fra; de frafra 2. hwete; hwete fra *(scatter; scatter together)*

interval NOUN 1. ntam 2. twamuberɛ *(an intervening time)*

intervene VERB 1. wura mu; bra mu 2. gyina ntam 3. si ano 4. siesie *(settle)*

intervention NOUN 1. ntamgyina 2. akwansie

interview NOUN 1. ntotoano; anototoɔ *(of the act: querying)* 2. anototoɔ nhyiamu *(of the meeting)* VERB 3. toto ano *(query; pose questions to)* 4. bisabisa *(pose questions to)*

intestate ADJ anyɛ nsamanseɛ; deɛ wanyɛ nsamanseɛ

intestine NOUN nsono □ *apɔnkye nsono | a goat's intestine*

intimate ADJ 1. brɛboɔ *(liver: used to indicate closeness e.g. between friends)* □ *me yɔnko brɛboɔ | my intimate friend (literally: my friend liver/liver friend)* 2. kokoam; kokoamsɛm *(private; private issues)* 3. di ahyia *(verb: be intimate; have sex)* VERB 4. ka *(say; state)* 5. de to dwa *(announce)*

intimidate VERB 1. bɔ hu 2. hunahuna

intimidation NOUN 1. ahunahuna 2. anitan

intoxicate VERB boro nsa

intoxication NOUN nsaborɔ

intractable ADJ 1. deɛ n'aso yɛ den *(one who's stubborn)* 2. deɛ wate nkensen *(one who's out of control)*

intrepid ADJ deɛ ɔnsuro hwee

intricate ADJ 1. nwonworann 2. deɛ ne nteaseɛ yɛ den

introduce VERB 1. da adi 2. de kyerɛ; yi kyerɛ

introduction NOUN 1. oyikyerɛ 2. nhyɛmmu

introspect VERB bɔ nkɔmpɔ

introspection NOUN nkɔmpɔbɔ

intrude VERB 1. bɔ wura mu 2. yɛ awurawura

intrusion NOUN 1. mmɔwuramu 2. awurawura

intuition NOUN atenka

inundate VERB 1. ma ɛmene... *(overwhelm)* 2. de pii gu ... so 3. yiri *(flood)*

invade VERB 1. toa 2. to hyɛ so

invalid VERB 1. di dɛm *(disable)* 2. yi... firi mu *(remove... from)* ADJ 1. ɛnyɛ; deɛ ɛnyɛ *(disable)* 2. ɛnyɛ nokorɛ; deɛ ɛnyɛ nokorɛ *(untrue; that which is untrue)*

invaluable ADJ 1. ɛho hia pa ara; deɛ ɛho hia pa ara *(very important; that which is very important)* 2. ɛsom bo pa ara; deɛ ɛsom bo *(very precious; that which is very precious)*

invariable ADJ ɛnsesa da; deɛ ɛnsesa da *(unchanging; that which never changes)*

invasion NOUN 1. ntohyɛsoɔ 2. ɔsatuo

inveigle VERB daadaa

invent VERB 1. yɛ (biribi) 2. nwono (biribi)

invention NOUN 1. ayɔdeɛ *(something invented)* 2. adenwono *(the action of inventing/creating)*

inverse ADJ | NOUN abira; deɛ ɛbɔ abira

invert VERB 1. butu 2. dane butu

inverted commas NOUN nkatomdeɛ *(" " ' ')*

invest VERB 1. de sika hyɛ dwumadie mu 2. bɔ ho ka

investigate VERB 1. hwehwɛ mu 2. yɛ nhwehwɛmu

investigation NOUN nhwehwɛmu

invigilate VERB 1. hwɛ so 2. hwɛ nsɔhwɛtwerɛfoɔ so

invigorate VERB 1. hyɛ ahoɔden 2. ma ahokeka 3. kanyan

invincible ADJ 1. deɛ wɔntumi nni ne so nkonim *(one who cannot be defeated)* 2. deɛ ɔwɔ tumi pa ara *(one who wields much power)*

invisible ADJ 1. deɛ wɔntumi nhunu *(that which cannot be seen)* 2. deɛ ahinta *(that which is concealed)*

invitation NOUN ɔfrɛ

invite VERB to nsa frɛ

invocation NOUN 1. ɔfrɛ *(call)* 2. nkankyeɛ *(incantation)* 3. mpaebɔ *(prayer)*

invoice NOUN akano krataa

invoke VERB 1. frɛ *(call)* 2. kankye; kankye frɛ

involve VERB 1. ka ho; de... ka ho 2. de... hyɛ mu 3. de ho hyɛ mu *(involve oneself in)*

invulnerable ADJ 1. nyɛ mmerɛ; deɛ ɔnyɛ mmerɛ 2. deɛ ɔyɛ den

irascible ADJ 1. deɛ ne koko nyɛ 2. deɛ ne bo nkyɛre fu

irk VERB 1. hyɛ abufuo *(annoy)* 2. teetee *(irritate)*

iron NOUN 1. ayɔn *(borrowed)* 2. dadeɛ *(metal)* 3. nnoɔmatoɔ afidie *(implement used to* *smooth clothes)* VERB 4. to nnoɔma *(smooth clothes)*

irrelevant ADJ ɛho nhia; deɛ ɛho nhia *(unimportant; that which is unimportant)*

irreparable ADJ 1. deɛ wɔsiesie a ɛnyɛ yie 2. deɛ agye nsam

irresponsible ADJ hohwini

irrevocable ADJ 1. deɛ wɔntumi ntwe nsan 2. deɛ wɔsesa a ɛnyɛ yie

irrigate VERB 1. due nsuo 2. gu... so nsuo

irritate VERB hyɛ abufuo

is VERB 1. yɛ 2. wɔ □ *meyɛ bibini | I am a black person (an African)* □ *mewɔ fie | I am home*

island NOUN 1. supɔ 2. supɔwa 3. asase a asuo atwa ho ahyia

isolate VERB 1. te firi ho 2. twe ho firi 3. yi firi mu NOUN 4. ankonam 5. kɔntɛkorɔ

it PRON

3rd person neutral subject

1. ɛno *(changes into the prefix ɛ- when it is directly followed by a verb)* □ *ɛforoeɛ | it climbed* □ *ɛtee me ntoma no | it tore my cloth* □ *ɛtɔɔ fam | it fell down*

PRON

3rd person neutral object

2. no □ *Kofi buu no | Kofi broke it* □ *ɔtee no | he/she tore it*

itch NOUN 1. ahokeka 2. ahoɔhene VERB 3. yɛ hene 4. keka

itself PRON

reflexive

1. ne ho

PRON

intensive

2. ɛno ara *(pronounced: ɛnoaa)* □ *ɛno ara na ɛteeɛ | it tore by itself*

ivory NOUN 1. asommɛn 2. asonse

Jj

jab VERB 1. wɔ *(poke with something pointed)* NOUN 2. mpofirim twɛdeɛ *(a quick, sharp blow with fist)*

jack NOUN 1. pagyadadeɛ NOUN 2. wia *(steal)*

jackal NOUN sakraman *(plural: asakraman)*

jackass NOUN 1. afunumu pɔnkɔnini *(a male donkey)* 2. deɛ ɔnnim nyansa *(one without sense)* 3. ɔkwasea *(a stupid person)*

jacket NOUN aduradeɛ

jack-knife NOUN bafo

jackpot NOUN akradeɛ mu sika botire kɛseɛ

jail NOUN 1. efiase NOUN 2. de obi to fiase; fa obi to fiase

jailbird NOUN 1. deɛ ɔda fiase 2. deɛ wada fiase pɛn

jamboree NOUN anigyeɛ aponto kɛseɛ

janitor NOUN ɛdan so hwɛfoɔ

January NOUN Ɔpɛpɔn □ *mɛtu kwan Ɔpɛpɔn bosome mu | I will travel in the month of January*

jar NOUN 1. aduane tɔmmɛ 2. aduane tɔmmɛ ne ne mmuasoɔ

jaundice NOUN huraeɛnini

jaunt NOUN anigyeɛ akwantuo

jaw NOUN apantan

jawbone NOUN apantan dompe

jealous ADJ 1. deɛ ɔyɛ ahoɔyaa 2. deɛ n'ani bere ɔfoforɔ

jealousy NOUN 1. anibere 2. ahoɔyaa

jeer VERB 1. bɔ tutuo 2. huro

Jehovah NOUN Yehowa

Jehovah's Witness NOUN Yehowa Danseni

jeopardise NOUN 1. sɛe 2. twitwa nan mu

jerk NOUN 1. awosoawosoɔ *(quick, sudden body movements)* 2. ɔkwasea *(a stupid person)* 3. ogyimifoɔ *(a* *stupid person)* VERB 4. wosowoso 5. twetwe

jest NOUN 1. aseresɛm 2. nsɛnkwaa

jester NOUN nsɛnkwayifoɔ

Jesus NOUN Yesu

jewel NOUN ɔbohene

jeweller NOUN deɛ ɔyɛ agudeɛ ho adwuma

jewellery NOUN agudeɛ

jibe NOUN atɛnnidie

jilt VERB 1. gyae 2. po 3. yi totwene 4. pamo

job NOUN adwuma

jobbery NOUN kɛtɛasehyɛ

jockey NOUN 1. pɔnkɔkafoɔ VERB 2. si akan

jocose ADJ 1. deɛ ɔyi nsɛnkwaa; dɛ ɔyi aseresɛm 2. deɛ ɛyɛ sere

join VERB 1. ka bɔ mu; ka bom 2. de si ani; fa si ani 3. ka ho

joiner NOUN nnua dwumayɛfoɔ

joint NOUN 1. ahyiaeɛ 2. apɔ so; ɛpɔ so *(where two parts of the skeleton fit together; a point where two structures join)* 3. dwonku *(human body joint)* □ *ɔse n'apɔ so apɔ so yɛ ne ya | he/she says his/her joints ache* ADJ 4. nkabom 5. bɛnkorɔ

joke NOUN 1. nsɛnkwaa 2. aseresɛm VERB 3. yi nsɛnkwaa 4. yi aseresɛm 5. gyimi

jostle VERB 1. pem 2. pia NOUN 3. apempemapempem 4. apiapia

jot VERB 1. twerɛ biribi ntɛm NOUN 2. ade ketewa

journal NOUN 1. biribi pɔtee dawurubɔ krataa *(of newspaper/magazine)* 2. daadaa amannebɔ

journalist NOUN 1. nsɛntwerɛni 2. dawurubɔ dwumayɛni

journey NOUN 1. akwantuo 2. batatuo VERB 3. tu kwan *(past: tuu kwan; future: bɛtu kwan; progressive: retu kwan; perfect: atu kwan; negative: ntu kwan)* 4. tu bata *(past: tuu bata; future: bɛtu bata; progressive: retu bata; perfect: atu bata; negative: ntu bata)*

jovial ADJ 1. deɛ n'anim teɛ 2. deɛ ɔpɛ agorɔ

joy NOUN 1. anigyeɛ VERB 2. gye ani

jubilant ADJ deɛ ɔredi ahurusie

jubilee NOUN 1. mfedie *(general)* 2. mfeɛ aduonu-num die *(silver jubilee)* 3. mfeɛ aduonum die *(golden jubilee)*

judge NOUN 1. ɔtɛmmuafoɔ VERB 2. bu atɛn; yi atɛn
judgement NOUN 1. atɛmmuo 2. asotweeɛ
judicature NOUN 1. atɛmmudwuma 2. atɛmmuafoɔ ne mmaranimfoɔ kuo
judicious ADJ 1. deɛ ɔnim nyansa 2. deɛ ɔyɛ biribi nyansakwan so
jug NOUN 1. bonsuaa 2. kuruwa
July NOUN Kitawonsa □ *wofaa yafunu Kitawonsa bosome mu? | you took seed (got pregnant) in the month of July?*
jumble NOUN 1. deɛ atu afra 2. deɛ adi afra 3. afrafra basaa VERB 4. funtumfra 5. di afra
jump VERB 1. huri NOUN 2. ahuruiɛ
jumper NOUN gyɔmpa *(borrowed)*
junction VERB 1. nkwanta 2. ɛpɔ so *(joint)*
June NOUN Ayɛwohomumɔ □ *yɛwoo me Ayɛwohomumɔ bosome mu | I was born in the month of June.*
jungle NOUN 1. kwaeɛbiretuo 2. kwaeɛ
junior ADJ 1. kumaa 2. deɛ ne diberɛ sua *(of position; rank)*
junk ADJ 1. deɛ ɛnni mfasoɔ VERB 2. to twene
jurist NOUN 1. mmaranimfoɔ 2. mmaratwerɛfoɔ 3. mmarakyerɛfoɔ
jury NOUN apamfoɔ
just ADV 1. pɛpɛɛpɛ; pɛ 2. deɛ ɛtene
justice NOUN atɛntenenee
justify VERB 1. kyerɛ deɛ nti a obi nni fɔ 2. kyerɛ deɛ nti a mfomsoɔ nni biribi ho 3. bu bem 4. kyerɛ deɛ nti a wodi bem
juvenile ADJ 1. abɔfra 2. deɛ ɔnnyiniiɛ

Kk

keen ADJ 1. deɛ n'ani ku biribi ho 2. deɛ ɔkeka ne ho 3. deɛ ɛyɛ nam

keenness NOUN aniku

keep VERB 1. fa 2. fa sie 3. kɔ so 4. hwɛ so

keeper NOUN hwɛsofoɔ

keepsake NOUN nkaedeɛ

kennel NOUN ɔkraman dan

kerchief NOUN 1. hankete *(borrowed)* 2. duku

kernel NOUN 1. adwe 2. aba

kerosene NOUN kresin *(borrowed)*

kettle NOUN dadesɛn afidie a wɔde noa nsuo

key NOUN safoa *(plural: nsafoa)* □ *me safoa ayera | my key is missing*

kick NOUN bɔ

kid NOUN 1. abirekyie ba *(young of goat)* 2. apɔnkye ba *(young of goat)* 3. abɔfra *(a child; young person)* 4. akwadaa *(a child; young person)* VERB 5. wo *(of a goat: give birth)*

kidnap VERB 1. kye sie 2. wia NOUN 3. nkyesie

kidney NOUN sawa; saa

kill VERB 1. kum; ku 2. di awu

killer NOUN 1. owudini *(murderer, plural: awudifoɔ)* 2. odiawuo

kin NOUN 1. abusuani 2. abusuafoɔ *(kinfolk)*

kind NOUN 1. ekuo 2. su ADJ 3. ɔyamyɛfoɔ

kindergarten NOUN 1. mmotafowa sukuu 2. mmotafowa tetebea

kindle VERB 1. sɔ *(fire)* 2. kanyan atenka *(arouse a feeling/an emotion)*

kindness NOUN ayamyɛ □ *ɔdɔ ne ayamyɛ | love and kindness*

kindred NOUN abusua

kingdom NOUN 1. ɔman/kuro a ɔhene/ɔhemaa bi di so 2. Onyankopɛn ahennie

kiss NOUN 1. mfeano VERB 2. fe ano

kitchen NOUN 1. mukaase 2. agyaade □ *maame wɔ mukaase/agyaade hɔ* | *mum is in the kitchen*

kitten NOUN 1. agyinammoa ba 2. ɔkra ba

kleptomania NOUN korɔno atenka denden

knave NOUN 1. ɔtorofoɔ 2. ɔdaadaafoɔ

knead VERB 1. fete 2. miamia 3. ka fra

knee NOUN kotodwe □ *maame no de 'akobalm' no srasraa ne kotodwe so* | *the woman rubbed 'akobalm' on her knee*

knee pit (popliteal fossa) NOUN nan kokom

kneel VERB bu nkotodwe

knife NOUN 1. sekammoa 2. sekan

knit VERB 1. nwono; nwene 2. pam 3. sina

knock VERB 1. twa koto *(on the head)* 2. bɔ agoo; bɔ kɔkɔɔkɔ *(on door)* NOUN 3. koto *(a knock on head)* 4. kɔkɔɔkɔ *(a knock on a door)*

knot NOUN 1. ɛpɔ; pɔ *(plural: apɔ)* VERB 2. bɔ pɔ *(past: bɔɔ pɔ; future: bɛbɔ pɔ; progressive: rebɔ pɔ; perfect: abɔ pɔ; negative: mmɔ pɔ)*

know VERB nim *(negative: nnim)* □ *menim wo* | *I know you* □ *Awurade nim me din* | *God knows my name* □ *wonim yɛn?* | *do you know us?*

knowledge NOUN nimdeɛ

knuckle NOUN nsa pɔ

kola nut NOUN bese

Koran NOUN Nkramofoɔ Twerɛ Kronkron

kudos NOUN 1. ayɛyie 2. nkamfoɔ 3. ahoahoa 4. mo-ne-yɔ EXCLAM 5. mo! □ *mo! Woayɛ adeɛ* | *kudos! You've done well*

Ll

label NOUN 1. agyinahyɛdeɛ 2. ahyɛnsodeɛ VERB 3. hyɛ nso
laboratory NOUN 1. abɔdeɛ mu mpɛnsɛmpɛnsɛmmubea 2. beaeɛ a wɔyɛ biribi mu nhwehwɛmu 3. aduyɛbea
laborious ADJ deɛ ne yɔ yɛ den
labour NOUN 1. ahoɔden dwuma *(physical, hard work)* 2. awokaberɛ *(stage of childbirth)* VERB 3. yɛ adwuma den *(work hard)*
lacerate VERB 1. twa honam 2. pira
lachrymose ADJ 4. deɛ anisuo ataa no 5. deɛ etumi de su ba
lack NOUN 1. deɛ ahia obi 2. deɛ obi nni bie VERB 3. nni
lackadaisical ADJ 1. deɛ hwee mfa ne ho 2. deɛ n'ani mmere biribi ho
laconic ADJ deɛ wɔatwa no tiawa
lad NOUN abarimaa
ladder NOUN atwedeɛ □ *foro atwedeɛ no | climb the ladder*
ladle NOUN kwantere
lady NOUN awuraba
lagoon NOUN baka
lake NOUN ɔtadeɛ
lamb NOUN odwamma
lame ADJ 1. apakye 2. obubuafoɔ
lament VERB 1. nwiinwii NOUN 2. anwiinwii
lamp NOUN 1. kanea 2. bobo
lancet NOUN adɔkotafoɔ sekammoa
land NOUN asase *(plural: nsase)*
landlady NOUN 1. efiewura *(general)* 2. efiewura baa *(female-specific)*
landlord NOUN 1. efiewura *(general)* 2. efiewura barima *(male-specific)*
language NOUN kasa
lanky ADJ 1. ateaadonko 2. tenten-teatea
lantern NOUN kanea □ *sɔ kanea*

no | light the lantern

lap NOUN ɛsrɛ so

lapse NOUN 1. mfomsoɔ 2. ahweaseɛ

larceny NOUN korɔno

large ADJ 1. kɛseɛ 2. deɛ ɛso 3. deɛ ɛtrɛ *(wide)* 4. kakraa

lash ADJ 1. bo; boro 2. hwe 3. birim

lass NOUN abaayewa

lassitude NOUN 1. boto 2. ɔbrɛ

last ADJ 1. deɛ ɛtwa toɔ 2. awieeɛ

last-born NOUN kaakyire □ *Boadiwaa ne kaakyire | Boadiwaa is the last-born*

late ADJ 1. amma ntɛm; ansi ntɛm 2. deɛ waka akyire; deɛ aka akyire 3. deɛ ɛnsi ntɛm; deɛ ɛmma ntɛm 4. owufoɔ; deɛ wawuo; deɛ waka baabi *(of a person: no longer alive)*

latent ADJ ahinta; deɛ ahinta

later ADV | ADJ 1. akyi EXCLAM 2. akyire yi

lateral ADJ nkyɛnmu

latrine NOUN 1. tiafi 2. agyananbea

laud VERB 1. yi ayɛ 2. kamfo

laudable ADJ 1. ɛsɛ ayɛyie; deɛ ɛsɛ ayɛyie 2. ɛsɛ nkamfoɔ; deɛ ɛsɛ nkamfoɔ

laugh VERB 1. sere *(past: seree/sereeɛ; future: bɛsere; progressive: resere; perfect: asere; negative: nsere)* NOUN 2. sereɛ *(laughter)*

launch VERB 1. pa ho ntoma 2. to *(throw; hurl)* 3. firi ase *(begin; start)*

lavatory NOUN 1. tiafi 2. agyananbea 3. yaanee so

lavender NOUN aduhwam

lavish ADJ akɛsesɛm; deɛ ɔyɛ akɛsesɛm

law NOUN mmara

lawyer NOUN 1. mmaranimfoɔ 2. lɔyani *(borrowed)*

lax ADJ 1. ago; deɛ emu ago 2. ahodwo; deɛ emu ahodwo

laxative NOUN afaseduro

lay VERB 1. de to hɔ *(put down)* 2. de to hɔ bɔkɔɔ *(put down gently/carefully)* 3. to pono *(set a table to eat)*

lazy ADJ 1, akwadworɔ; deɛ ɔyɛ akwadworɔ 2. aniha *(boredom)*

lazy person ADJ 1. ɔkwadwofoɔ *(plural: akwadwof oɔ)* 2. onihafoɔ *(plural: anihafoɔ)*

lead VERB 1. di anim; di kan 2. ma akwankyerɛ 3. kyerɛkyerɛ

leader NOUN 1. ɔkandifoɔ 2. ɔkwankyerɛfoɔ 3. opanin

league NOUN 1. ekuo 2. nkabomkuo 3. apam

leak VERB 1. nwunu 2. sosɔ NOUN 3. enwunu

lean VERB 1. twere ADJ 2. feaa; tea 3. deɛ wafɔn

leap VERB 1. huri 2. bɔ tra

learn VERB sua; sua adeɛ

learned ADJ 1. ɔbenfo 2. nimdefoɔ

learner NOUN osuani; suani

learning NOUN 1. adesua *(study)* 2. nimdeɛ *(knowledge)*

lease VERB de hane

least DET | PRON 1. emu ketewa; ne ketewa 2. emu kumaa; ne kumaa ADJ 3. ketewa 4. kumaa

leather NOUN aboa nwoma

leave VERB 1. kɔ *(go)* 2. firi; firi hɔ *(go away from)* 3. gyae *(abandon a spouse/partner)* 4. gya *(leave behind surviving relative(s) after one's death; entrust to be kept, collected, or attended to)* 5. gya; gya ma *(bequeath)* NOUN 6. ahomegyeɛ berɛ *(resting period)* 7. afoofi berɛ *(holiday period)*

lecture NOUN 1. adekyerɛ 2. asɛnka VERB 3. kyerɛ adeɛ 4. kasa kyerɛ

ledger NOUN 1. akontabuo nwoma 2. fotoɔ nwoma

leer VERB 1. hwɛ hwɛbɔne NOUN 2. ɔhwɛbɔne

left ADJ 1. benkum NOUN 2. benkum so *(left-hand side)*

left-hand ADJ 1. nsa benkum *(left-hand side)* 2. nsa benkum so *(left-hand side)*

leg NOUN ɛnan; nan □ *nantwie no nan mu abu | the cattle's leg is broken*

legacy NOUN 1. awugyadeɛ 2. agyapadeɛ 3. awugyama

legal ADJ 1. mmarasɛm; deɛ ɛfa mmara ho 2. mmara tare akyire; deɛ mmara tare akyire *(backed by law; that which is backed by law)* 3. mmara ma ho kwan; deɛ mmara ma ho kwan *(permitted by law; that which is permitted by law)*

legend NOUN 1. abasɛm *(historical story/narrative)* 2. anansesɛm *(fictitious story/narrative)* 3. deɛ wagye din pa ara *(one who is very famous; celebrity; star)*

leggings NOUN sɔkoso

leggy ADJ 1. nan-tenten 2. deɛ ne nan woware

legislate VERB hyehyɛ mmara; yɛ mmara

legislation NOUN 1. mmara *(laws)* 2. mmaranyɛ *(the act of enacting laws)*

legislator NOUN 1. mmarahyehyɛfoɔ; deɛ ɔhyehyɛ mmara 2. mmarayɛfoɔ; deɛ ɔyɛ mmara

legitimate ADJ 1. deɛ ɛda mmara kwan mu *(that which conforms to set rules/laws)* 2. awareba; deɛ awarefoɔ awo no *(born of lawfully-married parents)* 3. deɛ ɛfa kwan mu; deɛ ɛyɛ nokorɛ

leisure NOUN ahomegyeberɛ

lemon NOUN akankaa

lend VERB 1. de fɛm 2. de firi

length NOUN biribi tenten; tenten

lenient ADJ deɛ ɔyɛ ahummɔborɔ

leopard NOUN 1. etwie 2. ɔsebɔ

leper NOUN ɔkwatani

leprosy NOUN kwata

lesbian NOUN 1. ɔbaa-barima 2. ɔbaa a ɔne ne yɔnko baa di ahyia

lesion NOUN ekuro

less DET | PRON 1. ketewa 2. kakraa bi

lesson NOUN 1. adesuadeɛ 2. suahunu

lethal ADJ 1. deɛ etumi di awu; deɛ etumi kum nipa *(that which can cause death)* 2. deɛ etumi de asiane ba *(that which can cause disaster)*

letter NOUN 1. atwerɛdeɛ *(a character in an alphabet, plural: ntwerɛdeɛ)* 2. krataa *(a written, typed, or printed communication, plural: nkrataa)* VERB 3. twerɛ gu *(inscribe/write on)*

levy NOUN 1. ɛtoɔ *(tax)* VERB 2. twa toɔ ma *(impose tax on)*

lexicon NOUN 1. ɔkasa mu nsɛmfua *(of a language)* 2. nsɛmfua dodoɔ a obi wɔ wɔ kasa bi mu *(of a person)* 3. ɔkasa mu nsɛmfua nwoma *(dictionary)*

liable ADJ deɛ mmara kyekyere no

liaison NOUN nkutahodie

liar NOUN ɔtorofoɔ; torofoɔ *(plural: atorofoɔ)*

libation NOUN nsaguo

libel NOUN 1. dinsɛeɛ 2. ɔsɛeɛ 3. ntwatosoɔ 4. animguaseɛ

libelous ADJ 1. deɛ ɛsɛe din 2. deɛ egu obi ho fi

liberate VERB 1. ma faahodie 2. ma obi de ne ho

liberation NOUN 1. ahofadie 2. faahodie

liberty NOUN faahodie

librarian NOUN nwomakorabea hwɛsofoɔ; deɛ ɔhwɛ nwomakorabea so

library NOUN nwomakorabea

lice NOUN edwie □ *edwie ayɛ ne tiri nwi mu ma | his/her hair is full of lice.*

licence NOUN 1. ɔkwamma *(permission)* 2. faahodie *(freedom)* 3. adansedie krataa *(of certificate)*

license VERB 1. ma kwan *(permit; allow)* 2. ma adansedie nwoma/krataa *(grant licence)*

lick VERB 1. tafere *(past: taferee/tafereeɛ; future: bɛtafere; progressive: retafere; perfect: atafere; negative: ntafere)* NOUN 2. adetafere

lie VERB 1. da *(assume a resting position; recline)* 2. twa ntorɔ *(say what you know is untrue)* NOUN 3. ntorɔ *(untrue statement, plural: atorɔ)* 4. kontompo *(untrue statement, plural: nkontompo)*

life NOUN 1. nkwa *(existence; living; being)* 2. nkwanna *(lifetime)* 3. ɔbra *(lifestyle)* 4. abrabɔ *(the act of living)* 5. ahoɔden *(energy; vigour; vitality)*

antonym	owuo *death*

lifeless ADJ 1. deɛ nkwa nnim 2. deɛ awuo

lifelong ADJ afebɔɔ

lift VERB 1. pagya 2. ma so NOUN 3. pagya fidie

light NOUN 1. ɛhann; hann *(natural light)* 2. kanea *(source of light; lamp)* □ *esum ne hann | darkness and light* VERB 3. hyerɛn *(make bright/luminous, past: hyerɛnn/hyerɛneeɛ; future: bɛhyerɛn; progressive: rehyerɛn; perfect: ahyerɛn; negative: nhyerɛn)* 4. sɔ *(ignite, past: sɔɔ/sɔeɛ; future: bɛsɔ; progressive: resɔ; perfect: asɔ; negative: nsɔ)*

lighten VERB 1. ma ɛhyerɛn 2. ma ɛyɛ hann 3. ma ani bere

lightning NOUN 1. ayerɛmo 2. anyinam

like VERB 1. pɛ *(negative: mpɛ)* □ *Adukumi pɛ nanteɛ | Adukumi likes walking* □ *mempɛ paya | I don't like pear* □ *mepɛ asikyire | I like sugar* 2. pɛ asɛm; ani gye *(be fond of, past: pɛɛ asɛm/ani gyee; future: bɛpɛ asɛm/ani bɛgye; progressive: repɛ asɛm/ani regye; perfect: apɛ asɛm/ani agye; negative: mpɛ/ani nnye)* □ *ɔpɛɛ n'asɛm prɛko pɛ | he/she liked him suddenly* □ *mepɛ w'asɛm | I like you* □ *aberanteɛ no ani gye Serwaa ho | the young man likes Serwaa* PREP 3. te sɛ *(similar to, negative: nte sɛ)* □ *ɔte sɛ ne maame | he/she is like his/her mother ne* □ *mpaboa no te sɛ Asamoa deɛ no | his/her shoes are like those of Asamoah* □ *Yaa nne te sɛ adwontofoɔ deɛ | Yaa's voice is like that of musicians*

lime NOUN ankaa twadeɛ □ *sɛ wopɛ sɛ wo so te a, nom ankwaa twadeɛ nsuo | if you want to lose weight, drink lime juice*

limit VERB 1. bra 2. si ho kwan *(prevent; restrict)*

limitation NOUN 1. akwansideɛ *(restriction)* 2. sintɔ *(shortcoming)*

limp NOUN 1. tɔ gu so 2. ka nan wom; ka wom

limpid ADJ deɛ ani da hɔ

line NOUN nsaneeɛ

lineage NOUN 1. asefoɔ 2. abusua

lineal ADJ aseni *(plural: asefoɔ)*

lineament NOUN anim ahyɛnsodeɛ

linen NOUN nwera

linger VERB twentwɛn; twentwɛn so

lingo NOUN kasa

linguist NOUN 1. ɔkyeame *(a chief/king's linguist)* 2. kasahodoɔ mu nimdefoɔ *(a person skilled in different languages)*

linguistics NOUN kasahodoɔ mu nimdepɛ

liniment NOUN 1. fatwikɛkɛ 2. rɔɔbo *(borrowed)*

link NOUN 1. ayɔnkofa *(a relationship; connection)* 2. nkutahodie 3. nkɔnsɔnkɔnsɔn *(a* *chain)* VERB 4. ka bom *(connect; combine)*

lion NOUN gyata *(plural: agyata)* □ *kwaeɛ mu hene ne gyata | the king of the forest is the lion*

lioness NOUN gyata bedeɛ

lionize VERB hoahoa

lip NOUN 1. anofafa *(body part: fleshy opening of the mouth)* 2. ano *(the edge of a hollow container, e.g. cup)*

liqueur NOUN nsaden

liquid NOUN 1. nsuo *(water)* ADJ 2. nsuo-nsuo; deɛ ɛyɛ nsuo-nsuo *(watery; that which is watery; fluid)*

liquor NOUN nsaden

lisp NOUN tɛkyerɛmabutu; kɛtrɛmabutu

listen VERB 1. tie *(past: tiee/tieɛ; future: bɛtie; progressive: retie; perfect: atie; negative: ntie)* □ *sɛ mekasa a, tie | if I talk, listen* NOUN 2. otie; tie

literacy NOUN 1. atwerɛ ne akenkan ho nimdeɛ *(the ability to read and write)* 2. biribi ho nimdeɛ *(competence/knowledge in something)*

literate ADJ 1. nim atwerɛ ne akenkan *(knows how to write and read)* 2. wɔ biribi mu nimdeɛ *(be knowledgeable in something/a field)* NOUN 3. deɛ ɔtumi twerɛ sane kenkan *(one who can write and read)* 4. deɛ ɔwɔ biribi mu nimdeɛ *(one who is knowledgeable in something/a field)* 5. deɛ wakɔ biribi ho sukuu *(one who has education/has been schooled in something)*

literature NOUN 1. nwoma ahodoɔ 2. nwoma a wɔatintim

litigate VERB twe manso

litigation NOUN mansotwe

litter NOUN 1. nwira VERB 2. yɛ nwira

little ADJ | PRON | ADV 1. ketewa; ketewa bi 2. kakraa; kakraa bi

liturgy NOUN 1. ɔsom 2. asɔrensɛm

live VERB 1. tena ase; te nkwa mu *(remain alive)* 2. te *(live in a particular place; make home in a specific place)* 3. bɔ bra kwan bi so *(live one's life in a particular way)* ADJ 4. deɛ ɔwɔ nkwa *(of a person: one who is living; not dead)* 5. deɛ nkwa wɔ mu *(general: that which has life; which is living)*

livelihood NOUN 1. daadaa aduane *(means of subsistence)*

2. deɛ ɛma nsa kɔ ano *(means of subsistence)*

lively ADJ 1. deɛ ɔkeka ne ho *(of a person: full of life and energy; active)* 2. deɛ ahokeka ne anigyeɛ wɔ *(of a place: full of activity and excitement)*

liver NOUN brɛboɔ □ *nsa asɛe ne brɛboɔ | alcohol has destroyed his/her liver*

livestock NOUN afieboa *(plural: afiemmoa)*

living NOUN 1. akatua *(salary; pay)* 2. ahotɔsoɔ sika *(money that one lives on)* 3. ɔteasefoɔ *(the living, plural: ateasefoɔ)* 4. asetena *(pursuit of a lifestyle)* ADJ 5. deɛ ɔte aseɛ *(of humans/animals: one who's alive)*

lizard NOUN koterɛ *(plural: nkoterɛ)* □ *mesuro nkoterɛ | I am afraid of lizards* □ *koterɛ no foroo dua no | the lizard climbed the tree*

load NOUN 1. adesoa *(plural: nnesoa)* VERB 2. hyehyɛ

loan NOUN 1. bosea VERB 2. de firi 3. de fɛm

lob VERB to

lobby NOUN 1. asa so VERB 2. wurawura aseɛ

lobster NOUN ɔbɔnkɔ *(plural: mmɔnkɔ)*

locate VERB 1. hwehwɛ; hwehwɛ hunu 2. hunu

location NOUN beaeɛ; beaeɛ pɔtee

lock VERB 1. to mu; tom NOUN 2. krado *(padlock)*

locust NOUN atuboa; atutubɛ *(plural: ntutummɛ)*

loft NOUN 1. nsɛmso; nsɛmsodan VERB 2. bɔ; bɔ kɔ sorosoro *(kick; kick high up)* 3. to; to kɔ sorosoro *(throw; throw high up)*

lofty ADJ 1. sorosoro 2. tenteenten

log NOUN 1. duasini VERB 2. twerɛ; twerɛ to hɔ *(write; register; record)*

loggerheads NOUN 1. ayɛaka 2. ntawantawa 3. nwantwini-nwantwini

loin NOUN 1. dwonku 2. ahaa mu; anan mu; nan ntam

loiter VERB twentwɛn nan ase

LOL ACR. SKK (Sere Kwa Kwa)

lone ADJ 1. ankonam 2. ɔkɔntɛkorɔ

long ADJ 1. tenten *(attributive)* 2. ware; wa *(predicative)* ADV 3. kyɛ *(for a long time; keep long)* □ *mekɔɔ hɔ akyɛ* | *it's been long since I went there*

longevity NOUN nkwa tenten

look VERB 1. hwɛ NOUN 2. adehwɛ

loom NOUN 1. asadua VERB 2. bobɔ ba 3. pue

loose ADJ 1. hodwo; deɛ ahodwo 2. deɛ ɛgo; deɛ emu goɔ VERB 3. go nsam *(relax grip)* 4. gyae *(free; set free; release)*

loosen VERB go; go mu *(past: goo/goeɛ; future: bɛgo; progressive: rego; perfect: ago; negative: ngo)* □ *Kofi goo mu* | *Kofi loosened it*

loot NOUN 1. korɔnodeɛ VERB 2. wia 3. bɔ korɔno

lop VERB twa twene

lopsided ADJ deɛ ɛfa sene fa

loquacious ADJ ɔkasafoɔ; deɛ ɔpɛ kasa

lord NOUN 1. owura; onimuonyamfoɔ *(nobleman)* 2. Onyankopɔn *(God)* 3. Awurade *(God)* 4. Nyame *(God)* 5. Ɔbɔadeɛ *(God)* 6. Otweduampɔn *(God)*

lorry NOUN 1. lɔre *(borrowed)* 2. ɛhyɛn; hyɛn

lose VERB 1. hwere *(cease to have/retain)* 2. yera *(mislay)* 3. di nkoguo *(in a competition)*

lot PRON 1. bebree; pii *(many; plenty; a large number)* 2. nyinaa *(the whole number; all)* NOUN 3. ekuo *(group)* 4. hyɛberɛ *(destiny; fate)* 5. ntonto; kyakya

lotion NOUN nku

loud ADJ ano yɛ den; deɛ ano yɛ den *(of noise)*

louse NOUN edwie

love NOUN 1. ɔdɔ □ *ɛyɛ ɔdɔ nko ara* | *it's all love* akoma *(shape)* VERB 2. dɔ □ *medɔ wo* | *I love you*

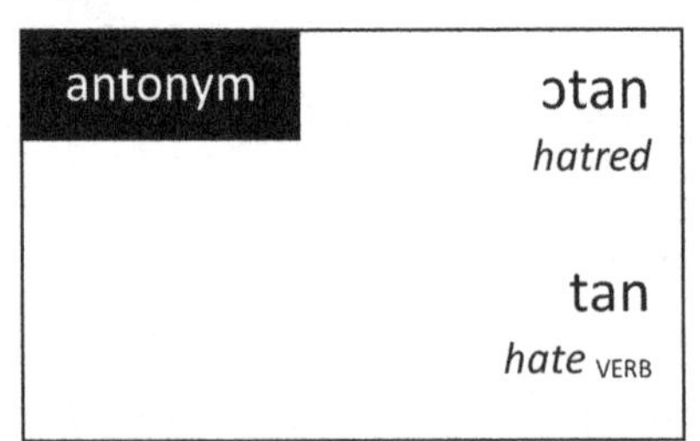

antonym

ɔtan
hatred

tan
hate VERB

low ADJ 1. deɛ ɛwɔ fam 2. ase

lower abdomen NOUN ayaaseɛ

lower ADJ 1. deɛ ɛwɔ fam VERB 2. brɛ ase 3. ka hyɛ

loyal ADJ nokwafoɔ

lubricant NOUN ngo

lubricate VERB gu mu ngo

lucid ADJ 1. fann; deɛ emu da hɔ fann; deɛ nteaseɛ wɔ mu *(clearly; comprehensible)* 2. deɛ n'adwene mu da hɔ fann *(rational; one who's rational; sane)*

luck NOUN tiri nkwa

lucky ADJ tiri yɛ □ *wo tiri yɛ | you are lucky*

lucrative ADJ 1. deɛ sika wɔ mu 2. deɛ mfasoɔ wɔ so

ludicrous ADJ nyansa nnim; deɛ nyansa nnim

ludo NOUN ludu *(borrowed)*

lug VERB 1. soa *(carry)* 2. pagya *(lift)* 3. twe *(drag)*

luggage NOUN 1. nnoɔma 2. adesoa

lukewarm ADJ 1. dedɛɛdedɛɛ *(of liquid/food: moderately warm; tepid)* 2. boturobodwo *(of attitude)* 3. nyaatwom *(of attitude)*

lullaby NOUN dwom a wɔde deda abɔfra

lumbago NOUN sisiyareɛ

lumber NOUN nnua

lump NOUN 1. badwoa *(of a person/animal's body: a swelling under the skin, plural: mmadwoa)* 2. aba *(general: a compact mass of substance)* 3. ɛtoa ADJ 4. puduo; sika puduo *(of money: a single payment at a particular time; lump sum)* 5. botene; sika botene *(of money: a single payment at a particular time; lump sum)*

lump sum NOUN sika botene

lunacy NOUN adammɔ

lunatic NOUN 1. ɔbɔdamfoɔ *(plural: abɔdamfoɔ)* 2. deɛ n'adwene mu ka no

lunch NOUN awia aduane

lung NOUN ahrawa □ *obiara wɔ ahrawa mmienu | everyone has two lungs (a pair of)*

lure VERB 1. daadaa 2. to bradɛ

lurk VERB 1. tetɛ; tɛ 2. hinta baabi

luscious ADJ 1. deɛ ɛyɛ dɛ *(of food/drink)* 2. dɔkɔkɔkɔ; fenemfenem *(of drink)* 3. deɛ ne ho yɛ akɔnnɔ *(of a woman)*

lust NOUN 1. akɔnnɔ bɔne 2. atenka bɔne VERB 3. nya obi ho akɔnnɔ bɔne

lustre NOUN 1. animuonyam *(glory)* 2. ɛhann; deɛ ɛhyerɛnn *(of glow; shine; brightness)*

lusty ADJ 1. deɛ ne ho tua ne ho soɔ *(one who's healthy and* *strong)* 2. deɛ ɔwɔ ahoɔden *(one with strength)*

luxury NOUN 1. ateyie 2. ahotɔ 3. asetena pa

lynch VERB 1. si aboɔ *(with stones)* 2. tu gu so boro 3. di mpaborɔ 4. kum *(kill)*

Mm

macaroni NOUN taalia

machete NOUN 1. nkrantɛ 2. kotokuro

machination NOUN 1. adwemmɔne 2. tirimupɔ bɔne 2. nsusuiɛ bɔne

machine NOUN 1. afidie *(general, plural: mfidie)* 2. adepam afidie *(sewing machine)*

mad ADJ 1. abɔ dam; adammɔ *(crazy)* 2. bo afu; abufuo *(angry)*

madam NOUN awuraba

madden VERB hyɛ abufuo

magazine NOUN 1. akodeɛ korabea *(a store for arms/ammunition/explosives)* 2. adekoradan

maggot NOUN nnokoboa *(plural: nnokommoa)*

magic NOUN 1. korofasa 2. nkonyaa 3. nyankomade

magical ADJ 1. deɛ ɛyɛ fɛ *(that which is beautiful)* 2. deɛ ɛfa nkonyaayie ho *(that which relates to magic)*

magician NOUN 1. deɛ ɔyɛ korofasa 2. nkonyaayifoɔ; deɛ oyi nkonyaa 3. deɛ ɔyɛ nyankomade

magistrate NOUN otemmuafoɔ

magnate NOUN 1. osikani 2. ɔdefoɔ mmapa 3. deɛ ɔwɔ sika ne tumi

magnet NOUN twebɔɔ

magnification NOUN 1. kɛseyɔ 2. animuonyamhyɛ *(dignification)* 3. ntontom; nkamfoɔ *(exaltation; glorification; praise)*

magnificent ADJ 1. fɛɛfɛ; deɛ ɛyɛ fɛ *(beautiful; that which is beautiful)* 2. papa pa ara *(very good; excellent)*

magnify VERB 1. yɛ kɛseɛ; ma ɛyɛ kɛseɛ *(make huge)* 2. hyɛ animuonyam *(dignify)* 3.

tontom; kamfo *(exalt; glorify; praise)*

magnitude NOUN ne kɛseɛ; biribi kɛseɛ *(the great size or extent of something)*

maid NOUN 1. abaawa 2. afena

maiden NOUN ababaawa

maidservant NOUN 1. abaawa 2. fidua mu abaawa

mail NOUN krataa *(letter)*

mailbox NOUN nkratoɔ adaka

maim VERB 1. di dɛm 2. pira

main ADJ 1. ankasa 2. pɔtee

main clause NOUN ɔkasamufa titire; kasamufa titire

maintain VERB 1. kura mu; kuram *(cause/enable something's continuation)* 2. ma ɛgyina faako *(keep at the same rate/level)* 3. siesie *(keep in good condition; repair)*

maintenance NOUN nsiesie

maize NOUN aburoo □ *aburoo ne nkateɛ | maize and peanut*

majesty NOUN 1. animuonyam *(dignity)* 2. tumi *(power; authority)* 3. otumfoɔ *(royal title)*

major ADJ 1. titire 2. deɛ ɛho hia pa ara

majority NOUN dodoɔ

make VERB 1. yɛ *(do)* 2. bɔ *(create)* 2. nwene *(weave)* 3. ma obi yɛ; hyɛ ma obi yɛ *(compel someone to do)* 4. noa *(cook)*

malady NOUN yareɛ; yadeɛ

malaria NOUN 1. huraeɛ 2. atiridii

male NOUN 1. barima *(plural: mmarima)* 2. nini *(attached to animal names to indicate the female sex)*

malefactor NOUN 1. ɔdebɔneyɛfoɔ 2. omumuyɛfoɔ

malice NOUN 1. adwemmɔne 2. tirimupɔ bɔne

malicious ADJ deɛ adwemmɔne aba ne tirim

malign VERB 1. wowɔ ase; wowɔ obi ase 2. di nsekuro; di obi ho nsekuro

malinger VERB patu yare

mallet NOUN abɔsobaa

malodorous ADJ 1. kankan 2. deɛ ɛbɔn

maltreat VERB 1. tan ani 2. teetee

maltreatment NOUN 1. anitan 2. ateetee

mammon NOUN ahonyadeɛ

mammoth ADJ 1. kɛse pa ara 2. kakraa

man NOUN 1. barima *(female, plural: mmarima)* 2. papa *(adult* *human female, plural: mpapafoɔ)* □ *papa no ada | the man is asleep meyɛ barima | I am a man* 3. onipa; nipa; onipa dasani *(human being, plural: nnipa)*

manacle NOUN 1. adansa 2. abankaba 3. kɔnsɔnkɔnsɔn

manage VERB 1. toto 2. hwɛ so *(oversee; be in charge)* 3. siesie *(resolve)*

manager NOUN 1. ɔhwɛsofoɔ 2. opanin; adwuma bi mu panin

mane NOUN 1. nwi tenten *(general)* 2. aboa kɔn akyi nwi tenten *(of an animal)*

manger NOUN mmoa adididaka

mangle VERB 1. sɛe; sɛesɛe *(destroy; damage)* 2. pira *(injure)* 3. pae; paepae *(crush)*

mango NOUN amango *(borrowed)* □ *te amango no ma me | pluck me the mango*

manhandle VERB 1. twe ase *(roughly drag someone)* 2. piapia *(roughly keep pushing someone)*

manhole NOUN 1. amena donkudonku 2. tiafi amena; tiafi bɔnka

manhood NOUN 1. mmaninyɛ *(the state/period of being a man)* 2. ɔbarimayɛ *(the state/period of being a man)* 3. kɔteɛ *(penis)*

manicure NOUN nsa ne nsa bɔwerɛ ho asiesie

manifest VERB da adi

manifesto NOUN amanyɔkuo anisoadehunu; dwumadie a ɛsi amanyɔkuo bi ani so *(of a political party)*

manikin NOUN antorohweɛ

manipulate VERB 1. danedane; daadane *(handle in a skillful manner)* 2. hyehyɛ aseɛ; daadaa *(secretly and cleverly influence a person/situation)*

manipulation NOUN nnaadaa

mankind NOUN adasamma

manliness NOUN 1. mmaninyɛ 2. mmarimasɛm

manna NOUN 1. maana *(borrowed)* 2. ɔsoro aduane

manner NOUN 1. yɔbea *(a way in which something is done or happens)* 2. suban *(character; attitude; behaviour)* 3. nteteeɛ pa *(well-bred behaviour)* 4. tebea *(appearance; characteristics)*

mannish ADJ ɔbaa-barima

mansion NOUN efikɛseɛ

manslaughter NOUN 1. nnipakum 2. awudie

manual ADJ 1. nsaano; deɛ wɔde nsa yɛ *(handi-; that which is done with the hand)* 2. ahoɔden; ahoɔdennwuma *(labouring; manual work)* NOUN 3. nhyehyɛeɛ nwoma *(instructional handbook)*

manufacture VERB 1. yɔ 2. bɔ 3. nwono

manure NOUN 1. mmoa agyanan 2. mmoa bini 3. ɔyɛasaseyie

manuscript NOUN nwoma a wɔde nsa atwerɛ

many ADJ | PRON 1. pii 2. bebree 3. dodoɔ

map NOUN 1. akyerɛkyerɛkwan 2. akwankyerɛdeɛ

mar VERB sɛe

March NOUN Ɔbɛnem □ *papa no bɛba ha Ɔbɛnem bosome mu | the man will come here in the month of March*

mare NOUN pɔnkɔ bedeɛ

margarine NOUN bɔta *(borrowed)*

marijuana NOUN 1. abonsamtawa 2. tampe 3. wii *(borrowed)*

marital ADJ 1. deɛ ɛfa awareɛ ho 2. awareɛ mu nsɛm

market NOUN 1. edwom; dwam *(the place)* 2. dwadie *(the activity)* VERB 3. bɔ ho dawuro *(advertise)*

marketing NOUN 1. dawurubɔ *(advertising; promotion)* 2. dwadie *(the action of selling)*

marriage NOUN awareɛ □ *awareɛ kwan wa | the marriage journey is long*

antonym	awaregyaeɛ *divorce*

marry VERB 1. ware *(in marriage)* 2. ka bɔ mu; ka bom *(combine)*

mart NOUN dwadibea

martial ADJ ntɔkwasɛm; deɛ ɛfa ntɔkwako ho

martyr NOUN mogyadansefoɔ

marvel VERB 1. ma ho dwiri wo; ma ahodwiri hyɛ ma NOUN 2. deɛ ɛma ahodwiri 3. anwonwadeɛ

marvelous ADJ 1. deɛ ɛyɛ nwonwa 2. deɛ ɛma ahodwiri

mascot NOUN 1. nipa a siadeɛ wɔ ne ho 2. deɛ ɛde siadeɛ ba

masculine NOUN 1. barima; deɛ ɛfa mmarima ho *(male; that which relates to men)* 2. deɛ wabɔ *(one who's mascular; macho)*

mask NOUN nkataanim

mason NOUN 1. ɔbotoni 2. ɔdansifoɔ

massacre NOUN 1. nnipa dodoɔ kum; nnipa dodoɔ awudie VERB 2. kum nnipa dodoɔ; di nnipa dodoɔ awu

massage VERB 1. miamia NOUN 2. amiamia

massive ADJ 1. kakraa; kɛseɛ *(large)* 2. duruduru *(heavy)* 3. kɛse pa ara *(very large)*

master key NOUN apono dodoɔ safoa

master NOUN 1. owura 2. opanin

masturbate VERB 1. sosɔ barima mu *(of males)* 2. twetwe kɔte *(of males: offensive)* 3. de nsa hyehyɛ ase *(of females: offensive)*

mat NOUN kɛtɛ □ *fa kɛtɛ no brɛ me | bring me the mat*

match NOUN 1. burogya *(flame-producing wooden stick)* 2. akansie *(contest)* 3. afɛ *(coequal)*

matchet NOUN 1. nkrantɛ 2. kotokuro

mate NOUN 1. ɔyɔnkoɔ *(mate; colleague; friend)* 2. ɔboafoɔ *(helper)* 3. tipɛn *(age mate)* 4. okunu *(husband)* 5. ɔyere *(wife)* 6. mpena *(boyfriend; girlfriend)*

material NOUN 1. adeɛ *(something; stuff; substance)* 2. ntoma; ntomatam *(cloth)*

mathematician NOUN nkontabuo mu ɔbemfo

mathematics NOUN nkontabuo

matricide NOUN 1. maamekum 2. maame awudie

matrimony NOUN awareɛ

mattock NOUN asɔsɔ

mattress NOUN 1. pikyi 2. matrase *(borrowed)*

mature ADJ 1. anyini; deɛ anyini VERB 2. nyini *(grow)*

maximum NOUN 1. mpɛmpɛnso kɛseɛ 2. ne kɛseɛ pa ara *(as huge/great as possible)* 3. ne tenten pa ara *(as tall/high as possible)*

may NOUN bɛtumi *(expressing possibility; used to ask for or to give permission)*

May NOUN Kotonimma □ *osuo tɔɔ Kotonimma bosome mu | it rained in the month of May*

maybe ADV ebia □ *ebia ɔbɛba | maybe he/she will come*

meagre ADJ 1. ketewa bi 2. kakraa bi 3. deɛ esua

meal NOUN aduane

mean VERB 1. kyerɛ; kyerɛ sɛ *(signify)* ADJ 2. deɛ ne tirim yɛ den *(one who's not generous; unkind)*

meander VERB 1. manemane 2. kyeakyea

means NOUN 1. akwan *(ways)* 2. sika *(money)*

measles NOUN 1. ntoburo 2. ntɛnkyɛm

measly ADJ ketekete

measure VERB susu

measurement NOUN nsusuiɛ

meat NOUN 1. mogyanam 2. nam

mechanic NOUN 1. afidie dwomfoɔ 2. afidie siesiefoɔ; deɛ ɔsiesie afidie

mechanism NOUN 1. ɛkwan 2. nhyehyɛeɛ

medal NOUN animuonyamhyɛdeɛ

meddle VERB 1. de ho wurawura mu 2. de ho hyehyɛ mu

media NOUN dawurubɔ dwuma

mediate VERB 1. di asɛm 2. siesie; siesie asɛm 3. pata

medicate NOUN ma aduro

medication NOUN aduro

medicinal ADJ deɛ ɛsa yareɛ; deɛ ɛtumi sa yareɛ

medicine NOUN aduro *(plural: nnuro)* □ *aduro no yɛ nwono | the medicine is bitter*

meditate VERB dwene ho kɔ akyire *(think deeply about something)*

meditation NOUN 1. mpaebɔ *(prayer)* 2. dinnyɔ *(silence)*

medium NOUN 1. akwan *(means)* ADJ 2. hɔ-ne-hɔ *(average)* 3. mfimfini *(middle)*

meek ADJ 1. dinn; deɛ ɔyɛ dinn *(quiet; one who's quiet)* 2. deɛ ɔwɔ aboterɛ *(one who's patient)* 3. deɛ ɔbrɛ ne ho ase *(one who's calm; submissive)* 4. deɛ ɔmma ne ho so *(one who isn't arrogant)*

meekness NOUN 1. ɔdwoɔ 2. mmerɛwyɛ

meet VERB 1. hyia NOUN 2. nhyiamu

meeting NOUN nhyiamu

melancholy NOUN awerɛhoɔ *(sadness)*

melange NOUN mfrafraeɛ

melon NOUN ɛferɛ

melt VERB nane *(past: nanee/naneeɛ; future: bɛnane; progressive: renane; perfect: anane; negative: nnane)*

member NOUN 1. ekuoba *(...of a group)* 2. deɛ ɔka ho; deɛ ɔka dwumadie bi ho

memorial NOUN nkaedeɛ

memory NOUN 1. adwene *(mind)* 2. nkaeɛ *(remembrance; recollection)*

menace NOUN ɔhaw

mend VERB 1. siesie *(repair)* 2. pam *(sew)* NOUN 3. asiesie

mendacious ADJ nka nokorɛ; deɛ ɔnka nokorɛ

mendicant NOUN 1. ɔdesrɛfoɔ 2. ɔsrɛsrɛfoɔ

menopause NOUN bratwa

menstruate VERB 1. yɛ bra 2. bu nsa 3. kɔ afikyire

menstruation NOUN 1. brayɛ 2. nsabuo 3. mfikyirekɔ

menswear NOUN 1. mmarima afadeɛ 2. mmarima ntadeɛ

mental ADJ adwene mu *(phsychiatric; relating to the mind)*

mention VERB 1. bɔ din 2. ka

mentor NOUN 1. ofutufoɔ *(advisor)* VERB 2. tu fo *(advise)* 3. tete *(train)*

merchant NOUN odwadini *(plural: adwadifoɔ)*

merciful ADJ mmɔborɔhunufoɔ; deɛ ɔwɔ ahummɔborɔ

mercy NOUN 1. ahummɔborɔ 2. bɔnefakyɛ *(forgiveness)*

mere ADJ 1. kɛkɛ 2. hunu; hunu kwa 3. kwa

merge VERB ka bom

merger NOUN nkabomu

mermaid NOUN maame wata

merry ADJ anigyeɛ; anigyeɛ mmorosoɔ

mesh NOUN 1. mmɛsa; mmɛsawɔ VERB 2. bɔ mmɛsa

mess NOUN 1. efi *(dirt; filth)* 2. agyanan; ebini *(of an animal: excrement; dung)* VERB 3. yɛ fi *(make dirt/filth)* 4. gya nan; ne *(of an animal: defecate)*

message NOUN 1. nkra 2. nkraboɔ 3. asɛm VERB 4. to nkra

messenger NOUN ɔsomafoɔ

Messiah NOUN Agyenkwa

metal NOUN dadeɛ *(plural: nnadeɛ)*

metaphor NOUN nnyinahɔma

meteor NOUN 1. nsorommatuadua 2. wiem apayerɛ

meteorological ADJ deɛ ɛfa ewiem nsakraeɛ ho

meteorology NOUN ewiem nsakraeɛ ho adesua

meter NOUN 1. susufidie *(general)* 2. anyinam ahoɔden susufidie *(of electricity)* 3. nsuo dodoɔ susufidie *(of water)*

method NOUN ɛkwan; ɛkwan a wɔfa so yɛ biribi; ɛkwan a wɔfa so di dwuma bi

meticulous ADJ 1. fenenkyem 2. wɔanowɔano

metropolis NOUN 1. ahenkuro 2. kuro kɛseɛ

mettle NOUN 1. nwetasoɔ *(resilience; fortitude)* 2. akokoɔduro *(courage)*

micro ADJ ketewa; ketekete

microphone NOUN ɔkasamu

midday NOUN prɛmtoberɛ

midnight NOUN 1. anadwo dasuom 2. ɔdasuom 3. anadwofa 4. anadwo kɔnkɔn

midwife NOUN 1. awogyefoɔ VERB 2. gye awoɔ

midwifery NOUN awogyeɛ

migraine NOUN 1. asoroben 2. tipaeɛ

migrate VERB tu kɔ; tu kɔ beaeɛ foforɔ

mild ADJ 1. dedɛɛdedɛɛ *(of substance temperature: moderately warm)* 2. ano nyɛ den; deɛ ano nyɛ den *(not severe/harsh; that which is not severe/harsh)* 3. da dinn; deɛ ɔda dinn

milk NOUN 1. nufosuo 2. meleke *(borrowed)* VERB 3. twe nufosuo *(draw milk)* 4. didi ho *(get advantage from; exploit)*

mill NOUN 1. nikanika *(a piece of machinery for grinding grains)* VERB 2. yam; yam wɔ nikanika mu *(grind; grind in a mill)*

millennium NOUN mfeɛ apem

milliner NOUN deɛ ɔtɔn mmaa kyɛ

millipede NOUN kankabi *(plural: nkankabi)*

mimic VERB suasua

mince VERB twitwa nketenkete *(of food/meat: cut into very small pieces)*

mind NOUN adwene

mine PRON 1. me dea 2. wɔ me NOUN 3. fagudeɛtubea *(a place where minerals are mined)* 4. nkon so VERB 5. tu fagudeɛ

mineral NOUN fagudeɛ

mingle VERB 1. di afra *(mix)* 2. ne afoforɔ di agorɔ *(play with others; engage with others in a social function)* 3. ne afoforɔ nante *(move with others)*

mini PREFIX *mini-* |

used as a **SUFFIX** in Twi

1. -wa ADJ 2. ketewa

minimize VERB 1. brɛ ano ase 2. te so 3. dwo ano

minimum NOUN 1. aseɛ koraa *(of depth; lowest)* ADJ 2. ne ketewa koraa 3. deɛ ɛsua koraa

minister NOUN 1. ɔsoafoɔ; aban soafoɔ *(in governance)* 2. asoeɛ bi soafoɔ *(in governance)* 3. aban nanmusini *(in governance)* 4. ɔsɔfoɔ *(clergy)*

ministry NOUN asoeɛ

ministry of interior NOUN 1. afisɛm asoeɛ 2. asoeɛ a ɛhwɛ afisɛm

minor ADJ 1. deɛ ɛho nhia *(that which is not important)* 2. ketewa; nketenkete *(small)* NOUN 3. abɔfra 4. akwadaa

minority NOUN 1. ɔfa ketewa *(a smaller part)* 2. ɛdɔm kumaa *(a smaller faction, e.g. in parliament)*

mint NOUN sikatwabea *(money-making place)*

minus VERB te firi mu; yi firi mu

minute NOUN 1. simma *(of time)* ADJ 2. ketekete

miracle NOUN 1. nsɛnkyerɛnne 2. anwonwadeɛ

mirror NOUN ahwehwɛ □ *m'ahwehwɛ no abɔ* | *my mirror has broken*

misadventure NOUN 1. asiane 2. mmusuo

misanthrope NOUN 1. deɛ ɔkyiri nnipa 2. deɛ ɔmpɛ nnipa

misbehave VERB 1. yɛ deɛ ɛnsɛ 2. da suban bɔne adi

misbehaviour NOUN nneyɛɛ bɔne

miscarriage NOUN apɔn *(of pregnancy)*

miscarry VERB pɔn *(of pregnancy)*

mischief NOUN amumuyɔ

misconceive VERB nya nteaseɛ bɔne; nya nteaseɛ a ɛnyɛ nokorɛ

misconception NOUN nteaseɛ bɔne; nteaseɛ a ɛnyɛ nokorɛ

misdemeanour NOUN bɔne ketewa bi

miser NOUN pɛpɛɛ; deɛ ɔyɛ pɛpɛɛ

miserable ADJ 1. yɛ mmɔbɔ 2. werɛ ho

misery NOUN 1. amanneɛ 2. amanehunu

misfortune NOUN 1. mmusuo 2. asiane

misgiving NOUN 1. akyinnyegyeɛ 2. abotu

misguide VERB daadaa

mishap NOUN asiane

mislay VERB 1. fom tobea 2. de to bɔne

mislead VERB 1. daadaa 2. to bradɛ 3. ma adwene bɔne

misplace VERB 1. yera 2. fa to bɔne

misprint NOUN nwoma tintim mu mfomsoɔ

missile NOUN 1. topaeɛ kodiawuo 2. topaeɛ kɛseɛ

mission NOUN 1. botaeɛ 2. asɛmpamuterɛ

mist NOUN 1. kusukusu 2. mununkum

mistake NOUN mfomsoɔ

mistress NOUN awuraa

misunderstand VERB nya nteaseɛ bɔne

misunderstanding NOUN 1. nwantwininwantwini 2. akasakasa 3. nteaseɛ bɔne

misuse VERB 1. de di dwuma bɔne 2. sɛe

mitigate VERB 1. brɛ ano ase 2. dwodwo

mitten NOUN nsabɔha

mix VERB 1. fra; ka fra 2. di afra 3. ka bom *(combine)*

moan VERB su; su nketenkete

mob NOUN 1. ɛdɔm; nnipadɔm VERB 2. bɔ dɔmpem 3. di mpaborɔ

mobile phone NOUN 1. megyina-abɔntene-na-merekasa-yi 2. ahomatorofoɔ

mobilise VERB 1. boaboa ano 2. yɛ dɔm

mock VERB 1. tweetwee 2. huro 3. di ho fɛw 4. sere

mode NOUN 1. su 2. ɛkwan; ɛkwankorɔ

model NOUN 1. nhwɛsoɔ VERB 2. nwono

moderate ADJ 1. ɛhɔ-ne-hɔ 2. kakraa bi

modern ADJ 1. abɛɛfo 2. nnɛɛmafoɔ

modest ADJ 1. deɛ ɔnnwa n'anom 2. deɛ ɔntu ne ho

modicum NOUN ketewa bi; ketewa

modification NOUN 1. nsakraeɛ 2. nsesaeɛ

modify VERB 1. sesa mu 2. sakra mu 3. yɛ nsakraeɛ

Mohammedan NOUN 1. Kramoni 2. Mohamɛd akyidini

moist ADJ deɛ emu afɔ kakra

moisten VERB fɔ; fɔ mu kakra

molest VERB 1. teetee 2. to mmonnaa *(rape; sexually abuse)*

moment NOUN 1. anitwa 2. ahuntwam 3. aniwabu ADJ 4. seesei ara *(presently; right now)* 5. amonom hɔ ara *(right at the time)*

momentum NOUN ano den

monarch NOUN 1. ɔhene; ɔhempɔn; ɔhempɔporɔ *(king)* 2. ɔhemmaa *(queen)*

monarchy NOUN 1. ahennie 2. ahemman

monastery NOUN ahotefoɔ fie

Monday NOUN Ɛdwoada □ *Wobɛkɔ adwuma Dwoada? | will you go to work on Monday?*

money NOUN sika

monitor NOUN 1. ɔhwɛsofoɔ *(of a person)* 2. ofutufoɔ *(of a person)*

monitor lizard NOUN ɔmampam

monk NOUN barima ɔhoteni

monkey NOUN adoe *(plural: nnoe)* □ *hwan na ɔdi kwadu? Adoe! | who eats banana? Monkey!*

monogamy NOUN 1. ɔyekoro awareɛ *(marriage to one wife)* 2. okunukoro awareɛ *(marriage to one husband)*

monopolise VERB 1. gye taa ani ase 2. gye gyinam 3. nko ara yɛ

monotonous ADJ 1. deɛ ɛyɛ aniha 2. deɛ ahokeka nnim

monster NOUN 1. ɔbɔpɔn 2. kakae 3. kaakaamotobi

month NOUN bosome *(plural: abosome)* □ *bosome bɛn na wɔwoo wo? | in which month were you born?*

monthly ADJ bosome-bosome

monument NOUN 1. nkaedum 2. nkaedeɛ

moo VERB yɛ muu; su muu *(make the sound of a cattle)*

moon NOUN 1. ɔsramo; ɔsram 2. bosome

mop NOUN 1. apopadeɛ VERB 2. popa

moral NOUN 1. asuadeɛ *(lesson)* 2. abrabɔpa 3. ahonim 3. nneyɛɛ pa

morale NOUN 1. ahokeka 2. gyedie 3. adwenemteɛ

more DET | PRON 1. bebree ADV 2. kyɛn; sene *(than; to a greater extent)*

morgue NOUN 1. efunu korabea 2. mɔkyere *(borrowed)*

morning NOUN | ADV anɔpa □ *anɔpa biara | every morning* □ *ɔkyerɛkyerɛni no baa ha anɔpa | the teacher came here in the morning*

moron NOUN ɔkwasea

morsel NOUN 1. torɔma 2. nkɔntɔmmoa *(big morsel)*

mortal ADJ 1. ɔdasani; nipa Dasani 2. deɛ ɔntena afebɔɔ; deɛ ɔbɛtumi awu

mortar NOUN waduro □ *waduro ne wɔma | mortar and pestle*

mortgage NOUN 1. awowa; awowasie 2. bosea *(loan)* VERB 3. di si awowa

mortuary NOUN 1. efunu korabea 2. mɔkyere *(borrowed)*

Moslem NOUN Kramoni *(plural: Nkramofoɔ)*

mosque NOUN 1. masalakyi 2. Nkramosombea 3. Nkramofoɔ asɔredan

mosquito NOUN ntontom □ *ntontom no kaa m'afono | the mosquito bit my cheek*

mother NOUN 1. ɛna; na 2. maame 3. oni; ni □ *Yaa maame pɛ m'asɛm | Yaa's mother likes me* □ *manhunu me na kɔsii sɛ medii mfeɛ aduonu | I didn't see my mother until I turned twenty years old* □ *wo se ne wo ni | your father and your mother (may be an insult)* VERB 4. yɛ maame *(be a mother)* 5. tete; tete abɔfra ɔdɔ mu *(bring up a child with love and care)*

mother-in-law NOUN asew baa; ase baa

motion NOUN 1. kankorɔ *(of movement)* 2. anammɔntuo *(of movement)* 3. asɛmpɔ

motivate VERB hyɛ nkuran

motivation NOUN nkuranhyɛ

motor NOUN afidie

motto NOUN 1. asɛmpɔ 2. nyansakasa

mound NOUN 1. kofie VERB 2. bɔ kofie

mount VERB foro *(climb)*

mountain NOUN bepɔ

mourn VERB 1. su 2. gyam

mourning NOUN 1. esu 2. ogyam

mouse NOUN akura *(plural: nkura)* □ *agyinamoa no akye akura no | the cat has caught the mouse*

moustache NOUN 1. ano ho nwi; ano nwi 2. mfemfem

mouth NOUN ano □ *mede m'ano bɛyi Nyankopɔn ayɛ | I will praise God with my mouth*

move VERB 1. kɔ 2. keka ho 3. tu anammɔn

movie NOUN sini

Mr NOUN Owura

Mrs NOUN Owurayere

mucous NOUN 1. amamman 2. amman

mud NOUN 1. atɛkyɛ 2. aforɔ

mudfish NOUN 1. adwene 2. opitire

mug NOUN 1. kuruwa kɛseɛ 2. kɔɔpo *(borrowed)* 3. bonsua

mulatto NOUN 1. oburoni pɛtɛ 2. omuratoni

multiply VERB 1. dɔre; ma ɛdɔre *(increase in number)* 2. ma ɛdɔɔso *(increase in number)*

multitude NOUN 1. nnipadɔm 2. nnipakuo

mummy NOUN 1. efunu a wɔakora *(of a corpse)* 2. maame *(one's mother)*

munch VERB we; wesa

munition NOUN akodeɛ

murder NOUN 1. awudie 2. nipakum VERB 3. di awu 4. kum nipa

murderer NOUN 1. owudini *(murderer, plural: awudifoɔ)* 2. odiawuo

murky ADJ 1. kusuu 2. tumm 3. deɛ ani nte

murmur VERB 1. kasa ketekete 2. nwiinwii

museum NOUN tete nneɛma akoraeɛ

mushroom NOUN emmire

music NOUN nnwom

musician NOUN dwontoni *(plural: adwontofoɔ)*

Muslim NOUN Kramoni *(plural: nkramofoɔ)*

must VERB 1. sɛ sɛ 2. wɔ sɛ

mustache NOUN ano nwi; ano ho nwi

muster VERB 1. boa ano NOUN 2. nhyiamu

mutable ADJ 6. ɛtumi sesa; deɛ ɛtumi sesa *(liable to change; that which is liable to change)*

mute ADJ 1. dinn 2. komm NOUN 3. emmum; mmum *(dumb; one who lacks speaking ability)* VERB 4. yɛ dinn 5. yɛ komm

mutilate VERB 1. twitwa; twitwa basabasa 2. dwidwa 3. di dɛm 4. pirapira

mutiny NOUN 1. atuateɛ 2. basabasayɔ VERB 3. te atua

mutter VERB 1. ka hyɛ hwene mu; kasa hwenem 2. nwiinwii

mutton NOUN odwannam

my 1ST PERSON SINGULAR POSSESSIVE ADJ me *(changes into the prefix m' when the name of the possessed entity starts with the letter 'a')* □ *me nwoma no da akonnwa no so | my book is (lying) on the chair* □ *m'agya ne me na | my father and my mother* □ *m'adaka no ayɛ ma | my box is full*

myopic ADJ deɛ n'ani nhunu akyire

myself PRON

reflexive

1. me ho □ *medɔ me ho | I love myself* □ *meresere me ho | I am laughing at myself*

PRON

intensive

2. me ara □ *me ara na mekaeɛ | I said it myself*

mysterious ADJ 1. ɛyɛ hu; deɛ ɛyɛ hu 2. ɛyɛ nwonwa; deɛ ɛyɛ nwonwa

mystery NOUN ahintasɛm

Nn

nag VERB kwane
nail NOUN 1. dadewa *(a piece of metal spike with a flat head)* 2. nsa bɔwerɛ *(fingernail, plural: nsa mmɔwerɛ)* 3. nan bɔwerɛ *(toenail, plural: nan mmɔwerɛ)* VERB 4. bɔ dadewa *(strike nail into)*
naked ADJ 1. da adagya; deɛ ɔda adagya 2. deɛ wabɔ kwaterekwa
nakedness NOUN 1. adagya 2. kwaterekwa
name NOUN 1. edin VERB 2. bɔ din
nanny NOUN 1. akwadaa so hwɛfoɔ VERB 2. hwɛ akwadaa so
nap NOUN 1. anisoyie VERB 2. yi ani so 3. da kakra
nape NOUN kɔn akyi
napkin NOUN apopadeɛ
narrate VERB 1. ka 2. kyerɛ mu
narrow ADJ 1. hiahia 2. teaa; teatea 3. feaa; feafea
nasty ADJ 1. ɛnyɛ koraa; deɛ ɛnyɛ koraa 2. tan; tantan 3. deɛ ɛmfata
natal ADJ 1. deɛ ɛfa awogyebea ho *(relating to one's birthplace)* 2. deɛ ɛfa awogyeberɛ ho *(relating to one's birth time)*
nation NOUN ɔman *(plural: aman)*
native NOUN | ADJ 1. ɔmanni 2. kuromanni
natural ADJ deɛ ɛfiri abɔdeɛ
nature NOUN 1. su *(features; character; qualities of something)* 2. abɔdeɛ *(physical world collectively: plants; animals; etc)*
naughtiness NOUN ahuhusɛm
naughty ADJ 1. deɛ ɔha adwene 2. deɛ ɔyɛ huhu
nausea NOUN abofono

navel (belly button) NOUN afunuma

navel NOUN afunuma

near ADV 1. bɛn ADJ 2. bɛnkyɛeɛ

neat ADJ ɛho te

neatness NOUN ahoteɛ

necessary ADJ 1. ɛho hia NOUN 2. ahiadeɛ

necessity NOUN ahiadeɛ

neck NOUN ɛkɔn □ *Asumadu kɔn wa | Asumadu's neck is long*

necklace NOUN kɔnmuadeɛ

necktie NOUN abɔmenemu

need VERB 1. hia *(negative: nhia)* □ *ɔse ɔhia wo | he/she says he/she needs you* □ *wohia deɛn? | what do you need?* □ *mɛnkɔ nnya me; mehia wo | don't go and leave me; I need you* NOUN 2. ahiadeɛ

needle NOUN paneɛ *(plural: mpaneɛ)* □ *Adwoa suro mpaneɛ | Adwoa is afraid of needles*

needy ADJ 1. deɛ ɔdi hia; ohiani 2. di hia *(to be needy)*

negative ADJ | NOUN 1. dabi 2. deɛ ɛne foforɔ bɔ abira

neglect VERB 1. po 2. yi totwene 3. bu ani gu so

negotiate VERB di ano

negotiation NOUN anodie

neigh NOUN 1. ɔpɔnkɔ su VERB 2. su *(of a horse)*

neighbour NOUN ofipamni *(plural: afipamfoɔ)*

nephew NOUN 1. wɔfaase; wɔfaase barima 2. onua babarima

nepotism NOUN nyiyimu

nerve NOUN ntini

nest NOUN 1. anomaabuo 2. pirebuo

nestle VERB 1. da ho; da mu 2. butu ho

nestling NOUN anomaa ba

net NOUN 1. asau *(for fishing)* 2. atena *(of the goalpost)*

never ADV da □ *Abena ntuu kwan da | Abena has never travelled*

new ADJ 1. mono *(plural: amono)* 2. foforɔ *(plural: afoforɔ)*

new year NOUN afe foforɔ

news NOUN 1. kaseɛ *(of broadcast/published report)* 2. amanneɛ *(newly received information)*

newscast NOUN 1. kaseɛ; kaseɛ akenkan 2. amannebɔ

newscaster NOUN 1. deɛ ɔkenkan kaseɛ 2. kaseɛkenkanfoɔ 3. amannebɔfoɔ

newspaper NOUN 1. kowaa krataa *(plural: kowaa nkrataa)* 2. amannebɔ krataa *(plural: amannebɔ nkrataa)*

newsworthy ADJ deɛ ɛyɛ anika

next ADJ | NOUN 1. deɛ ɛdi hɔ 2. deɛ ɛtoa so

nice ADJ 1. ɛyɛ fɛ; deɛ ɛyɛ fɛ 2. ɛsɔ ani; deɛ ɛsɔ ani

nickname NOUN 1. mmrane 2. abɔdin

niece NOUN wɔfaase *(general, plural: wɔfaasenom)* □ *kyea me wɔfaase ma me | greet my niece for me*

niggardly ADJ 1. deɛ ne nsam yɛ den 2. deɛ ne tirim yɛ 3. den; otirimuɔdenfoɔ

night NOUN anadwo

nightingale NOUN kwaasansam

nightjar NOUN santrofie; santrofi anoma

nightmare NOUN daeɛhuuhu

nil NOUN hwee

nimble ADJ 1. harehare 2. ahokeka

nine hundred million NUM ɔpepem ahankron

nine hundred NUM ahankron

nine hundred thousand NUM mpem ahankron

nine million NUM ɔpepem nkron

nine NUM nkron

nine thousand NUM mpem nkron

nineteen NUM dunkron

ninety million NUM ɔpepem aduɔkron

ninety NUM aduɔkron

ninety thousand NUM mpem aduɔkron

ninety-eight NUM aduɔkron nwɔtwe

ninety-five NUM aduɔkron num

ninety-four NUM aduɔkron nan

ninety-nine NUM aduɔkron nkron

ninety-one NUM aduɔkron baako

ninety-seven NUM aduɔkron nson

ninety-six NUM aduɔkron nsia

ninety-three NUM aduɔkron mmiɛnsa

ninety-two NUM aduɔkron mmienu

ninth NUM deɛ ɛtɔ so nkron

nipple NOUN nufoɔ ano

no EXCLAM | NOUN dabi
noble NOUN onimuonyamfoɔ
nobody NOUN 1. nipahunu *(a person of no importance or authority)* 2. obiara *(everyone, becomes 'nobody' when used with a negative verb)* 3. ɛnyɛ obiara
Noel NOUN Buronya
noise NOUN dede □ *efiewura, woreyɛ dede dodo | landlord, you are making too much noise*
noisome ADJ kankan
nominate VERB tu
nonchalant ADJ deɛ hwee mfa ne ho
nonentity NOUN hohwini
nonsense NOUN nkwaseasɛm
noon NOUN prɛmtoberɛ
normal ADJ 1. ɛtene; deɛ ɛtene 2. kwantene 3. ɛyɛ; deɛ ɛyɛ
north NOUN atifi
north-east NOUN atifi-apueeɛ
north-west NOUN atifi-atɔeɛ
nose NOUN 1. ɛhwene *(body part; front of a vehicle; a projecting part of something)* 2. mfeefeemu *(an act of prying)* 3. pampan; biribi hwam *(something's aroma)* VERB 4. hwa *(smell; sniff)* 5. feefee mu *(pry)*
notable ADJ titire
nothing PRON hwee
notification NOUN nkaebɔ
notify VERB bɔ nkaeɛ
notion NOUN 1. adwene 2. adwenemupɔ
notorious ADJ 1. mammɔfoɔ 2. ɔdebɔneyɛfoɔ
nought NOUN 1. hwee 2. ohunu
noun NOUN edin
nourish VERB 1. ma ɛyɛ frɔmfrɔm 2. ma ɛyɛ nomenome
November NOUN Obubuo □ *Akuafoɔ no bɛdua aburoo Obubuo bosome mu | the farmers will plant maize in the month of November.*
novice NOUN 1. abɛɛfo 2. deɛ ɔnnim pii wɔ biribiyɔ mu
now ADV 1. seesei 2. afei *(in relation to what was the case before)*
nowadays ADV nnansa yi
nowhere ADV | PRON 1. baw 2. baabiara *(anywhere, becomes 'nowhere' when it is used with a negative verb)* 3. ɛnyɛ baabiara *(not anywhere)*
noxious ADJ 1. awudideɛ 2. deɛ ɛtumi di awu
nubile ADJ 1. deɛ ne ho yɛ akɔnnɔ *(of a girl/woman:*

sexually attractive) 2. deɛ waso awareɛ *(of a girl/woman: old enough for marriage)*

nude ADJ 1. adagya 2. kwaterekwa

nudity NOUN adagya

nuisance NOUN 1. atantanneɛ 2. ɔhaw 3. ateetee

numb ADJ 1. titiritii 2. agyene VERB 3. yɛ titiritii 4. gyene

number NOUN 1. nɔma *(borrowed)* 2. akontabudeɛ VERB 3. bu ano 4. kan; kenkan

numerous ADJ 1. dodoɔ 2. bebree 3. ahodoɔ-ahodoɔ

nun NOUN ɔbaa hotefoɔ *(plural: mmaa ahotefoɔ)*

nuptial ADJ 1. awaresɛm 2. ayefosɛm

nurse NOUN 1. nɛɛse *(borrowed)* 2. ayarehwɛdwuma mu boafoɔ

nursery NOUN 1. nkwadaa-nkwadaa sukuu 2. abayɛn fie 3. beaeɛ a wɔtintim nnuaba *(a place where young plants and trees are grown)*

nurture VERB 1. tete NOUN 2. nteteeɛ

nutritious ADJ deɛ nnuaneduro wɔ mu

nymph NOUN ɔbosombaa

nympho NOUN ɔbaa dwamanfoɔ

Oo

oak NOUN odum
oar NOUN tabono
oath NOUN ntam
obedience NOUN 1. osetie 2. asoɔmmerɛ
obedient ADJ 1. deɛ n'aso yɛ mmerɛ 2. deɛ ɔyɛ setie
obeisance NOUN obuo; obuo soronko
obese ADJ obolobo
obesity NOUN kɛseyareɛ
obey VERB 1. di so 2. bu
obituary NOUN owuo ho nkaebɔ
object VERB 1. tia mu 2. bɔ gu 3. po *(reject)* 4. mpene so *(refuse to accept)* NOUN 5. adeɛ 6. biribi
objection NOUN 1. ntiamu 2. mmɔtoguo
objective NOUN botaeɛ
oblation NOUN 1. afɔrebɔdeɛ 2. ayɛyɛdeɛ
obligation NOUN ahyɛdeɛ
obligatory ADJ 1. asɛdeɛ; deɛ ɛyɛ asɛdeɛ 2. nhyɛ; deɛ ɛyɛ nhyɛ
oblige VERB hyɛ *(compel; require)*
obliterate VERB 1. popa 2. tu aseɛ
obscene ADJ 1. ɛho nte; deɛ ɛho nte 2. deɛ ɛnyɛ
observe VERB 1. hwɛ *(look)* 2. de ani di akyire *(follow closely)* 2. hunu *(see)*
obsolete ADJ 1. deɛ atwam 2. tetedeɛ
obstacle NOUN akwansideɛ
obstinate ADJ 1. deɛ ɔnte asɛm ase 2. deɛ n'asɛm yɛ den
obstruct VERB 1. si kwan 2. si ano
obstruction NOUN akwansideɛ
obtain VERB 1. nya 2. nsa ka
obviate VERB 1. yi akwansideɛ *(remove difficulty)*

2. si ho kwan *(prevent something)*

obvious ADJ 1. fann; da hɔ fann 2. pefee; da hɔ pefee

occasion NOUN berɛ pɔtee bi

occiput (back of head) NOUN atikɔ □ *m'atikɔ yɛ traa | my occiput is flat (in shape)*

occult NOUN 1. tumi bɔne *(of powers)* 2. nkonyaa *(phenomena)* 3. nyankomadeɛ *(phenomena)*

occupation NOUN adwuma; adwuma a obi asua

occupy VERB 1. tena mu *(reside in)* 2. gye beaeɛ *(fill up space)* 3. gye berɛ *(fill up time)* 4. hyɛ ma *(of the mind: fill; preoccupy)*

occur VERB 1. si; take place *(happen)* 2. ba tirim *(come into the mind)*

ocean NOUN 1. ɛpokɛseɛ 2. ɛpopɔn

o'clock ADV dɔn *(plural: nnɔn)*

October NOUN Ahinime □ *Ahinime bosome yi akɔ yie ama me | the month of October has gone well for me.*

odour NOUN nkabɔne

offal NOUN ayamdeɛ

offence NOUN 1. mmaratoɔ 2. bɔne

offend VERB 1. fom 2. yɛ bɔne tia

offer VERB 1. ma; de ma 2. yi ma

offertory NOUN 1. ntoboa 2. kɔlɛhyen *(borrowed)*

office NOUN 1. ɔfese *(borrowed)* 2. dwumadibea

offspring NOUN 1. ba *(plural: mma)* 2. aseni *(descendant, plural: asefoɔ)* 3. akwadaa *(child, plural: nkwadaa)*

often ADV 1. taa *(frequently)* 2. mprɛ pii *(many times)*

oil NOUN 1. ngo 2. ɔyere *(borrowed)* 3. anwa *(cooking oil)*

ointment NOUN atwiduro

okra NOUN nkuruma

okro NOUN nkuruma

old ADJ 1. dada *(of things, plural: adada)* 2. opanin; deɛ wanyini *(of a person)*

nkɔkora) □ *akɔkora posoposo | a very old man*

old woman NOUN aberewa *(plural: mmerewa)* □

aberewa no repra | the old woman is sweeping
omen NOUN nsɛnkyerɛnne
omission NOUN 1. deɛ wɔayi no afiri mu *(one who has been excluded)* 2. deɛ wɔayi afiri mu *(that which has been excluded)* 3. nyifirimu *(the action of excluding something or someone)*
omit VERB 1. yi firi mu 2. gya
omnipotent ADJ 1. otumfoɔ *(all-powerful)* 2. ade nyinaa so tumfoɔ *(powerful over all things)* 3. deɛ ɔtumi adeɛ nyinaa yɛ *(one who's capable of all things)*
omnipresent ADJ 1. deɛ agye baabiara *(that which is widespread; everywhere)* 2. deɛ ɔwɔ baabiara *(one who's everywhere)*
omniscient ADJ deɛ ɔnim adeɛ nyinaa *(one who's all-knowing)*
once ADV 1. pɛnkoro 2. prɛko 3. berɛ bi a atwam *(at some time in the past)*
one billion NUM ɔpepepem
one hundred and eight NUM ɔha ne nwɔtwe
one hundred and eighteen NUM ɔha ne dunwɔtwe
one hundred and eleven NUM ɔha ne dubaako
one hundred and fifteen NUM ɔha ne dunum
one hundred and five NUM ɔha ne num
one hundred and four NUM ɔha ne nan
one hundred and fourteen NUM ɔha ne dunan
one hundred and nine NUM ɔha ne nkron
one hundred and nineteen NUM ɔha ne dunkron
one hundred and one NUM ɔha ne baako
one hundred and seven NUM ɔha ne nson
one hundred and seventeen NUM ɔha ne dunson
one hundred and six NUM ɔha ne nsia
one hundred and sixteen NUM ɔha ne dunsia
one hundred and ten NUM ɔha ne du
one hundred and thirteen NUM ɔha ne dumiɛnsa
one hundred and thirty NUM ɔha ne aduasa
one hundred and three NUM ɔha ne mmiɛnsa

one hundred and twelve NUM ɔha ne dumienu

one hundred and twenty NUM ɔha ne aduonu

one hundred and twenty-eight NUM ɔha ne aduonu nwɔtwe

one hundred and twenty-five NUM ɔha ne aduonu num

one hundred and twenty-four NUM ɔha ne aduonu nan

one hundred and twenty-nine NUM ɔha ne aduonu nkron

one hundred and twenty-one NUM ɔha ne aduonu baako

one hundred and twenty-seven NUM ɔha ne aduonu nson

one hundred and twenty-six NUM ɔha ne aduonu nsia

one hundred and twenty-three NUM ɔha ne aduonu mmiɛnsa

one hundred and twenty-two NUM ɔha ne aduonu mmienu

one hundred and two NUM ɔha ne mmienu

one hundred million NUM ɔpepem (ɔ)ha

one million NUM ɔpepem

one NUM baako

one thousand and eight NUM apem ne nwɔtwe

one thousand and five NUM apem ne num

one thousand and four NUM apem ne nan

one thousand and nine NUM apem ne nkron

one thousand and one NUM apem ne baako

one thousand and seven NUM apem ne nson

one thousand and six NUM apem ne nsia

one thousand and ten NUM apem ne du

one thousand and three NUM apem ne mmiɛnsa

one thousand and two NUM apem ne mmienu

oneness NOUN 1. baakoyɛ 2. koroyɛ

onion NOUN gyeene

only ADJ | ADV 1. nko ara *(pronounced nkoaa)* 2. pɛ

onset NOUN 1. ahyɛaseɛ 2. mfitiaseɛ

onslaught NOUN atua

onus NOUN asodie

onward ADV 1. anim; kan *(ahead)* 2. rekorɔ *(forward in time)*

ooze VERB 1. nwunu 2. sɔne 3. tene

open VERB 1. bue *(past: buee/bueeɛ; future: bɛbue;*

progressive: rebue; perfect: abue; negative: mmue) 2. hini *(past: hinii/hiniiɛ; future: bɛhini; progressive: rehini; perfect: ahini; negative: nhini)* □ *bue pono no | open the door* □ *mebɔɔ mu nso wammue | I knocked but he/she did not open* □ *merebue | I am opening* ADJ 3. deɛ wɔntoo mu *(unlocked)* 4. petee *(not covered; exposed)* 5. fann 6. pradadaa

openness NOUN 1. ayamyi 2. nokorɛdie

operate VERB 1. di dwuma; di ho dwuma 2. ka *(drive; ride)* 3. pia *(push)* 4. yɛ *(do)*

operation NOUN 1. dwumadie *(working)* 2. opiresan *(borrowed: surgery)* 3. aduyɔ

opinion NOUN 1. nsusuiɛ 2. adwenkyerɛ 3. adwene

opportunity NOUN 1. akwannya 2. ɔkwan pa

oppose VERB 1. ko tia 2. bɔ gu 3. di asi 4. si ho kwan

opposer NOUN 1. osidifoɔ 2. ɔperetiafoɔ 3. ɔkwansifoɔ 4. ɔtamfo

opposite ADJ 1. abira; deɛ ɛbɔ abira NOUN 2. abirabɔ 3. abirabɔdeɛ

oppress VERB hyɛ so

oppression NOUN 1. ɔhyɛ; nhyɛsoɔ 2. ateetee 3. anitan

optic ADJ 1. deɛ ɛfa ani ho *(that which relates to the eye)* 2. deɛ ɛfa adehunu ho *(that which relates to vision)*

optimism NOUN 1. anidaso pa 2. nkonimdie ho anidasoɔ

optimist NOUN 1. deɛ ɔwɔ gyedie 2. deɛ ɔwɔ anidasoɔ

optimistic ADJ 1. gyedie 2. deɛ ɔwɔ anidasoɔ

option NOUN ɔpɛ *(choice)*

opulent ADJ 1. deɛ ne boɔ yɛ den yie *(very costly)* 2. ɔdefoɔ; ɔhonyafoɔ *(wealthy; one who's wealthy)*

or CONJ anaa □ *ɛyɛ kɔm anaa sukɔm? | it is hunger or thirst?*

oracle NOUN 1. ɔbosomfo *(priest; priestess)* 2. abosomfie *(a place at which divine advice or prophecy was sought)*

oral ADJ ano mu; anom

orange NOUN ankaa □ *Ɔboase ankaa | orange from Obuasi (widely known for its sweet taste)*

oration NOUN kasa; nsɛnkaeɛ

orator NOUN 1. anotefoɔ 2. ɔkyeame

oratory NOUN 1. kasa fenenkyemm *(eloquent speech)* 2. kasapa; kasa korogyee

orchard NOUN turo

orchestra NOUN dwontofoɔ fekuo

ordain VERB 1. hyɛ sɔfoɔ *(make someone a priest/minister)* 2. hyira *(bless; confer holiness on)* 3. hyehyɛ to hɔ *(of God: arrange in advance)*

ordeal NOUN 1. nsɔhwɛ 2. asiane

order NOUN 1. nhyehyɛeɛ *(arrangement)* 2. pɛpɛɛpɛyɛ *(orderliness)* 3. mmara so die *(of law and rules)* 4. asomdwoeɛ *(peace)* 5. ɔhyɛ *(command)* 6. nnidisoɔ *(hierarchy)* VERB 7. hyɛ

ordinance NOUN 1. mmara 2. ahyɛdeɛ

ordinary ADJ 1. biara 2. kwa 3. kɛkɛ

ordination NOUN asɔfohyɛ

ordnance NOUN akodeɛ

ore NOUN sikafraeboɔ

organisation NOUN adwumakuo *(of a company)*

organise VERB 1. hyehyɛ *(arrange)* 2. di ho dwuma 3. boaboa ano *(gather)*

organism NOUN nkwaboa

orient NOUN 1. apueeɛ VERB 2. de kokwa ho *(tailor or adapt oneself to something)*

origin NOUN 1. ase 2. abɔseɛ 3. ahyɛaseɛ; mfitiaseɛ 4. farebae

original ADJ 1. deɛ ɛdi kan *(of something: first; earliest)* 2. deɛ ɔdi kan *(of a person: first; earliest)* 3. kann *(authentic)*

originate VERB 1. fi ase; fiti aseɛ *(begin)* 2. hyɛ aseɛ *(initiate; begin)* 3. bɔ *(of something: create)*

ornament NOUN ahyehyɛdeɛ

ornithology NOUN nnomaa ho adesua

orphan NOUN 1. agyanka 2. awisiaa □ *agyanka mmɔborɔwa | a pitiful orphan*

orphanage NOUN nnyankafie

orthography NOUN atwerɛ; kasa bi mu atwerɛ

ostentation NOUN 1. nkyerɛho; ahokyerɛ 2. nhwehwɛanim 3. ahohoahoa

ostentatious ADJ 1. deɛ ɔkyerɛ ne ho 2. deɛ ɔyɛ nhwehwɛanim 3. deɛ ɔhoahoa ne ho

ostracise VERB 1. twa asu *(banish)* 2. yi totwene 3. po *(reject)* 4. pamo *(drive away)*

other ADJ 1. foforɔ 2. obi; obi foforɔ *(somebody else)* 3. biribi foforɔ *(something else)*

our ADJ

1st person plural possessive

yɛn □ *yɛmmu yɛn awofoɔ* | *let's respect our parents* □ *yɛn afotuo* | *our advice* □ *yɛn akoma* | *our hearts*

ours PRON

1st person plural possessive

yɛn dea □ *ɔman no yɛ yɛn dea* | *the country is ours* □ *ɛyɛ yɛn dea* | *its ours* □ *agyinamoa no yɛ yɛn dea* | *the cat is ours*

ourselves PRON

reflexive

1. yɛn ho □ *yɛnnodɔ yɛn ho* | *let's love ourselves*

PRON

intensive

2. yɛn ara *(pronounced: yɛneaa)* □ *yɛn ara na yɛfrɛɛ wo* | *we called you ourselves*

out ADV | ADJ abɔntene

outbid VERB ma boɔ sene ɔfoforɔ deɛ

outclass VERB bɔ mmɔden sene ɔfoforɔ

outcome NOUN 1. awieeɛ 2. nsunsuansoɔ *(consequence)* 3. deɛ ɛfiri mu ba *(that which comes out of)*

outcry NOUN 1. nteamu *(a shout)* 2. ɔyɛkyerɛ *(protest)*

outdistance VERB 1. gya akyirikyiri *(leave far behind)* 2. dwane gya *(outrun)*

outdoors NOUN | ADV aboboano

outlast VERB kyɛre sene foforɔ

outlet NOUN 1. doroben *(pipe)* 2. adetɔnbea *(a joint from which goods are sold)* 3. edwom; dwam *(market)*

outlive VERB 1. nyini sene ɔfoforɔ *(of a person)* 2. kyɛre sene ade foforɔ *(of something)*

outnumber VERB 1. yɛ bebree sene 2. dɔɔso sene

outrage NOUN 1. abufuhyew VERB 2. hyɛ abufuo

outright ADV 1. korakorakora *(wholly and completely)* 2. amonom hɔ ara *(immediately; instantly)*

outside NOUN | ADJ abɔnten □ *Kofi da abɔnten* | *Kofi sleeps outside* □ *abɔnten kanea no* *adum | the outside light has gone off*

outsider NOUN 1. abɔntensoni 2. ɔmamfrani

outsize ADJ 1. kakraa 2. kɛse pa ara NOUN 3. deɛ ɛyɛ kakraa 4. deɛ ɛso pa ara; deɛ ɛyɛ kɛse pa ara

outskirts NOUN kurotia

outspoken ADJ 1. deɛ ɔka n'adwene 2. penpen; deɛ ɔyɛ penpen 3. deɛ ɔmfa nsɛm nsie

outstanding ADJ 1. adutwam 2. penpen; deɛ ɔyɛ penpen 3. deɛ ɔmfa nsɛm nsie

outward ADJ abɔntene

outweigh VERB 1. yɛ duru sene *(be heavier than)* 2. yɛ papa sene *(be better than)*

outwit VERB 1. daadaa *(deceive)* 2. bu *(swindle)* 3. to bradɛ

oval NOUN | ADJ nyankanko

ovary NOUN 1. ɔbaa nkosua kotokuo 2. mmadwoa kotokuo

ovation NOUN 1. ose; osebɔ 2. ahurusie; ahurusibɔ 3. ayɛyie

oven NOUN fononoo □ *ɔtoo paanoo no wɔ fononoo no mu | he/she baked the bread in the oven*

overawe VERB 1. ma obi ho dwiri no 2. ma obi boto

overcome VERB di so nkonim

overdo VERB 1. yɛ boro so; yɛ ma ɛboro so 2. yɛ tra

overdraw VERB yi boro so *(of money at the bank)*

overestimation NOUN butrasoɔ *(plural: mmutrasoɔ)*

overflow VERB 1. yiri 2. bu so

overhaul VERB 1. tutu siesie *(take apart and repair)* 2. siesie 3. di ho dwuma

overhead ADV | ADJ 1. atifi 2. apampam 3. ɛsoro; deɛ ɛwɔ soro

overhear VERB 1. twa asom 2. te

overjoyed ADJ ani agye aboro so

overlook VERB bu ani gu so

overnight ADV 1. anadwo mu nyinaa *(for the duration of a night)* ADJ 2. deɛ wɔyɛ no anadwo mu nyinaa *(that which is done for the duration of the night)* 3. deɛ ɛsi anadwo mu nyinaa *(that which happens for the duration of the night)*

overpower VERB di so; di so nkonim

overrule VERB 1. bu so 2. kwati

overseas NOUN 1. amannɔne 2. aburokyire

overseer NOUN 1. ɔhwɛsofoɔ 2. opanin

oversight NOUN anifasoɔ

oversleep VERB da boro so

overtake VERB 1. pa ho 2. siane ho

overthrow VERB 1. tu gu 2. ka gu

overturn VERB butu

overweight ADJ 1. ɛyɛ duru boro so 2. ɛso dodo 3. ɛyɛ kɛseɛ pa ara

overwhelm VERB 1. bɔ pusa 2. ma ɛmene wo

ovulate VERB to kosua

owe VERB de ka

owl NOUN patuo *(plural: mpatuo)* □ *sɛ patuo su anadwo a, ɛyɛ musuo | if the owl cries at night, it is (considered) a bad omen (a Twi proverb)*

own VERB wɔ

ox NOUN nantwibedeɛ

Pp

pace NOUN 1. anammɔn VERB 2. tu anammɔn 3. di akɔneaba

pacification NOUN mpata

pacify VERB 1. dwodwo *(appease; calm)* 2. brɛ ase *(calm)* 3. pata

pact NOUN 1. apam 2. nhyehyɛeɛ 3. nnyetomu

padlock NOUN krado

padre NOUN 1. ɔsɔfoɔ 2. ɔsɛmpakani

paedophile NOUN awengaa

pagan NOUN 1. ɔpaefoɔ *(apostate)* 2. owiaseni *(a worldly/secular person)* 3. deɛ ɔnyɛ Kristoni *(a non-Christian)*

page NOUN 1. kratafa *(of a book)* 2. barima somfoɔ; aberanteɛ somfoɔ *(a young male errand boy/aid)*

pail NOUN 1. bokiti *(bucket)* 2. adwarepan *(shower/bathing bowl)*

pain VERB 1. yɛ ya *(past: yɛɛ ya; future: bɛyɛ ya; progressive: reyɛ ya; perfect: ayɛ ya; negative: nyɛ ya)* NOUN 2. ɛyeaa

paint VERB 1. ka ho aduro 2. kwa ho

painter NOUN 1. deɛ ɔka nneɛma ho aduro 2. deɛ ɔkwa dan ho

pair NOUN 1. nta 2. deɛ ɛbɔ ho mmienu

pal NOUN 1. ɔyɔnkoɔ 2. adamfoɔ

palace NOUN ahemfie

palanquin NOUN apakan

palatial ADJ 1. ɛdan kɛseɛ 2. ahemfie sɛso

palaver NOUN 1. kasahunu 2. kasa a ɛho nhia

pale ADJ 1. hoyaa 2. fitaa VERB 3. yɛ hoyaa

palm fruit NOUN abɛ

palm kernel NOUN adwe

palm kernel oil NOUN adwe ngo

palm NOUN 1. nsayam *(inside of the hand)* 2. abɛ *(palm tree)*

palm oil NOUN 1. abɛ ngo 2. ngo

Palm Sunday NOUN Mmerɛnkɛnson Kwasiada

palm tree NOUN 1. abɛ dua 2. abɛ

palm wine NOUN nsafufuo

palm wine pot NOUN akototwua

palpable ADJ 1. deɛ ɛho da hɔ fann 2. deɛ ɛyɛ pefee

palpitate VERB 1. bɔ periperi *(of the human heart; beat)* 2. woso *(shake)*

palpitation NOUN 1. akomabɔ 2. akoma periperibɔ

pamper VERB 1. gyegye so 2. korɔkorɔ

pamphlet NOUN 1. nwoma sini 2. kratawa

pancreas NOUN tann

pandemonium NOUN basabasayɔ

pander NOUN 1. hyɛ takrawogyam 2. foa bɔneyɔ; boa bɔneyɔ

panel NOUN 1. agyinatukuo 2. ekuo 3. baasonfoɔ

pang NOUN ɛyeaa prɛkopɛ

pangolin NOUN aprawa

panic NOUN 1. ehu 2. huboa VERB 3. bɔ hu 4. ma huboa kye

pant VERB 1. tee so 2. home ntɛntɛm 3. teetee NOUN 4. nteesoɔ 5. ntɛntɛm home

pantry NOUN 1. nkukuo korabea 2. mukaase nneɛma korabea

pants NOUN 1. pieto *(underpants)* 2. twakoto *(underpants)* 3. trɔsa *(trousers)*

pap NOUN mpampa

papa NOUN 1. papa 2. agya 3. ɔse

paper NOUN krataa □ *sika yɛ krataa kɛkɛ | money is just paper*

par NOUN 1. tipɛn 2. pɛpɛɛpɛyɛ 3. afɛ

parable NOUN 1. nhwɛsodeɛ ayɛsɛm 3. abɛbusɛm

parade NOUN 1. nsrabɔ VERB 2. bɔ nsra

paradise NOUN 1. Ɔsoro Ahemman Mu *(heaven)* 2. Eden Turo Mu *(the Garden of Eden)* 3. anigyebea *(recreational place)*

paraffin NOUN 1. kresin *(kerosene)* 2. kanea ngo

paragon NOUN nhwɛsodeɛ

paragraph NOUN kasapɛn

parallelogram NOUN nsanehina

paralysis NOUN mmubuo

paramount ADJ 1. pɔn 2. deɛ ɛkorɔn 3. deɛ ɔkuta tumi soronko

paramount chief NOUN 1. ɔmanhene 2. kuro tumi wura

paranoia NOUN adwenemuka

parasite NOUN 1. aboawa a ɔdidi mmoawa afoforɔ ho *(of organisms)* 2. deɛ ɔdidi afoforɔ ho *(general)*

parcel NOUN 1. akyɛdeɛ *(gift)* 2. asasetam *(of a land)*

pardon NOUN 1. bɔnefakyɛ *(forgiveness of sin; an offence)* 2. bɔnefafirie *(forgiveness of sin; an offence)* VERB 3. de kyɛ *(forgive)* 4. de firi *(forgive)* EXCLAM 5. wose? *(you say?)* 6. si so bio *(repeat)*

parent NOUN ɔwofoɔ *(plural: awofoɔ)* □ *m'awofoɔ atu kwan | my parents have travelled*

parity NOUN pɛpɛɛpɛyɔ

Parkinson's disease NOUN awosoawosoɔ

parliament NOUN 1. mmarahyɛbadwa fie *(parliament house)* 2. mmarahyɛbadwam *(floor of parliament)*

parliamentary ADJ deɛ ɛfa mmarahyɛbadwa ho

parlour NOUN 1. asaso *(hall)* 2. hɔhogyebea *(place for receiving guests)*

parody NOUN 1. fɛwdie VERB 2. di nneyɛɛ bi ho fɛw

parricide NOUN 1. ɔwofokum 2. abusuani kum

parrot NOUN ako

parson NOUN ɔsɔfoɔ

part NOUN 1. ɛfa *(a section of)* 2. ebi *(some)* VERB 3. te mu; tete mu *(of two things: move away from each other)* 4. twe ho firi *(leave someone's company)* 5. gyae mu *(give up)* 6. hwere *(of possession: lose)*

partake VERB 1. di bi *(eat some)* 2. nom bi *(drink some)* 3. yɛ bi *(of activity: take part; do some)* 4. nya mu kyɛfa *(to have a share)*

partial ADJ 1. ɔfa *(incomplete; half)* 2. nyiyimu; deɛ ɔyɛ nyiyimu *(bias; one who is...)*

partiality NOUN nyiyimu

participate NOUN 1. de ho hyɛ mu 2. yɛ bi

particular ADJ 1. pɔtee 2. titire

partisan NOUN 1. amanyɔkuo kyitaafoɔ *(of a political party)* 2. okyitaafoɔ *(general)*

partition NOUN 1. nkyɛmu; nkyekyɛmu *(the action/state of dividing or being divided into parts)* 2. pateesan *(borrowed, a* *structure/something that divides a space into parts)* VERB 3. kyɛ mu; kyekyɛ mu *(divide into parts)*

partner NOUN 1. ɔboafoɔ *(helper)* 2. ɔhokafoɔ *(spouse)* 3. ɔdɔfoɔ *(lover)*

partnership NOUN 1. ayɔnkofa 2. nkabomu 3. koroyɛ

partridge NOUN akokɔhwedeɛ

party NOUN 1. apontoɔ *(social gathering; celebration)* 2. amanyɔkuo *(political party)* 3. ekuo *(group)* VERB 4. gye ani wɔ apontoɔ ase

pass VERB 1. sene ho *(go past)* 2. pa ho *(go past)* 3. twa ho *(go past)* 4. fa ma *(pass to someone)* 5. bɔ ma *(of a ball, in a game of football: kick/hit to)* 6. to ma *(of a ball in e.g. basketball: throw to)* 7. twa mu *(of a period: passes/finishes)* 8. fa mu *(of a stage of development: pass through)* 9. twa *(of a test: attain acceptable standard)* 10. gye tom *(accept a new law or proposal)* 11. dwonsɔ *(pass urine)*

passage NOUN ɛkwan

passenger NOUN 1. ɔkwantuni *(traveler in a vehicle)* 2. ɔhyɛntiafoɔ

passion NOUN 1. nna mu akɔnnɔ 2. akɔnnɔbɔne 3. atenka

past NOUN 1. kane *(period before present)* 2. nkyi *(period before present)* 3. kane nsɛm; nkyi nsɛm *(happenings before present)* ADJ 4. deɛ atwam

paste VERB 1. de tare *(glue/stick to)* NOUN 2. ɛmmɔre

pastor NOUN 1. ɔsɔfoɔ; sɔfoɔ *(plural: asɛmpakafoɔ)* 2. ɔsɛmpakani; sɛmpakani *(plural: asɛmpakafo ɔ)* 3. Nyame nipa *(plural: Nyame nnipa)*

patch VERB 1. pam *(sew)* 2. de tare so 3. tɛ mu

patent NOUN 1. nkutoo adeyɔ 2. akwannya ADJ 3. deɛ ɛho da hɔ fann *(that which is obvious)*

paternal ADJ agya fa mu

path NOUN 1. anammɔnkwan 2. ntentensoɔ *(space ahead of you as you walk)* 3. ɛkwan *(way)*

pathetic ADJ 1. deɛ ne werɛ ahoɔ 2. deɛ ɛhyɛ abufuo *(that which angers)*

pathology NOUN nyarewa mu nhwehwɛmu

patience NOUN 1. aboterɛ 2. boasetɔ □ *aboterɛ wie nkonimdie | patience ends in victory*

patient NOUN 1. ɔyarefoɔ 2. deɛ ɔregye ayarehwɛ

patriarch NOUN 1. abusuapanin 2. abusua ti 3. barima a ɔda abusua ano

patricide NOUN papakum

patrimony NOUN 1. agyapadeɛ 2. awugyadeɛ; awunyadeɛ

patrol VERB 1. bɔ nsra NOUN 2. apolisifɔ a wɔbɔ nsra *(police who patrol)* 3. astraafoɔ a wɔbɔ nsra *(soldiers who patrol)*

patron NOUN 1. okyitaafoɔ 2. okyidɔmmɔfoɔ

patronage NOUN 1. mmoa *(support)* 2. okyitaafoɔ mmoa *(a patron's support)*

pauper NOUN 1. ohiani 2. onnibie 3. ohianiwa

pavilion NOUN ntomadan

pawn VERB 1. de si awowa NOUN 2. deɛ wɔde asi awowa

pawpaw NOUN borɔferɛ □ *apan no adi borɔferɛ no fa | the bat has eaten half of the pawpaw*

pay VERB 1. tua; tua ka NOUN 2. akatua

pea NOUN adua

peace NOUN asomdwoeɛ

peaceful ADJ 1. deɛ ɛho dwo 2. deɛ ɛda bɔkɔɔ 3. deɛ ɛyɛ dwoo

peak NOUN 1. mpɛmpɛnso kɛseɛ 2. atifi

peanut NOUN nkateɛ

pear NOUN paya *(borrowed)*

peasant NOUN 1. okuani 2. okuani hiani

pebble NOUN abosea *(plural: mmosea)*

peck VERB 1. sɔ *(of a bird: strike with the beak)* 2. fe afono *(kiss the cheek)*

peculiar ADJ 1. soronko *(unique; special)* 2. nwonwa *(strange)*

pecuniary ADJ 1. deɛ ɛfa sika ho 2. sika

pedal NOUN nan ntiasoɔ

pedestrian NOUN ɔnantefoɔ

pedicure NOUN ɛnan ne nan bɔwerɛ ho asiesie

pedigree NOUN 1. abusua *(lineage; ancestry; family)* 2. nkyi *(record of descent)*

pee NOUN | VERB dwonsɔ

peel VERB 1. sensene *(past: sensenee/senseneeɛ; future: bɛsensene; progressive: resensene; perfect: asensene; negative: nsensene)* 2.

dwo *(past: dwoo/dwoeɛ; future: bɛdwo; progressive: redwo; perfect: adwo; negative: nnwo)* NOUN 3. ɛhono; hono *(outer covering of a fruit; vegetable)*

peep VERB 1. hwɛ 2. wia hwɛ *(take a quick, secret look)*

peer VERB 1. hwɛ haa *(peer at; look hard)* NOUN 2. tipɛn *(age mate)* 3. afɛ *(mate)*

peg NOUN 1. pɛɛwa VERB 2. tim *(peg down; fix there)*

pelican NOUN pokupoku

pen NOUN 1. twerɛdua *(writing tool)* 2. pɛn *(borrowed)* 3. mmoa dan *(animals' keep)* VERB 4. twerɛ *(write)*

penalty NOUN 1. asotwe *(punishment)* 2. nsunsuanso bɔne *(unpleasant result; price to pay for something done)*

pencil NOUN 1. pɛnsere *(borrowed)* 2. twerɛdua

pending ADJ deɛ ɛkonkɔn hɔ

penetrate VERB wura mu

penetration NOUN nwuramu

penis NOUN 1. kɔteɛ; kɔte *(profane)* 2. barima *(euphemism)* □ *nsuo fitaa firi Agyeman barima mu reba | a whitish liquid is dripping from Agyeman's penis*

penitent ADJ 1. deɛ wanu ne ho *(one who is very sorry for something done)* 2. nnuhoo *(feeling of regret)*

pen-knife NOUN bafo

penny NOUN 1. kaprɛ 2. hwee *(no money)*

pension NOUN ahomegyeɛ mu akatua *(regular payments for older people on retirement)*

pensive ADJ 1. deɛ n'adwene wɔ akyiri 2. deɛ ɔredwene

pentagon NOUN ahinnum

people NOUN 1. nnipa *(human beings)* 2. adasamma *(living persons generally)* 3. abusuafoɔ *(family people)* 4. nkorɔfoɔ akyitaafoɔ *(one's people; loyal following)*

pepper NOUN mako

per PREP biara *(each)*

perceive VERB 1. hu; hunu *(see)* 2. susu sɛ *(of opinion)* 3. te aseɛ *(grasp; comprehend)*

perennial ADJ 1. afebɔɔ 2. daadaa 3. tua-mu-daa

perfect ADJ 1. deɛ ɛho twa 2. deɛ ɛho te 3. pɛpɛɛpɛ *(exact)* VERB 4. ma ɛho te 5. ma ɛho twa

perfection NOUN pɛpɛɛpɛyɔ

perfidy NOUN 1. hwammɔdie *(action of betrayal)* 2. nnaadaa *(deceit)*

perforate VERB 1. tu mu tokuro 2. bɔne mu

perform VERB 1. di dwuma 2. yɛ

performance NOUN dwumadie

perfume NOUN aduhwam

perhaps ADV ebia □ *ebia ɔbɛba | perhaps he/she will come*

period NOUN 1. mmeresantene *(a length of time)* 2. berɛ bi mu; mmerɛ *(time)* 3. bra *(menstrual flow)* 4. osiwieeɛ *(full stop)*

periodical ADJ berɛ-ano berɛ-ano *(occasional)*

perish VERB 1. hwere nkwa *(die)* 2. wu *(die)* 3. sɛe *(spoil)* 4. porɔ *(rot; decay)*

perjure VERB 1. ka ntanhunu 2. di atorɔ *(lie)*

perjury NOUN 1. ntanhunu ka 2. atorɔdie *(act of lying)*

perky ADJ 1. deɛ n'anim teɛ *(one who is cheerful)* 2. deɛ ɔkeka ne ho *(one who is lively)*

permanent ADJ 1. deɛ ɛyɛ afebɔɔ *(that which is eternal)* 2. deɛ ɛwɔ hɔ daa *(that which exists always)* 3. deɛ ɛnsesa *(that which doesn't change)*

permeate VERB wurawura; wurawura mu

permit VERB 1. ma ho kwan 2. pene

perpetrate VERB 1. di bɔne; yɛ bɔne 2. bu mmara so

perpetual ADJ 1. deɛ ɛyɛ afebɔɔ *(that which is eternal)* 2. afebɔɔ *(eternal; permanent)* 3. deɛ ɛnsesa *(that which doesnot change)*

perpetuate VERB 1. toa so *(continue)* 2. ma ɛtoa so *(cause to continue)* 3. ma aseɛ dɔre *(cause to spread)*

perplex VERB 1. yɛ basaa 2. yɛ hwanyann

persecute VERB 1. taa ani *(treat cruelly; unfairly)* 2. tan *(hate)* 3. taataa

persecution NOUN 1. anitan 2. ɔtaataa 3. ateetee 4. adwoodwoo

persevere VERB 1. tɔ kɔ so 2. pere kɔ so 3. mia ani kɔ

persist VERB 1. toa so *(continue)* 2. kɔ so

persistent ADJ deɛ ɔmpa aba *(one who doesn't give up)*

person NOUN 1. nipa *(human)* 2. obi *(someone)*

personal ADJ ankasa

personality NOUN 1. su 2. tebea

perspiration NOUN 1. mfifire *(sweat)* 2. mfifireteɛ *(the act of sweating)*

perspire VERB te mfifire

persuade VERB 1. daadaa *(deceive)* 2. ma obi te w'asɛm ase *(make someone understand your position)*

persuasion NOUN nnaadaa *(the act of maing someone believe something is true; deceipt)*

pert ADJ 1. ɔbaa a ɔka n'adwene *(a young woman who isn't afraid of saying what she thinks)* 2. ketewa *(small)* 3. asiansɔwa 4. deɛ ɔmmu adeɛ *(impudent)*

pertain VERB 1. fa ho *(relate to)* 2. ka ho *(part of)*

perturb VERB ha; ha adwene *(worry)*

pessimist NOUN 1. deɛ ɔhunu bɔne wɔ biribiara mu 2. deɛ n'adwene yɛ no sɛ bɔne bɛba berɛ biara

pest NOUN 1. ɔhodwanfoɔ *(worrisome person)* 2. ntummoa a wɔsɛe mfudeɛ *(insects that damage crops)*

pester VERB 1. ha 2. ha adwene

pestilence NOUN 1. owuyaredɔm 2. yaredɔm 3. nsaneyareɛ

pestle NOUN 1. wɔma VERB 2. yam *(grind, with pestle)*

pet NOUN ayɛmmoa

petition NOUN 1. ɛdɔm adesrɛ nwoma *(a plea document signed by a lot of people)* 2. adesrɛ *(a plea)* 3. nkotosrɛ *(a plea)* VERB 4. srɛ *(beg; plead)* 5. koto srɛ *(beg; plead)*

petrify VERB bɔ hu

petrol NOUN 1. pɛtro *(borrowed)* 2. asase mu ngo; fango

petty ADJ 1. deɛ ɛho nhia *(that which is trivial)* 2. ketewa *(small)* 3. deɛ esua *(that which is small)*

petulant ADJ 1. deɛ ne koko nyɛ 2. deɛ ɔnni aboterɛ

pew NOUN asɔrefie akonnwa

phantom NOUN ɔsaman; saman *(ghost)*

pharmacy NOUN 1. nnuro sotɔɔ *(drug store)* 2. adutɔnbea *(medcine-selling place)* 3. beaeɛ a wɔtɔn nnuro *(a place where medicines* *are sold)* 4. adufra *(the science of preparing medicines)*

philanthropist NOUN 1. ɔboafoɔ *(helper)* 2. dodoɔ boafo *(helper of many)* 3. deɛ ɔkɔ afoforɔ mmoa *(one who helps others)* 4. deɛ ɔyi sika boa afoforɔ *(one who gives money to help others)*

philology NOUN 1. kasa hodoɔ ho nimdeɛ adesua 2. kasa bi nsɛmfua ho adesua *(the study of the words of a language)*

philosophy NOUN nyansapɛ

phlegm NOUN 1. hwennorɔ *(through the nostrils)* 2. ahorɔ *(general)*

phobia NOUN 1. ehu *(fear)* 2. suro *(fear)* 3. ɔtan *(hatred)*

phoney ADJ 1. deɛ ɛyɛ atorɔ *(that which is false)* 2. deɛ ɛyɛ bukata *(that which is fraudulent)*

photo NOUN mfonin

photograph NOUN mfonin

photographer NOUN mfonintwafoɔ

phrase NOUN ɔkasasin; kasasin

physician NOUN 1. ɔyaresafoɔ *(healer; doctor)* 2. dɔkota *(borrowed, doctor)*

physique NOUN 1. bɔbea 2. nipadua bɔbea

pick VERB 1. yi *(choose; select)* 2. fa *(take)* 3. te *(detach)*

pickaxe NOUN 1. fatuo dadeɛ 2. pinkase *(borrowed)*

picket VERB bɔ sesee

pickpocket NOUN 1. ɔtotobɔtomuni VERB 2. toto bɔtɔ mu; toto bɔtom

picture NOUN mfonim

piddle VERB | NOUN dwonsɔ

piece NOUN 1. ɛfa 2. sini

pierce VERB 1. bɔne mu tokuro; bɔ mu tokuro 2. wɔ mu 3. tue mu

piety NOUN 1. ahoteɛ 2. ɔsom mu ahoteɛ

pig NOUN 1. prako *(plural: mprako)* 2. oboyaa □ *me ne mprako nni agorɔ | I don't play with pigs (an insult)*

pigeon NOUN aborɔnoma

pile VERB 1. boa ano; boaboa ano *(gather; cause to increase in quantity)* 2. de toto so *(place on top)* 3. de sum hɔ *(pile up (there))* NOUN 4. kooko *(haemorrhoid)*

pilgrimage NOUN 1. akwantuo *(journey)* 2.

konkronbea akwantuo *(journey to a holy place)*

pill NOUN 1. aduro 2. dufa

pillow NOUN sumiiɛ □ *sɛ woda sumiiɛ pa so a, woso daeɛ pa | if you sleep on a good pillow, you have good dreams*

pillowcase NOUN sumiiɛ nnuraho

pilot NOUN 1. wiemhyɛnkafoɔ VERB 2. sɔ hwɛ *(test)*

pimple NOUN anim nsaa

pinch VERB 1. ti *(past: tii/tiiɛ; future: bɛti; progressive: reti; perfect: ati; negative: nti)* □ *Ama tii me | Ama pinched me* NOUN 2. atitiatitiiɛ *(the act of pinching)*

pineapple NOUN aborɔbɛ

pink NOUN | ADJ memen

pinpoint VERB 1. kyerɛ pɛpɛɛpɛ *(show exactly)* 2. kyerɛ mu pɛpɛɛpɛ *(explain exactly)*

pioneer NOUN 1. ɔkannifoɔ VERB 2. yɛ kane *(do first)* 3. di kan *(take the lead)*

pipe NOUN 1. dorobɛn *(hollow object through which gas/liquid flow)* 2. abua *(object for smoking)* 3. abɛn *(musical instrument; flute)*

piracy NOUN 1. ɛpo so korɔno *(on the sea: thievery)* 2. korɔno *(general thievery)*

pirate NOUN 1. ɛpo so dwotwafoɔ 2. ɛpo so korɔmfoɔ

piss NOUN | VERB dwonsɔ

pistol NOUN 1. etusini 2. akodiawuo

pit NOUN 1. amena *(large hole in the ground)* 2. amena donkudonku *(a deep hole in the ground)*

pitch NOUN 1. agoprama so *(field for playing games)* 2. to *(throw)*

piteous ADJ 1. mmɔbɔ *(sad)* 2. deɛ ɛyɛ mmɔbɔ *(that which is sad)*

pitfall NOUN afidie *(trap; hidden danger)*

pittance NOUN 1. sika ketewa bi *(a very small amount of money)* 2. ketewa *(small)*

pity NOUN 1. ahummɔborɔ 2. mmɔborɔhu □ *Kofi nni ahummɔborɔ | Kofi does not have pity*

placard NOUN 1. ɔyɛkyerɛ taaboo 2. taaboo a wɔatwerɛ so

placate VERB 1. dwodwo akoma *(literally: calm the heart)* 2. dwodwo bo *(literally: calm the chest)*

place NOUN 1. beaeɛ 2. baabi VERB 3. de to *(put in a particular place)*

placid ADJ 1. da dinn; deɛ ɔda dinn *(of a person: calm; one who's calm)* 2. deɛ ne bo mfu ntɛm *(of a person: one who doesn't get angry quickly)* 3. deɛ ɛda dinn *(general: calm and peaceful)*

plagiarise VERB 1. wia ɔfoforɔ adwuma *(steal someone's work)* 2. bɔ korɔno; wia *(steal)* 3. wia ɔfoforɔ tirimupɔ *(steal someone's idea)*

plagiarism NOUN korɔnobɔ

plague NOUN 1. nsaneyareɛ 2. owuyaredɔm

plaintiff NOUN 1. sobɔfoɔ 2. deɛ ɔde obi akɔ asɛnnibea

plait VERB bɔ; bɔ tire

plan NOUN 1. tirimupɔ *(scheme; idea)* 2. nsusudeɛ 3. nhyehyɛeɛ *(arrangement)* VERB 4. hyehyɛ *(arrange)* 5. bɔ tiri mu pɔ *(scheme; devise)*

plane NOUN wiemhyɛn *(aeroplane)*

plank NOUN taaboo *(plural: ntaaboo)*

plant VERB 1. dua *(past: duaa/duaeɛ; future: bɛdua; progressive: redua; perfect: adua; negative: nnua)* □ *madua kube | I have planted coconut* □ *medua aburoo | I plant maize* □ *Kofi bɛdua bankye | Kofi will plant cassava* NOUN 2. afudeɛ *(general: a living thing that grows in the earth, plural: mfudeɛ)* 3. dua *(tree, plural: nnua)*

plantain NOUN borɔdeɛ

plantation NOUN 1. afuo 2. afutam 3. afuo kɛseɛ

plaster VERB 1. de fam ho 2. de sra ho

plastic ADJ | NOUN rɔba *(borrowed)*

plate NOUN 1. prɛte *(borrowed)* 2. taforabɔtɔ □ *sɛ woaso awareɛ a, tɔ wo prɛte | if you're all set for marriage, buy your plate (a saying)*

platform NOUN 1. taaboo nnyinasoɔ 2. amanyɔkuo bɔhyɛ *(the promise of a political party)* 3. akwannya *(opportunity to speak)*

play VERB 1. di agorɔ *(of a game)* 2. si akan *(of a competition: play against; compete)* 3. bɔ *(of a* *ball: kick)* 4. goro *(play)* 5. di ayensini NOUN 6. agorɔ 7. agodie

plea NOUN 1. akyɛwpa 2. dwantoa 3. abisadeɛ

plead VERB 1. pa kyɛw 2. dwane toa 3. bisa

pleasant ADJ 1. deɛ ɛyɛ fɛ 2. deɛ ɛsɔ ani 3. deɛ anigyeɛ wɔ mu *(that which is enjoyable)* 4. deɛ ɔpɛ nnipa *(one who likes people; friendly)* 5. deɛ nnipa pɛ n'asɛm *(one who's likeable)*

please ADV 1. mepa wo kyɛw; mepa kyɛw *(contracted verstion: mepaakyɛw)* 2. mesrɛ; mesrɛ wo *(literally: I beg you)* VERB 3. ani sɔ; ma ani sɔ *(be or cause to be happy)* 4. gye ani; ma ani gye *(be or cause to be happy)* 5. deɛ wopɛ; yɛ deɛ wopɛ *(as you please; do as you please)*

pleasure NOUN 1. anigyeɛ VERB 2. ma nna mu anigyeɛ *(give sexual enjoyment)*

pleat NOUN 1. mmobɔsoɔ 2. mmugusoɔ VERB 3. bobɔ *(fold)* 4. bu gu so

plebiscite NOUN 1. ntontobɔ 2. abatoɔ

pledge NOUN 1. bɔhyɛ 2. ntam VERB 3. hyɛ bɔ 4. ka ntam

plenty PRON 1. pii 2. bebree NOUN 3. mmorosoɔ

plight NOUN tebea *(general: state)*

plod VERB nante brɛoo *(walk slowly)*

plot NOUN 1. tirimupɔ bɔne; agyinabɔne *(secret, harmful plan)* 2. asasewa *(a small piece of land)* VERB 3. si gyinaeɛ bɔne; bɔ tirimupɔ bɔne *(secretly plan to do something illegal/harmful)*

plough NOUN 1. funtumfidie *(implement for ploughing)* VERB 2. funtum asase *(turn up the earth with a plough)*

pluck VERB 1. te *(e.g. of a fruit: flower; leaf)* 2. twe *(pull)* 3. yi *(remove)* 4. tu *(uproot)* VERB 5. akokoɔduro *(courage)* 6. yam adeɛ *(internal organs of an animal as food)*

plug NOUN 1. ntuano 2. nsiano VERB 3. tua ano 4. si ano

plumage NOUN ntakra

plump ADJ 1. deɛ ɔso *(of a person)* 2. deɛ ɔyɛ bolobo *(of a person)* VERB 3. yɛ kɛseɛ 4. yɛ bolobo

plunder VERB wia *(steal)*

plunge VERB 1. tɔ mu; tom *(fall into)* 2. huri tɔ mu; huri tom *(jump into)* 3. tɔ nsuo mu; tɔ nsuom *(fall into water)* 4. huri tɔ nsuo mu; huri tɔ nsuom *(jump into water)*

plural NOUN dodoɔ

plus CONJ 1. ne *(and)* NOUN 2. mfasoɔ *(advantage; benefit)* 3. nkekaho *(additions)* 4. mmɔho *(surplus)*

plywood NOUN 1. taaboo traa *(flat board)* 2. bɔɔdo *(borrowed)*

pneumatic ADJ deɛ mframa gyina mu

pneumonia NOUN 1. ahrawa mu yareɛ *(lung disease)* 2. emu yareɛ *(internal disease)*

poach VERB 1. wia obi mmoa *(steal someone's animals)* 2. twe adetɔfoɔ fri odwadini bi nkyɛn *(pull customers from another trader)* 3. twe adwumayɛfoɔ firi adwumakuo bi mu *(pull workers from another organisation)* 4. noa kosua *(boil an egg)*

pocket NOUN 1. bɔtɔ *(bɔtɔ mu; bɔtom: the inside of the pocket)* 2. kotokuo *(kotokuo mu; kotokuo mu: the inside of the pocket)* VERB 3. de hyɛ bɔtɔ mu 4. de hyɛ kotokuo mu

pod NOUN abena

poem NOUN anwensɛm

poetry NOUN anwonsɛm

point NOUN 1. ano *(the end of tool, weapon, object)* 2. osiwieeɛ *(full stop)* 3. adwenkyerɛ *(one's opinion)* VERB 4. tene nsateaa kyerɛ *(direct with the finger)*

poise NOUN 1. animuonyam *(dignity; gracefulness)* VERB 2. yɛ krado *(be ready)* 3. ma biribi gyina pintinn *(cause to be balanced)*

poison NOUN 1. awuduro 2. adubɔne VERB 3. ma awuduro *(administer poison)* 4. to adubɔne

poke VERB 1. perɛ *(push with the finger/sharp object)* 2. pia hyɛ mu *(push into another)* 3. pe fa ho *(pokes out of; pokes through; appear from behind/underneath another thing)* 4. bɔ kɔntene *(poke head through to see)*

pole NOUN 1. dua tea 2. dadeteaa

police NOUN opolisi; polisi *(borrowed)*

police officer NOUN opolisini; polisini *(borrowed)*

police station NOUN apolisifoɔ akakye

policy NOUN nhyehyɛeɛ *(arrangement; proposition)*

pomade NOUN nku □ *sra nku | smear pomade*

poo NOUN 1. agyanan 2. ebini 3. tiafi VERB 4. gya nan 5. ne

poor ADJ 1. deɛ nni sika 2. deɛ ahia no NOUN 3. ohiani

popular ADJ 1. deɛ wagye din 2. deɛ ahyeta; deɛ ne din ahyeta 3. deɛ dodoɔ nim no *(of a person)* 4. deɛ dodoɔ agye atom *(that which is accepted by many)* 5. deɛ agye din *(of something)*

populate VERB kan ɔman mu nnipa

population NOUN ɔman mu nnipa dodoɔ

populous ADJ beaeɛ a nnipa dɔɔso hɔ

porch NOUN abrannaa

porcupine NOUN kɔtɔkɔ

pore NOUN honam ani ntokuro nketenkete

pork NOUN prakonam

porridge NOUN 1. koko 2. mpampa

port NOUN suhyɛn gyinabea

portable ADJ 1. deɛ wɔtumi pagya kɔ baabi *(that which you can carry to another place)* 2. deɛ ɛyɛ ketewa *(that which is small)*

porter NOUN 1. ɔpono ano hwɛfoɔ *(one who is in charge of a place's entrance)* 2. nneɛma soafoɔ *(one who carries things)* 3. kayaye *(term for head porters in Ghana)*

portfolio NOUN 1. mfonin kotokuo *(photograph case/folder)* 2. mfonin ahodoɔ a mfonintwafoɔ de kɔ si akan *(a set of photographs used by a photographer in a competition)* 3. mfonin ahodoɔ a mfonintwafoɔ de kɔpɛ adwuma *(a set of photographs used by a photographer to apply for a job)*

portion NOUN 1. kyɛfa VERB 2. kyɛ *(share)*

portmanteau NOUN potomanto *(borrowed)*

portrait NOUN 1. nipa anim mfonin *(photograph of a*

person's face) 2. mfonin *(photograph)*

pose VERB 1. de haw ba *(cause/pose a problem)* 2. bisa *(ask)* 3. yɛ wo ho sɛ obi *(pose as someone)* 4. gyina faako *(stand still e.g. for a photograph to be taken of you)*

posh ADJ 1. deɛ ne boɔ yɛ den *(that which is expensive)* 2. deɛ ɛyɛ fɛ *(that which is nice/beautiful)* 3. deɛ ɔte yie *(one who lives luxuriously; upper class)*

position NOUN 1. dibea *(rank)* 2. gyinabea VERB 3. de to *(put)*

positive ADJ 1. deɛ ɔwɔ awerɛhyɛmu *(one who is hopeful)* 2. deɛ ɔdwene adwempa *(one who thinks good of others/something)* 3. deɛ ɛwɔ mu *(that which is true)* 4. deɛ ɛyɛ nokorɛ *(that which is the truth)* 5. deɛ ɛyɛ turodoo *(that which is clear; that which is a clear truth)* 6. anammɔn pa *(positive action)* 7. nnyetomu *(positive response; agreement)*

possess VERB 1. wɔ *(have; own)* 2. fa dommum *(of a feeling/belief/spirit: take control of; influence completely)*

possible ADJ 1. deɛ ɛbɛtumi asi *(that which can happen)* 2. deɛ ɛbɛtumi *(that which is possible; potential)*

post office NOUN nkratobea *(a place where letters/packages are sent)*

post VERB 1. de tare *(affix; attach)* 2. mane *(of letters/packages: send)* NOUN 3. dibea *(position; job)* 4. atena *(goalpost)* 5. ɔmane krataa *(a letter)*

poster NOUN amannebɔ krataa *(a notice (paper))*

posterity NOUN 1. nkyirimma *(succeeding generations)* 2. asefoɔ *(descendants)*

postmortem NOUN owuo mu nhwehwɛmu; obi wuo mu nhwehwɛmu

postpone VERB 1. tu hyɛ da 2. twe kɔ akyire

postponement NOUN ntuhyɛda

posture NOUN bɔbea

pot NOUN 1. kukuo 2. ahina 3. kyɛnsee

potable ADJ 1. korogyee 2. deɛ ani da hɔ *(clean; clear)*

potato NOUN 1. aborɔdwomaa 2. atommo

potent ADJ 1. tatahwe; deɛ ɛyɛ tatahwe 2. deɛ ano yɛ nam

pothole NOUN 1. bɔnka *(hole)* 2. kwan mu bɔnka *(hole on the road)*

potion NOUN 1. aduro *(medicine)* 2. dudo *(concoction)* 3. awuduro *(poison)*

potter NOUN okukudwinnifoɔ

potto (tree bear) NOUN ɔwea □ *ɔwea no siane firii dua no so | the potto (tree bear) descended from the tree*

pouch NOUN 1. bɔtɔ ketewa 2. baage ketewa

poultry NOUN efie ntakrammoa *(domestic fowls)*

pounce VERB to hyɛ so

pound VERB 1. wɔ *(past: wɔɔ/wɔeɛ; future: bɛwɔ; progressive: rewɔ; perfect: awɔ; negative: nwɔ)* 2. si *(past: sii/siiɛ; future: bɛsi; progressive: resi; perfect: asi; negative: nsi)* □ *da biara yɛwɔ fufuo | everyday we pound fufu*

pour VERB 1. hwie *(flow rapidly; cause to flow rapidly)* 2. tɔ *(of rain: fall)*

poverty NOUN ohia

powder NOUN pɔɔda *(borrowed)*

power NOUN 1. tumi *(ability; capacity; supernatural ability)* 2. ahoɔden *(strength)*

powerful ADJ 1. deɛ ɔwɔ tumi *(of a person: one who has power)* 2. deɛ ɔwɔ ahoɔden *(of a person: one who has strength)* 3. deɛ tumi wɔ mu *(of something: that which has power)* 4. deɛ ahoɔden wɔ mu *(of something: that which has strength)*

practise VERB 1. kɔ so yɛ *(keep doing)* 2. taa yɛ *(do regularly)*

practitioner NOUN odwumadifoɔ

praise VERB 1. yi ayɛ 2. tontom 3. kamfo NOUN 4. ayɛyie 5. ntontom 6. nkamfoɔ

prance VERB 1. hurihuri *(jump around)* 2. nante ntɛmtɛm *(walk quickly)*

prate VERB 1. toatoa *(to chatter)* NOUN 2. ntoatoa *(a chatter)*

prattle VERB 1. toatoa *(to chatter)* NOUN 2. ntoatoa *(a chatter)* 3. kasa tenten a nyansa nnim *(a lengthy, foolish talk)*

prawn VERB ɔbɔnkɔ

pray VERB bɔ mpaeɛ

prayer NOUN 1. mpaeɛ *(prayer)* 2. mpaebɔ *(the act of praying)*
praying mantis NOUN akokromfi
preach NOUN 1. ka nsɛm pa *(past: kaa nsɛm pa; future: bɛka nsɛm pa; progressive: reka nsɛm pa; perfect: aka nsɛm pa; negative: nka nsɛm pa)* 2. ka Nyame asɛm *(of the gospel)*
preacher NOUN 1. ɔsɔfoɔ; sɔfoɔ *(plural: asɛmpakafoɔ)* 2. ɔsɛmpakani; sɛmpakani *(plural: asɛmpakafo ɔ)*
preamble NOUN nnianimu
precaution NOUN 1. ahwɛyie 2. ahodasoɔ
precautionary ADJ 1. deɛ wɔde si biribi bɔne ho kwan 2. deɛ wɔyɛ de si biribi bɔne ho kwan
precede VERB 1. di anim 2. di kan
precept NOUN 1. ahyɛdeɛ 2. mmara *(law; rule)* 3. nneyɛɛ ho mmara *(behavioral rule)*
precious ADJ 1. ɛsom bo; deɛ ɛsom bo *(of great value; that which is of great value)* 2. deɛ ne boɔ yɛ den *(that which is expensive)*
precise ADJ pɛpɛɛpɛ *(exact)*
preclude VERB si kwan; si ho kwan
preconceive VERB dwene ho sie *(conceive ahead of time)*
preconceived ADJ deɛ wɔadwene ho asie
predecessor NOUN 1. ɔkannifoɔ *(of a person)* 2. deɛ ɛbaa kane *(that which came first)*
predestined ADJ 1. deɛ Ɔbɔadeɛ ahyehyɛ ato hɔ dada *(that which has already been decided by God)* 2. deɛ ɛyɛ nkrabea *(that which is fate)* 3. deɛ ɛwɔ sɛ ɛsi *(that which is bound to happen)*
predicament NOUN 1. asiane 2. ɔhaw
predict VERB 1. hyɛ nkɔm *(prophesy)* 2. ka deɛ ɛbɛsi daakye *(say what will happen in the future)*
predominate VERB 1. gye fa 2. bu fa so *(in number)*
preface NOUN nnianimu
prefect NOUN opanin
prefer VERB 1. pɛ sene *(like more than)* 2. pɛ sene ade foforɔ *(like more than something else)*
prefix NOUN 1. nsianimu VERB 2. de si anim

pregnancy NOUN nyinsɛn

pregnant ADJ 1. deɛ ɔnyem 2. deɛ wafa afuro 3. deɛ abɔ ma *(that which is full)*

prehistoric ADJ 1. tete 2. kankyerekyere

prejudice NOUN 1. nnipakuo bi ho tirimupɔ bɔne *(of a group of people)* 2. nnipakuo bi ho adwemmɔne *(of a group of people)* 3. biribi ho tirimupɔ bɔne *(of something)*

preliminary ADJ 1. deɛ ɛdi kan *(that which comes first)* 2. deɛ wɔde popa kwan mu NOUN 3. ahoboa *(preparation)* 4. mfitiaseɛ *(beginning)*

prelude NOUN 1. mfitiaseɛ 2. mpena adwareeɛ *(a saying, literally: girlfriend/boyfriend's washroom: something that happens before/in preparation for a major one)*

premature ADJ 1. deɛ ɛsi ntɛm; deɛ ɛba ntɛm *(that which happens/comes early)* 2. deɛ wɔawo no ntɛm *(of a baby: delivered earlier)* 3. deɛ anwie pɛ yɔ

premeditate VERB 1. dwene ho sie 2. bɔ to hɔ

premier ADJ 1. deɛ ɛho hia kane *(first in importance)* 2. deɛ ɛdi kan *(that which comes first)* 3. deɛ ɛba kane *(earliest)*

premonition NOUN 1. ehu 2. atenkabɔne

preoccupied ADJ deɛ n'adwene wɔ akyirikyiri

preparation NOUN ahoboa

preparatory ADJ 1. deɛ wɔyɛ no kane 2. deɛ ɛdi kan 3. ahyɛaseɛ 4. mfitiaseɛ

prepare VERB 1. boa ho 2. yɛ ahoboa *(make ready)* 3. noa *(of food: cook)*

prescribe VERB twerɛ aduro ma *(write/prescribe medicine for)*

present ADJ 1. mprempren 2. deɛ ɔwɔ ha; deɛ ɔwɔ hɔ *(one who is here; one who is there)* 3. seesei *(now)* 4. seesei ara *(right now)* NOUN 5. akyɛdeɛ *(gift)*

preservation NOUN bammɔ

preserve VERB 1. bɔ ho ban 2. kora

preside VERB tena pono ti

president NOUN 1. ɔmanpanin *(of a country)* 2. adwumakuo bi mu panin *(of an organisation)*

press VERB 1. mia; mia so NOUN 2. nsɛntwerɛdwuma *(the press)* 3. koowaa nkrataa *(newspapers)*

prestige NOUN animuonyam

presume VERB 1. susu sɛ 2. bu sɛ 3. fa no sɛ

presumption NOUN nsusuiɛ

pretend VERB 1. patu 2. hyɛ da yɛ

pretty ADJ 1. deɛ ne ho twa *(one who's attractive)* 2. deɛ ɛyɛ fɛ *(that which is beautiful)* ADV 3. kakra *(fairly)*

prevail VERB 1. di so nkonim *(win over)* 2. di so

prevent VERB si kwan

prevention NOUN akwansideɛ *(obstacle; impediment)*

previous ADJ 1. deɛ atwam 2. kane

price NOUN 1. ɛboɔ; boɔ 2. nsunsuansoɔ *(consequence)*

priceless ADJ 1. deɛ ɛsom bo *(of great value)* 2. deɛ ne boɔ yɛ den *(expensive)*

prick NOUN kɔteɛ

prickle NOUN 1. awɔse *(goosebumps; goose pimples)* 2. nsɔeɛ

pride NOUN 1. ahantan *(arrogance)* 2. dwaeɛ *(arrogance)* 3. ahomasoɔ *(arrogance)* 4. obuo *(respect)* 5. mmɔdemmɔ mu anigyeɛ *(gratification; pleasure at one's hard work)*

priest NOUN ɔsɔfoɔ *(plural: asɔfoɔ)*

primary ADJ 1. titire *(the most important; main)* 2. deɛ ɛdi kan *(that which comes first)*

primate NOUN ɔsɔfo panin *(plural: asofoɔ mpanimfoɔ)*

prime ADJ 1. titire 2. deɛ ɛho hia pa ara *(most important)* 3. mmerantebérɛm *(the youthful period of males)* 4. mmabaawaberɛm *(the youthful period of females)* 5. siesie *(prepare to be used)*

primer NOUN 1. ahyɛaseɛ nwoma 2. adesua nwoma a ɛdi kan

primitive ADJ 1. deɛ ɛfiri tete *(that which is from ancient period)* 2. deɛ ɛho atwam *(that which is old-fashioned)* 3. deɛ anibue nnim *(that which is uncivilized)*

prince NOUN ɔhene ba barima

princess NOUN ɔhene ba baa

principal NOUN 1. titenani *(chairperson)* 2. opanin *(leader; boss)* VERB 3.

titire *(main)* 4. deɛ ɛdi biribi mu akotene 5. botaeɛ titire *(main purpose)*

principle NOUN 1. gyedie *(belief)* 2. nnyinasosɛm

print VERB 1. tintim *(of a book: newspaper; brochure, etc.)* 2. hohoro *(of a photograph)*

prior ADJ kane

priority NOUN deɛ ɛho hia pa ara; ahiadeɛ

prison NOUN afiase

prisoner NOUN deɛ ɔda afiase

privacy NOUN kokoam

private ADJ 1. deɛ ɛwɔ ankorɛankorɛ 2. deɛ yɛyɔ no kokoam *(that which is done in private)* 3. kokoamdeɛ *(secret)*

privilege NOUN 1. akwannya *(opportunity)* 2. adom *(grace)*

prize NOUN abasobɔdeɛ *(award)*

probation NOUN sɔhwɛberɛ

probe VERB 1. hwehwɛ mu NOUN 2. nhwehwɛmu

probity NOUN 1. nokorɛdie 2. ahoteɛ

problem NOUN ɔhaw

procedure NOUN ɔkwan

proceed VERB 1. toa so *(proceed to/with; continue)* 2. kɔ so *(go on)* 3. kɔ anim *(go forward)* NOUN 4. emu sika; biribi mu sika *(proceeds; money obtained from an event/activity)*

process NOUN ɛkwan

procession NOUN santene

proclaim VERB 1. da adi; da no adi *(make known; make it known)* 2. bɔ dawuro *(announce)* 3. si no pi *(state emphatically)* 4. yi ayɛ; tontom *(tontom)*

proclamation NOUN 1. adansedie 2. mpaemuka

procrastinate VERB 1. twetwe nan ase 2. twentwɛn so 3. bɔ to hɔ; bobɔ to hɔ 4. twetwe kɔ akyire

procrastination NOUN 1. mmɔtohɔ 2. ntwentwɛnsoɔ

procure VERB nya

prodigal ADJ hohwini; deɛ ɔyɛ hohwini

produce VERB 1. yɛ; yɔ NOUN 2. nnobaeɛ *(farm produce)*

product NOUN adwadeɛ

profane ADJ 1. deɛ ɛho nte 2. deɛ ɛyɛ wiasedeɛ *(that which is secular)*

profanity NOUN kasafi *(bad/dirty language)*

profess VERB 1. pae mu ka 2. da adi; da no adi

profession NOUN 1. adwuma *(work; occupation)* 2. mpaemuka *(declaration)*

proficient ADJ deɛ wakwadare biribiyɔ mu

profit NOUN 1. mfasoɔ VERB 2. nya mfasoɔ

profitable ADJ 1. deɛ mfasoɔ wɔ mu *(that which yields profit)* 2. deɛ ɛho hia *(that which is useful)*

profiteer NOUN 1. deɛ ɔnya sika kwammɔne so VERB 2. nya sika kwammɔne so

profuse ADJ 1. deɛ ɛboro so 2. deɛ ɛdɔɔso

profusion NOUN mmorosoɔ

progeny NOUN asefoɔ *(descendants; offsprings)*

programme NOUN 1. dwumadie 2. nhyehyɛeɛ VERB 3. hyehyɛ *(arrange)*

progress NOUN 1. kankorɔ 2. nkɔsoɔ 3. mpuntuo VERB 4. kɔ nkan 5. tu mpɔn 6. kɔ so

prohibit VERB 1. si ho kwan 2. kame 3. bra; bra ho *(forbid)*

prohibition NOUN 1. ahobra 2. akwansie

project NOUN 1. dwumadie VERB 2. susu 3. de ani bu 4. dwene ho

prolific ADJ 1. deɛ ɔto atena pii *(of a sports player: one who scores many goals)* 2. deɛ ɔwo pii *(of an animal/a person: one who brings forth many babies)* 3. deɛ ɛso aba pii *(of a plant: that which bears a lot of fruit)*

prolong VERB 1. ma ɛkyɛ *(of duration: make longer)* 2. ma ɛyɛ tenten *(of length: make longer)* 2. twe mu

prominent ADJ 1. deɛ ɔyɛ kunini 2. deɛ ɛda nso *(that which is unique)* 3. deɛ ɛdi mu

promiscuity NOUN adwamammɔ

promiscuous ADJ deɛ ɔyɛ dwamanfoɔ

promise VERB 1. hyɛ bɔ *(past: hyɛɛ bɔ; future: bɛhyɛ bɔ; progressive: rehyɛ bɔ; perfect: ahyɛ bɔ; negative: nhyɛ bɔ)* □ *ɔhyɛɛ me bɔ sɛ ɔbɛdɔ me akɔsi awieeɛ | he/she promised to love me till the end* □ *mehyɛ wo bɔ sɛ menni wo hwammɔ da | I promise you that I will never betray you* □ *Kwanhwɛfoɔ nhyɛ bɔ | Adventists do not promise (do not make promises)* NOUN 2. bɔhyɛ □ *di wo bɔhyɛ so | honour your promise*

promote VERB 1. yɛ ho dede 2. bɔ ho dawuro *(give publicity to)* 3. pagya dibea *(raise rank/position)* 4. hyɛ nkuran *(encourage)* 5. pia *(push)*

promotion NOUN 1. dawurubɔ *(advertisement)* 2. abasobɔ *(award; raise)* 3. donkomi *(in marketing: activity to drive in more sales)*

prompt ADJ 1. mprempren *(immediate)* VERB 2. ma ɛsi *(cause to happen)* 3. bɔ nkaeɛ *(remind)* 4. hyɛ *(urge)* 5. hyɛ nkuran *(encourage)* NOUN 6. nkaeɛ *(reminder)*

promulgate VERB 1. da adi *(make known)* 2. bɔ ho dawuro *(announce; publicise)* 3. hyɛ mmara *(enact a law)*

pronoun NOUN edinnsiananmu

pronounce VERB 1. ka *(say)* 2. pae mu ka *(openly say)* 3. hyɛ *(declare; pronounce judgement)* 4. bɔ din *(name)*

proof NOUN 1. adanseɛ 2. adansedeɛ

propagate VERB 1. ma aseɛ dɔre *(of plants/animals)* 2. bɔ ho dawuro *(advertise; spread)*

propel VERB 1. pia *(push)* 2. ma ɛkɔ kan

proper ADJ 1. papa 2. deɛ ɛyɛ 3. ankasa *(strictly so called)* ADV 4. yie *(satisfactorily)*

property NOUN 1. agyapadeɛ 2. ahodeɛ *(belongings)* 3. ɛdan ne n'asase *(a building and the land belonging to it)* 4. su *(attribute of)*

prophecy NOUN 1. nkɔmhyɛ 2. adiyisɛm

prophesy VERB hyɛ nkɔm

proposal NOUN 1. tirimupɔ *(a plan)* 2. ɔpɛ; ɔpɛseɛ *(of marriage proposal)*

propose VERB 1. se pɛ *(make an offer of marriage to someone; show romantic interest in someone)* 2. de adwene bra *(come forth with an idea)* 3. de to dwa *(put forward)* 4. yi *(nominate)*

proprietor NOUN owura *(owner)*

prosecute VERB 1. bɔ kwaadu *(of legal proceedings: accuse)* 2. toa so *(continue)*

prosecution NOUN kwaadubɔ

prosecutor NOUN kwaadubɔni

prosper VERB 1. yɛ yie *(become successful)* 2. nya nkɔsoɔ *(attain success)*

prosperity NOUN 1. nkɔsoɔ 2. yiedie 3. mpuntuo

prostitute NOUN 1. odwamanfoɔ 2. tuutuuni 3. gyantrani *(slut)* 4. ahyawoni

protect VERB bɔ ho ban

protection NOUN 7. ahobammɔ; bammɔ

protégé NOUN 5. deɛ ɔwɔ ahobammɔ 6. deɛ wɔrebɔ ne ho ban

protest VERB 1. kasa tia *(speak against)* 2. kasa ho *(speak about)* 3. yɛ ɔyɛkyerɛ *(demonstrate)* NOUN 4. ɔyɛkyerɛ *(demonstration)*

protocol NOUN 1. nhyehyɛeɛ *(arrangement)* 2. ɔkwan *(way; procedure)*

protrude VERB 1. pue firi *(come out of)* 2. yi ho 3. twe pue

proud ADJ 1. ani gye ho *(pleased; happy about)* 2. deɛ ɔbu ne ho *(one who has respect for him/herself)* 3. deɛ ɔyɛ ahomasoɔ; deɛ ɔyɛ dwaeɛ *(one who is arrogant; feels important over everybody else)*

prove VERB 1. da mu nokorɛ adi 2. da adi *(demonstrate)*

proverb NOUN ɛbɛ; bɛ

proverbial ADJ 1. deɛ wɔtaa ka *(popular saying)* 2. deɛ dodoɔ no ara nim *(that which is well-known)* 3. deɛ ɛfa abɛbuo ho *(that which is related to proverbs)*

provide VERB 1. ma *(give)* 2. ma nsa ka *(make available)*

province NOUN mantam *(region)*

provocation NOUN abufuhyɛ

provocative ADJ 3. deɛ ɛhyɛ abufuo *(that which causes anger)*

provoke VERB 1. hyɛ abufuo *(make angry)* 2. yi ahi 3. gyegye

prowess NOUN 1. nimdeɛ *(knowledge; expertise)* 2. akokoɔduro *(bravery; courage)*

Psalm NOUN Dawid nnwom *(songs of David)*

pseudo ADJ 1. deɛ ɛyɛ kontompo *(that which is a lie)* 2. nsɛsoɔ; sɛso

psychopath NOUN deɛ n'adwene nyɛ

puberty NOUN 1. mpanimfeɛ so 2. mmabunuberɛ *(adolescence)*

public NOUN badwam

publication NOUN 1. nnwoma tintim ho adwuma *(the printing of books)* 2. nwoma *(book)*

publicity NOUN dawurubɔ

publish VERB 1. tintim nnwoma *(print books)* 2. da adi *(reveal)* 3. de to dwa *(announce)*

pugnacious ADJ 1. deɛ ɔpɛ ntɔkwa *(one who likes to fight/quarrel)* 2. deɛ ɔpɛ akyinnyegyeɛ *(one who likes to argue)*

pull VERB twe

pullover NOUN sowata *(sweater, borrowed)*

pulpit NOUN ɔsɛnkafoɔ dwa

pulsate VERB 1. bɔ *(beat)* 2. woso *(shake; quiver)*

pulsating ADJ 1. deɛ ɛrebɔ *(that which is beating; quivering)* 2. deɛ ɛrewoso *(that which is shaking)*

pulverise VERB 1. sɛe *(destroy)* 2. sɛe koraa *(destroy; damage completely)* 3. di so nkonim *(defeat)* 4. yam *(crush into powder)*

pummel VERB 1. bobɔ *(hit continuously)* 2. toto atwɛdeɛ *(throw punches)* 3. boro *(beat)*

pumpkin NOUN ɛferɛ

punch VERB 1. bɔ *(hit)* 2. to twɛdeɛ *(throw a punch)* 3. tu tokuro *(make hole)*

punctual ADJ deɛ ɔdi mmerɛ so

punctuation NOUN agyinahyɛdeɛ

puncture VERB 1. tu tokuro 2. tue mu

pundit NOUN onimdefoɔ; nimdefoɔ

punish VERB twe aso

punishment NOUN asotwe

punitive ADJ deɛ wɔde twe aso

pupil NOUN osukuuni; sukuuni

puppy NOUN ɔkraman ba

purchase VERB tɔ

pure ADJ 1. korogyee *(of water: clean)* 2. deɛ wɔfraa mu *(that which hasn't been mixed with anything else)* 3. kann

purgative NOUN afaseduro

purge VERB 1. te ho *(cleanse; purify)* 2. yi adi *(clear a person of a charge)* 3. yi *(remove)* 4. gya nan; ne *(clear bowels; evacuate faeces)*

purify VERB 1. te ho 2. dwira

purple NOUN | ADJ 1. beredum 2. afasebiri

purpose NOUN botaeɛ

purvey VERB 1. ka kyerɛ *(tell to)* 2. de ma 3. ma nsa ka *(make available to)*

push VERB 1. pia 2. sum

pussy NOUN 1. agyinamoa *(cat)* 2. ɔkra *(cat)* 3. ɛtwɛ *(informal, offensive: a woman's genitals)*

put VERB 1. to; de to 2. fa to

python NOUN onini

Qq

quack NOUN 1. bradɛtofoɔ 2. ɔdaadaafoɔ *(deceiver)* 3. osisifoɔ *(cheat)* 4. dabodabo su *(noise made by ducks)*
quadrate NOUN ahinanan
quadruplets NOUN ahenanan
quail NOUN aboko
quake VERB 1. woso NOUN 2. asase wosoɔ *(earthquake)*
qualify VERB 1. fata sɛ 2. twa mu nsɔhwɛ *(pass its exams)* 3. nya mu nimdeɛ *(gain knowledge in)* 4. wɔ ho kwan *(have rights to)*
qualm NOUN 1. ehu *(fear)* 2. anisobirie *(of illness: dizziness; faintness)* 3. abofono *(nausea)*
quandary NOUN ntantadwene; ntanta *(in a quandary; perplexed mind)*
quantity NOUN dodoɔ
quarantine NOUN 1. akoraeɛ *(a holding area; place)* VERB 2. kora 3. tete mu
quarrel NOUN 1. ntɔkwa 2. ntawantawa 3. akasakasa 4. twe-ma-mentwe 5. ɔham VERB 6. kasakasa 7. ham so 8. twe ntawantawa 9. twe 10. ko ntɔkwa
quarry NOUN 1. abopaebea 2. abotubea VERB 3. tu aboɔ 4. pae aboɔ
quarter NOUN 1. nkyemu anan mu baako 2. asoeɛ *(lodge)*
queasy ADJ 1. deɛ ne bo fono no *(one who's nauseous)* 2. deɛ ɔyare *(one who's sick)*
queen NOUN ɔhemmaa
quell VERB 1. ma ɛtoɔ twa *(stop; end it)* 2. brɛ ano ase *(calm it down)*
quench VERB 1. kum sukɔm *(of thirst)* 2. dum *(of fire: extinguish)*
querulous ADJ deɛ ɔkwane *(one who whines; nags)*

query VERB 1. bisa; bisabisa 2. toto ano NOUN 3. asɛmmisa 2. ntotoano

question mark NOUN asɛmmisa nsɛnkyerɛne *(?)*

question VERB 1. bisa *(past: bisaa/bisaeɛ; future: bɛbisa; progressive: rebisa; perfect: abisa; negative: mmisa)* 2. toto ano *(past: totoo ano; future: bɛtoto ano; progressive: retoto ano; perfect: atoto ano; negative: ntoto ano)* NOUN 3. asɛmmisa

queue NOUN 1. santene VERB 2. to santene

quibble VERB 1. gye akyinnye hunu *(argue over triviality)* NOUN 2. nsɛnhunu *(unimportant talk)* 3. soboɔhunu *(unimportant complaint)*

quick ADJ 1. ntɛm 2. ahoɔhare so

quickly ADV ahoɔhare so □ *Yaa didi ahoɔhare so* | *Yaa eats quickly*

quiescent ADJ 1. berɛ a wɔnyɛ hwee *(periodof inactivity)* 2. ahomegyeɛ berɛ *(resting period)*

quiet ADJ 1. komm 2. dinn

quill NOUN takra *(plural: ntakra)*

quinine NOUN kunii *(borrowed)*

quire NOUN 1. nkrataa aduonu nan *(24 sheet so f paper)* 2. nkrataa aduonu num *(25 sheet so f paper)* 3. nwoma mu nkrataa *(sheets in a book)*

quit VERB 1. gyae *(stop; leave, e.g. activity; job)* 2. twe ho firi *(cease; desist)* 3. tu *(give up occupancy)* 4. gya hɔ

quiz NOUN 1. sɔwoadwenehwɛ dwumadie 2. nsɔhwɛ *(exam)* 3. akansie *(competition)* 4. nsɛmmisa agodie *(questioning game)* VERB 5. sɔ adwene hwɛ 6. sɔ hwɛ *(examine)* 7. bisabisa *(ask questions)* 8. toto ano *(interrogate)*

quorum NOUN 1. nnipa dodoɔ 2. nnipa dodoɔ a agyinatukuo bi hia ansa wɔatumi adi dwuma

quota NOUN kyɛfa

quotation mark NOUN nkatomdeɛ

quote VERB 1. ka no sɛdeɛ ɔfoforɔ aka no pɛpɛɛpɛ *(say it exactly as someone else said it)* 2. twerɛ no sɛdeɛ ɔfoforɔ atwerɛ no pɛpɛɛpɛ *(write it exactly as someone else has written it)* 3. si so *(repeat)* 4. tu ɔfoforɔ asɛm; tu ɔfoforɔ atwerɛeɛ *(cite)* NOUN 5.

ɛbɔɔ *(price)* 6.

nkatomdeɛ *(quotation mark)*

Rr

rabbit NOUN adanko *(plural: nnanko)* □ *adanko, m'aso yɛ den!| rabbit, I'm stubborn! (from a nursery rhyme)*

rabble NOUN akwasampafoɔ kuo

rabid ADJ 1. deɛ ne gyedie wɔ biribi mu boro so 2. deɛ ɔyɛ heehee 3. deɛ ɔyɛ gidigidi

race NOUN 1. ammirikatuo akansie *(running competition)* 2. ammirikatuo *(running)* 3. akansie *(competition)* 4. nnipaban *(of division of human beings: distinctive features of a group of people)* 5. abusua *(family)* 6. asefoɔ *(descendants)* VERB 7. tu ammirika *(run)* 8. dwane *(run from/to)* 9. si akan *(compete)* 10. bɔ periperi *(of the heart (organ): beat fast)*

racket NOUN 1. dede *(noise)* 2. gyegyeegye *(loud, unpleasant noise)* 3. basabasayɔ *(commotion)* 4. apoobɔ *(fraud)* 5. kwammɔne a wɔde nya sika *(bad/illegal way of making money)*

racy ADJ 1. deɛ ɛyɛ anika *(that which is amusing)* 2. deɛ ɔkeka ne ho

radio (set) NOUN 1. akasafidie; kasafidie 2. akasanoma; kasanoma □ *kyim kasafidie no to 'Adom' | tune the radio to 'Adom'*

rag NOUN ntomago □ *ntoma fi| dirty rag*

ragamuffin NOUN 1. deɛ ɔnhwɛ n'ahosiesie mu yie 2. deɛ ɔnni ne ho ni

rage NOUN 1. abufuhyew *(fury)* VERB 2. kɔ so *(continue)* 3. kasa ho abufuo so *(speak angrily about something)*

ragged ADJ 1. deɛ n'atadeɛ atete 2. deɛ atete

railway NOUN keteke kwan

rain NOUN 1. osuo *(the water that falls)* 2. osutɔ *(the act of raining)* VERB 3. osuo tɔ *(rain falls)* 4. tɔ osuo *(command, rain)* 5. osuo retɔ *(it is raining)* 6. toto mane *(rain blows, bombs, kicks at)* 7. didi atɛm *(rain insults on)*

rainbow NOUN nyankontɔn

rainy season NOUN osutɔberɛ

raise VERB 1. pagya; ma so *(lift)* 2. pagya mu *(lift up; raise the standard)* 3. to mu *(of e.g. salary: increase)* 4. tete; hwɛ *(look after a child till he/she grows up)* NOUN 5. ntomu *(of salary/wage: an increase)*

rake NOUN ntwesoɔ dadeɛ

rally NOUN 1. nhyiamu kɛseɛ VERB 2. ka bom 3. boa ano *(bring together)*

ram NOUN odwannini *(plural: nnwannini)*

ramble NOUN 1. nanteɛ *(a walk)* 2. akyinkyiniakyinkyini *(a roam)* VERB 3. nante kakra *(walk a little)* 4. kyini; kyinkyini *(roam)*

rampage VERB 1. yɛ basabasa 2. de abufuo sɛe NOUN 3. basabasayɔ

rampant ADJ 1. ate atese 2. ahyeta

ramshackle ADJ 1. ɛdan a agoɔ *(of a house)* 2. adweadwe *(of a vehicle: rickety)*

ranch NOUN nantwiyɛnbea

rancid ADJ 1. asɛe; deɛ asɛe *(that which is spoilt)* 2. aporɔ; deɛ aporɔ *(that which is rotten)* 3. deɛ ɛreyi hwa *(that which is smelling)*

rancour NOUN 1. anitan 2. ɔtan

random ADJ biara-biara

range NOUN 1. fiti... de kɔsi... *(from... up to...)* 2. ahodoɔ *(a wide range of)* 3. ntentensoɔ 4. ɛserɛ so *(grazing/hunting area; pasture)* 5. hyehyɛ

rank NOUN 1. dibea VERB 2. ma dibea

ransack VERB 1. pansam 2. hwehwɛ

ransom NOUN 1. mpatasika *(of money)* 2. mpatadeɛ *(general)*

rape NOUN 1. mmonnaatoɔ VERB 2. to mmonnaa

rapid ADJ 1. ntɛm so

rapport NOUN ayɔnkofa

rare ADJ 1. ɛntaa si; deɛ ɛntaa nsi *(not occurring often)* 2. ɛho yɛ na; deɛ ɛho yɛ na

rascal NOUN ɔsesafoɔ

rash ADJ 1. huuhuu NOUN 2. nsawa 3. honam ani nsawa

rat NOUN okusie *(plural: nkusie)* □ *okusie nyaa fufuo a nka ɔbɛdi; waduro na ankɔ ne bɔn mu | but for how big the mortar is to fit in the rat's burrow, he/she would've loved to eat fufu (a Twi proverb)*

rate NOUN 1. dodoɔ *(quantity)* 2. ɛboɔ *(price)* VERB 3. susu 4. kari *(borrowed)*

ratify VERB de nsa hyɛ aseɛ

ration NOUN 1. kyɛfa VERB 2. kyɛ

rational ADJ 1. deɛ ɛtɔ asom 2. deɛ nyansa wɔ mu 3. ɔbadwemma 4. nyansafoɔ

rattle VERB 1. kasa gyegyeegye 2. bɔ hu 3. yɛ dede kɔ *(of a vehicle: make noise in motion)*

ravage VERB 1. sɛe NOUN 2. ɔsɛeɛ

ravish VERB 1. to mmonnaa *(rape)* 2. de anigyeɛ mmorosoɔ hyɛ

raw ADJ 1. mono 2. deɛ wɔnnoaeɛ *(of food: uncooked)* 3. deɛ ɛda mpan

raze VERB dwiri gu

razor NOUN yiwan

reach VERB 1. tene nsa; tene nsa sɔ mu *(extend arm; extend arm and touch)* 2. duru; du *(arrive at)* 3. tene nsa *(stretch out a hand)* 4. de biribi ma *(give something to; reach out in support)*

react VERB 1. yɛ ho biribi *(act in response to)* 2. yɛ bi tua ka

read VERB 1. kan *(past: kann/kaneeɛ; future: bɛkan; progressive: rekan; perfect: akan; negative: nkan)* 2. kenkan *(reduplicated, past: kenkann/kenkaneeɛ; future: bɛkenkan; progressive: rekenkan; perfect: akenkan; negative: nkenkan)* NOUN 3. akenkan *(act of reading)*

ready ADJ krado

real ADJ 1. kann 2. nokorɛ 3. deɛ ɛwɔ hɔ

realise VERB 1. hunu 2. nya ho nteaseɛ

realm NOUN ahemman

reap VER+B 1. twa *(of a crop: harvest)* 2. nya ho akatua

rear NOUN 1. akyire VERB 2. yɛn *(of an animal: breed; raise)* 3. tete *(of a child: bring up; take care)*

reason NOUN 1. asɛm ase 2. deɛ nti 3. botaeɛ *(one's reason)* VERB 4. dwene; dwene ho

reassure VERB 1. ka akoma to yam 2. ma adwene si pi

rebel NOUN 1. otuatefoɔ *(of a person, plural: atuatefoɔ)* VERB 2. te atua

rebellion NOUN atuateɛ

rebuild VERB 1. si bio *(build again)* 2. si foforɔ *(build anew)*

rebuke VERB 1. twi anim 2. ka anim NOUN 3. animka 4. ntwianim

recall VERB 1. kae *(remember)* 2. kaakae *(recollect)* 3. hyɛ ma obi nsan *(order for one to return)*

recant VERB 1. dane ano 2. twe san *(withdraw)* 3. twe san wɔ badwam *(withdraw publicly)*

recantation NOUN 1. ntwesan 2. anodaneɛ

receipt NOUN 1. adansedie krataa 2. adegyeɛ mu adanseɛ krataa 3. ɔgyeɛ *(the act of receiving)*

receive VERB 1. gye 2. nsa ka *(get what has been sent to you)* 3. gye; yɛ atuu; kyea *(receive a visitor; embrace; greet)* 4. sɔ mu *(how you react to something, e.g. news)*

recent ADJ 1. ɛnkyɛeɛ; deɛ ɛsiiɛ nkyɛeɛ *(that which happened not too long ago)* 2. deɛ ɛhyɛɛ aseɛ nkyɛeɛ *(that which began not too long ago)* 3. nnansa yi ara 4. foforɔ *(new)* 5. ɛnnora nko ara *(just yesterday)*

reception NOUN 1. ɔgyeɛ *(the act of receiving)* 2. ahɔhogyeɛ *(the act of receiving/welcoming visitors)*

recitation NOUN 1. nkankyeɛ 2. nsɛnworɔ *(outpour)* 3. tiri mu nsɛnka

recite VERB 1. ka firi tirim 2. worɔ nsɛm firi tirim

reckon VERB 1. bu 2. susu 3. sese

recognize VERB 1. hunu; hu *(identify)* 2. gye tom *(acknowledge; accept)*

recollect VERB 1. kae *(remember)* 2. kaakae 3. ma ani ba so *(call to mind)*

recollection NOUN nkaeɛ

recommend VERB 1. kamfo ma 2. kamfo kyerɛ

recommendation NOUN abɔdinkyerɛ

recompense VERB 1. pata *(compensate)* 2. tua so ka *(pay for effort/work)* 3. si anan mu *(replace)* NOUN 4. mpata *(compensation)* 5. akatua *(pay)* 6. nsiananmu *(replacement)*

reconcile VERB 1. ka bom *(restore friendly relations)* 2. siesie *(of a quarrel: restore)*

reconciliation NOUN 1. nsiesie 2. nkabom

reconvalesce VERB nya ahosan bio *(convalesce again)*

record NOUN 1. ntwerɛtohɔ 2. ntwetohɔ VERB 3. twerɛ to hɔ 4. twe to hɔ

recourse NOUN 1. anidasoɔ *(hope)* 2. dwankɔbea *(source of help)* 3. dwantoa *(the act of resorting to someone/something for help)*

recover VERB 1. nya ahotɔ; te apɔ *(gain good health)* 2. nsa ka *(gain possession of lost/stolen item(s)))* 3. hwehwɛ hu *(find/retrieve lost/stollen item(s))* 4. ma ani ba wo ho so bio *(regain normal mental state)*

recovery NOUN ahosan *(return to normal health/mental state)*

recreation NOUN akwahosan

rectangle NOUN fasene

rectify VERB 1. te ho *(purify)* 2. sɔne so *(sieve; refine)*

rectum NOUN kɔkɔbo

red ant NOUN nhohoa □ *nhohoa kaa me | red ant bit me*

red NOUN 1. kɔkɔɔ □ *ano kɔkɔɔ | red lips* ADJ 2. kɔɔ 3. gɔnn

redden VERB 1. bere 2. yɛ kɔɔ

redeem VERB 1. gye *(save; atone)* 2. ma nsa ka bio *(regain possession of)* 3. tua ka *(pay debt)* 4. di bɔhyɛ so *(of a promise/pledge: honour)*

redemption NOUN ɔgyeɛ *(the act of being saved from sin/evil)*

reduce VERB 1. te so; yi so *(in amount/size/degree)* 2. te animuonyam so *(in honour)* 3. brɛ ase

reduction NOUN 1. ntesoɔ 2. nyisoɔ

reduplicate VERB 1. bɔ ho *(double)* 2. si so *(repeat)* 3. pem anim

reduplication NOUN 1. mmɔho *(the state of redoubling)* 2. nsisoɔ 3. mpemanim

reed NOUN 1. demmere 2. mfea *(cane)*

reef NOUN 1. ɛpo mu botan 2. ɛpo ani botan

reel VERB 1. hinhim; kɔ afa-afa *(stagger)* 2. nya ahodwiri *(feel shocked)*

refer VERB 1. bɔ din *(mention)* 2. de to ho *(allude; compare)* 3. kyerɛ sɛ *(describe as)* 4. gyina hɔ ma *(stand for)* 5. de dan; dan

referee NOUN ɔsɛntwamfoɔ

reference NOUN 1. ntotoho VERB 2. de to ho 3. bɔ din

refine VERB 1. te ho *(purify)* 2. yi ho fi *(remove its filth)* 3. sɔne so *(sieve)* 4. pa ani; pɔ *(bleach)* 5. twi ho *(polish)*

reflect VERB 1. dwene; dwene ho *(think; think about)* 2. dwene ho kɔ akyire *(think deeply about)* 3. kyerɛ *(show)*

reflection NOUN 1. adwennwene *(thought about)* 2. akyirikyiri adwennwene *(deep thought)*

reform VERB 1. sesa mu; dane mu *(make changes)* NOUN 2. nsesamu *(the process of reforming...)*

reformation NOUN 1. nsesaeɛ 2. nsesamu

refresh VERB 1. ma ahoɔden foforɔ *(reinvigorate)* 2. ma ahodwoɔ *(calm)* 3. kaakae adwene *(of memory)*

refrigerator NOUN 1. asukɔkyea adaka 2. firigyi *(borrowed)*

refuge NOUN dwankɔbea; hintabea *(of a place: providing safety; shelter)*

refund VERB 1. dane ma 2. tua *(pay)* NOUN 3. sika a wɔasan adane ama deɛ ɔtuaeɛ

refuse VERB 1. kyerɛ sɛ wonyɛ biribi *(indicate/show that you will not do something)* 2. mma *(refuse to give)* 3. mma ho kwan *(disallow)* 4. po *(refuse an offer)* 5. mpene *(don't accept)* NOUN 6. nwira *(rubbish)*

regain VERB 1. san nya; nya bio *(re-obtain possession of what you lost)* 2. san duru *(reach a position, place again)*

regard VERB 1. bu *(consider/view as)* 2. hwɛ haa *(gaze steadily)* NOUN 3. obuo *(respect)* 4. nhwɛhaa *(steady gaze)* 5. nkyea *(greetings)*

regardless ADJ 1. ɛmfa ho ne *(irrespective of)* 2. ne nyinaa akyi no *(despite all...)*

regent NOUN 1. ɔmankrado 2. ɔhene nanmusini

regiment NOUN 1. asraafokuo *(of soldiers)* 2. ɛdɔm *(crowd)* 3. ekuo *(group)*

register NOUN 1. dinfrɛ nwoma *(a book for recording attendance)* 2. adwumayɔ so nwoma VERB 3. twerɛ din *(enter/record names)* 4. de adwene to dwa; kyerɛ adwene *(make opinion known; convey opinion)*

regret VERB 1. nu ho *(feel sorry about)* 2. yɛ ya *(used in polite formulas to apologise for something undesirable)* NOUN 3. nnuhoo *(sorry feeling)* 4. ɛyeaa; ɔyaw

regular ADJ 1. deɛ ɛda ne kwan mu 2. deɛ ɛnam ne kwan so 3. wɔ-ano wɔ-ano

regulate VERB 1. ma ɛyɛ adwuma sɛ deɛ ɛsɛ *(make it work/operate as it should)* 2. di so *(supervise; control)* 3. tenetene

regulation NOUN 1. mmara *(rules)* 2. ateneatene *(the process of being regulated)*

rehearse VERB 1. boa wo ho *(prepare yourself)* 2. bobɔ so 3. sua

reign VERB 1. di hene 2. di so *(reign over)* 3. te so *(be the best among...)* NOUN 4. ahennie *(period of rule)* 5. nnisoɔ

reimburse VERB 1. tua ka 2. hyɛ anan mu

rein NOUN nnarekahoma

reinforce VERB 1. hyɛ mu kena 2. ma mu yɛ den; mia mu

reinforcement NOUN mmagum

reinstate VERB de dibea sane ma

reiterate VERB 1. ti mu 2. si so; si so bio 3. si so dua

reject VERB 1. po *(past: poo/poeɛ; future: bɛpo; progressive: repo; perfect: apo; negative: mpo)* □ *ne kunu poo n'aduane | her husband rejected her food* NOUN 2. deɛ wɔapoɔ

rejoice VERB 1. di ahurusie 2. gye ani

rejoin VERB 1. sane dɔm *(return to join a group, organization)* 2. ka bom bio *(join together again)* 3. ma mmuaeɛ *(say something in reply)* 4. toa

relate VERB 1. de toto ho *(make or show a connection between)* 2. bɔ abusua *(be connected by* *blood or marriage)* 3. fa ho *(concern)* 4. ka *(say; narrate)* 5. bɔ kaseɛ 6. kyerɛ mu; kyerɛkyerɛ mu *(describe)*

relation NOUN 1. abusua *(family, plural: mmusua)* 2. abusuani *(family member, plural: abusuafoɔ)*

relationship NOUN 1. abusuabɔ *(of family)* 2. ayɔnkofa

relax VERB 1. gye ahome *(rest)* 2. go mu *(make less strict; loosen)*

relaxation NOUN ahomegyeɛ

release VERB 1. gyae deduane; yi deduani *(set free a detainee)* 2. gyae mu *(let go; allow to be generally available)*

relegate VERB 1. twe kɔ akyire 2. te dibea so

reliable ADJ 1. ahotɔsoɔ wɔ mu; deɛ ahotɔsoɔ wɔ mu NOUN 2. ɔnokwafoɔ 3. deɛ ne mu wɔ gyedie

reliance NOUN ahotɔsoɔ

relief NOUN 1. akomatɔyam 2. ahotɔ 3. ahomka

relieve VERB yi adesoa firi *(unburden)*

religion NOUN ɔsom

relinquish VERB 1. gyae mu 2. po

rely VERB 1. de ho to so 2. twere 3. de ani to so

remain VERB 1. ka *(continue to exist)* 2. kɔ so tena *(stay in the place that one has been occupying)*

remark VERB 1. ka; se *(say)* 2. ka ho asɛm *(say something about)* NOUN 3. asɛm; anom asɛm

remedy NOUN ano aduro

remember VERB kae *(past: kaee/kaeɛ; future: bɛkae; progressive: rekae; perfect: akae; negative: nkae)* □ *kae me brɛ | remember my struggle* □ *wokae Bonsu?| do you remember Bonsu?* □ *mekaee prɛko pɛ | I remembered suddenly*

remind VERB 1. kae 2. ma ani ba so

remit VERB 1. mane sika *(send (money) in payment or as a gift)* 2. tua ka *(pay (debt))* 3. de bɔne kyɛ; de bɔne firi *(forgive)*

remittance NOUN amanedeɛ

remonstrate VERB 1. yi atɛn 2. nwiinwii

remorse NOUN 1. nnuhoo 2. ahonu □ *Abena nnyaa nnuhoo/ahonu biara | Abena hasn't felt any remorse*

remote ADJ 1. akyirikyiri 2. tɔnn

remove VERB yi; yi firim

remunerate VERB tua ka

remuneration NOUN akatua

rend VERB 1. tete mu; tete mu nketenkete 2. suane mu; sunsuane mu

render VERB 1. yɛ 2. de ma

rendezvous NOUN nhyiamubea *(a meeting place)*

renew VERB 1. toa so *(continue; resume)* 2. hyɛ mu kena *(give fresh life or strength to)* 3. sesa; si (biribi) anan mu *(replace)*

renounce VERB 1. pa; pa akyire 2. po *(reject)* 3. yi ma *(betray)*

renouncement NOUN 1. akyiripa 2. ahoakyiripa

renovate VERB siesie

renovation NOUN nsiesie

rent NOUN 1. ɛdan ka; ɛdan han ho akatua VERB 2. han 3. tua dan ho ka

repair VERB 1. siesie NOUN 2. nsiesie

reparation NOUN 1. nsiesie 2. nsiananmu

repatriate VERB 1. pamo *(drive away)* 2. sane kɔ wo man mu *(return to one's own country)*

repay VERB tua ka

repeal VERB twa mu *(of a law or act of parliament: revoke)*

repeat VERB 1. ti mu 2. si so bio 3. ka bio

repent VERB 1. sakra; sakra adwene 2. nu ho

repetition NOUN ntimu

replace VERB hyɛ anan mu; de si anan mu

replenish VERB hyɛ ma bio *(fill up again)*

replica NOUN sɛso; nsɛsoɔ

reply VERB 1. yi ano 2. bua NOUN 3. anoyie 4. mmuaeɛ

report NOUN 1. amanneɛ VERB 2. bɔ amanneɛ

reporter NOUN amannebɔfoɔ

repose NOUN 1. ahomegyeɛ *(state of rest)* 2. nna *(state of sleep)* 3. kommyɛ; dinnyɛ *(state of quietness)* VERB 4. gye ahome; home *(take rest; rest)* 5. da *(sleep)*

repository NOUN korabea

represent VERB 1. gyina anan mu 2. si anan mu 3. gyina hɔ ma

representative NOUN ananmusini

repress VERB hyɛ so

reproach VERB 1. bu so 2. bɔ soboɔ

reproduce VERB 1. wo *(produce offspring)* 2. ma aseɛ dɔre 3. yɛ sɛso *(produce a copy of)*

reproof NOUN 1. nkaanim 2. sobɔɔ 3. ntwianim

reprove VERB 1. twi anim 2. ka anim 3. tea

republic NOUN 1. kwasafoman 2. adehyeman

repudiate VERB 1. po *(reject)* 2. nnye ntom *(refuse to accept)*

repugnant ADJ 1. akyiwadeɛ *(abhorrent)* 2. abofonodeɛ *(nauseating)*

repulse VERB 1. pamo 2. po *(reject)* 3. hyɛ abofono; ma bo fono *(nauseate)*

reputation NOUN 1. din *(name)* 2. animuonyam *(honour)* 3. gyede *(belief)*

request VERB 1. srɛ 2. bisa NOUN 3. adesrɛdeɛ 4. abisadeɛ

require VERB 1. hia *(need)* 2. ma ɛyɛ ahiadeɛ *(make necessary)*

requirement NOUN ahiadeɛ

requite VERB 1. tua ka 2. hyɛ anan mu

rescind VERB twe san

rescue VERB 1. gye *(save)* 2. gye nkwa *(save life)* NOUN 3. ɔgyeɛ *(the act of saving)* 4. nkwagyeɛ *(the act of saving life)*

research VERB 1. hwehwɛ mu NOUN 2. nhwehwɛmu

resemble VERB sɛ *(negative: nsɛ)* □ *mesɛ me maame | I resemble my mother* □ *mo nneyɛɛ sɛ | your attitudes resemble (you have similar attitudes)* □ *hwan na wosɛ no? | whom do you resemble?*

resent VERB 1. kyiri; kyiri kɔkɔkɔ 2. tan

reserve VERB 1. kora 2. de sie

reservoir NOUN 1. baka 2. asubura 3. nsuo korabea 4. akoraeɛ

reshuffle VERB sesa dibea *(change position)*

residence NOUN 1. atenaeɛ 2. tenabea

residue NOUN 1. nkaeɛ 2. mfrofrowa 3. aseɛ

resign VERB 1. dane to hɔ; gyae mu to hɔ 2. gyae dibea mu *(of a position)* 3. gyae adwuma *(of a job)*

resilient ADJ 1. otim-deɛ-otim 2. emu sɔ

resist VERB 1. si ho kwan 2. ko tia 3. di asie

resolve VERB 1. siesie *(settle; find solution to)* 2. si adwene pi *(decide firmly on a course of action)* 3. bɔ tirim p *(plan)*

resort VERB toa; dwane toa

respect VERB 1. bu 2. de buo ma NOUN 3. obuo; buo

respective ADJ biara; emu biara

respiration NOUN home

respire VERB home

respond VERB 1. bua 2. yi ano 3. gye so

response NOUN 1. mmuaeɛ 2. anoyie; nyiano 3. nnyesoɔ

responsibility NOUN 1. asodie 2. asɛdeɛ

responsible ADJ 1. deɛ biribi hyɛ ne nsa *(one in whose hands something is vested)* 2. deɛ ɔkuta suban pa *(one with good behaviour)* 3. deɛ ne mu wɔ gyedie; deɛ ne mu wɔ ahotɔsoɔ *(one who is trustworthy)*

rest VERB 1. home; gye ahome NOUN 2. ahomegyeɛ

restaurant NOUN adidibea

restitution NOUN 1. nsiananmu 2. ananmuhyɛ 3. nhyɛananmu

restrain VERB 1. si ho kwan 2. sianka 3. si ano

restraint NOUN akwansie

restrict VERB si ho kwan

restriction NOUN akwansideɛ

result NOUN 1. aba; ɛso aba 2. deɛ ɛfiri mu ba 3. akyiri asɛm

resume VERB 1. firi aseɛ bio *(start again)* 2. toa so *(continue)*

resurrect VERB nyane firi owuo mu; sɔre firi owuo mu

resurrection NOUN owusɔreeɛ

retail VERB 1. di bodwowabodwowa dwa 2. di mpɛwa 3. si konko 4. tɔ tɔn NOUN 5. bodwowabodwowa dwadie 6. konkosie

retain VERB 1. sɔ mu 2. kora 3. kuta 4. sianka

retaliate VERB 1. tua so ka 2. yɛ bi tua ka

retard VERB 1. twe sane *(hold back)* 2. twentwɛn so *(delay)* NOUN 3. ɔbɔdamni *(plural: abɔdamfoɔ)* 4. deɛ n'adwene nyɛ; deɛ n'adwene mu ka no

retire VERB 1. kɔ ahomegyeɛ mu *(cease work on reaching the normal age for leaving service)* 2. yi adi *(sack/fire an employee before retirement age)* 3. kɔda *(go to bed)* 4. kɔ akyire; pini akyire

retirement NOUN 1. ahomegyeɛberɛ *(of the period)* 2. ahomegyeɛ *(the action of leaving one's job and ceasing to work)*

retort VERB 1. yi ano *(answer)* 2. bua *(answer)* 3. ma mmuaeɛ *(answer)* 4. bua abufuo so *(answer in an angry manner)* 5. yi ano abufuo so *(answer in an angry manner)* 6. ma mmuaeɛ abufuo so *(answer in an angry manner)*

retouch VERB 1. siesie *(repair)* 2. yɛ yie *(make better)*

retract VERB twe san

retreat VERB 1. sane; kɔ akyire 2. twe san 3. dwane *(bolt)* NOUN 4. homedibea 5. nkyiripini

retribution NOUN asotwe

retrieve VERB 1. gye; sane gye 2. ma nsa ka bio

return VERB 1. san; san akyi 2. san kɔ *(go back)* 3. san ba *(come back)* NOUN 4. ɔsan 5. nsanakyiri 6. mfasoɔ *(gain)*

reunion NOUN 1. nkabom 2. nhyiamu

reveal VERB 1. yi kyerɛ 2. da adi; yi adi

revel VERB 1. gye ani *(make merry; celebrate; be happy)* 2. to pono *(party)*

revelation NOUN 1. oyikyerɛ 2. adiyisɛm

revenge NOUN 1. bɔne so akatua 2. awereto VERB 3. tua bɔne so ka 4. to awere

revenue NOUN 1. mfasoɔ *(proceeds; earnings)* 2. sika a wɔnya firi ɛtoɔ mu *(from taxes)*

revere VERB 1. bu *(respect)* 2. nya obuo soronko ma 3. fɛre *(be shy)*

reverence NOUN obuo; obuo soronko

reverie NOUN daeɛ

reverse VERB 1. dane 2. butu 3. ma ɛsane akyire 4. bɔ abira

review VERB 1. pɛnsɛnpɛnsɛn mu; yɛ mpɛnsɛnpɛnsɛmu 2. feefee mu 3. dwennwene ho NOUN 4. mpɛnsɛnpɛnsɛmu 5. mfeefeemu 6. adwennwene

revile VERB 1. sopa 2. twa adapaa 3. di atɛm 4. kasa tia; nya kasatia

revise VERB 1. sakra mu; sesa mu *(amend)* 2. hwehwɛ mu bio *(examine again)* 3. sane sua *(relearn)*

revision NOUN 1. nsesamu 2. nsakramu 3. nhwehwɛmu 4. adesua

revival NOUN nkanyan

revive VERB 1. ma ɛte apɔ 2. kanyan 3. ma ɛnya ahoɔden bio

revoke VERB 1. twe sane 2. twa mu

revolt VERB 1. te atua NOUN 2. atuateɛ *(rebellion)*

revolting ADJ abofono

revolution NOUN 1. atuateɛ 2. abantuguo 3. nsesaeɛ

revolve VERB 1. twa ho hyia *(encircle)* 2. fa ho *(concern; be concerned with)*

revolver NOUN kɔdiawuo

revote VERB to aba bio; to aba foforɔ

reward NOUN 1. abasobɔ; abasobɔdeɛ 2. akatua VERB 3. bɔ aba so 4. tua ka

rheumatism NOUN ahotutuo

rib NOUN mfe mpadeɛ

ribbon NOUN 1. bamma; ntomabamma 2. sirikyi bena

ribs NOUN mfe mpadeɛ

rice NOUN ɛmo

rich ADJ 1. deɛ ɔwɔ sika 2. deɛ ɔwɔ ahodeɛ pii 3. deɛ wanya ne ho NOUN 4. osikani 5. ɔdefoɔ

rid VERB 1. yi firi hɔ; yi firi mu 2. te ho 3. sɔre hɔ; sɔre so 4. yi ne fi

riddle NOUN aborɔme

ride VERB 1. twi 2. ka

rider NOUN ɔpɔnkɔkafoɔ *(horse rider)*

ridicule VERB 1. di fɛw 2. tweetwee; si atwetwee 3. goro ho NOUN 4. fɛwdie 5. atweetwee

ridiculous ADJ 1. deɛ nyansa nnim 2. deɛ ɛmfa kwan mu

rife ADJ 1. abu so 2. ahyeta 3. ate atese

rifle NOUN etuo

right ADJ 1. ɛyɛ; deɛ ɛyɛ *(morally good/acceptable; that which is morally good/acceptable)* 2. nokorɛ; deɛ ɛyɛ nokorɛ *(true; that which is true)* ADV 3. nifa *(right side)* NOUN 4. nifa so *(right-hand side)*

right now ADV seesei ara

right-hand ADJ 1. nsa nifa *(right-hand side)* 2. nsa nifa so *(right-hand side)*

rigid ADJ 1. mintimm 2. bawee

rile VERB hyɛ abufuo

ring NOUN 1. kawa 2. pɛtia

ringleader NOUN ɔkɔtwebrɛfoɔ

ringworm NOUN 1. ɛyam 2. kakawirewire

rinse VERB 1. samforo 2. hohoro

riot NOUN 1. basabasayɔ 2. ntɔkwa VERB 3. yɛ basabasa

rip VERB 1. suane mu 2. te mu; tete mu

ripe ADJ abere

rise VERB 1. sɔre; sɔre gyina 2. pagya mu

risk NOUN 1. asiane 2. kokoyere VERB 3. si bo yɛ 4. sɔ hwɛ 5. to kyakya

rival NOUN 1. ɔkorafoɔ; kora *(in a relationship/marriage, plural: akorafoɔ)* □ *Abena ne ne kora redidi | Abena and her rival are eating* 2. ɔkansifoɔ *(competitor)* 3. deɛ ɔne ɔfoforɔ repere biribi ho *(one who's competing with another for something)* VERB 4. twe kora

river NOUN 1. asubɔntene 2. nsutene *(stream)*

road NOUN 1. ɛkwan 2. kwantempɔn

road safety PHRASE 1. ɛkwan so kosɛkosɛ 2. ɛkwan so dwoodwoo

roam VERB kyini *(past: kyinii/kyiniiɛ; future: bɛkyini; progressive: rekyini; perfect: akyini; negative: nkyini)*

roar VERB 1. bobom; bom 2. su

roast VERB 1. toto 2. ho

rob VERB 1. wia 2. bɔ korɔno

robber NOUN 1. ɔkorɔmfoɔ 2. owifoɔ 3. ɔdwotwafoɔ 4. ɔkwammukafoɔ

robbery NOUN 1. korɔno 2. ɔkwammuka 3. dwotwa

robe NOUN 1. batakari *(smock)* 2. aduradeɛ 3. atade tenten

robust ADJ 1. ɔsi-pi-si-ta *(of a person)* 2. ɛsi-pi-si-ta *(of something)*

rock NOUN 1. ɛboɔ 2. ɛbotan

rod NOUN abaa *(of wood)*

rodent NOUN 1. akura *(mouse)* 2. kusie *(rat)*

rogue NOUN ɔsatufoɔ

role NOUN dibea *(position; rank)*

roll VERB 1. bobɔ 2. muni; munimuni 3. yantam

romance NOUN 1. ɔdɔdie; ɔdɔ agodie 2. ahogorɔ

roof NOUN 1. kyɛnsedan; ɛdan nkurusoɔ 2. ɛdan atifi 3. osuhyɛ VERB 4. bɔ (dan) so 5. kuru (dan) so

room NOUN 1. ɛdan 2. dampan 3. ɛdan mu *(the inside of a building)* 4. akwannya *(opportunity; freedom)*

root NOUN 1. nhini *(of a plant)* 2. kɔfabae; farebae *(cause, source, origin of something)*

rope NOUN 1. ahoma *(plural: nhoma)* 2. ntampehoma □ *ahoma tenten | a long rope*

rough ADJ 1. twitwiritwitwiri 2. wirekyiree 3. awereawere; wewere

round ADJ kurukuruwa

rouse VERB 1. nyane *(cause to stop sleeping)* 2. sɔre; nyane *(cease sleeping)* 3. kanyan *(excite; bring out of inactivity)* 4. hyɛ abufuo *(make angry)*

routine NOUN nhyehyɛeɛ; dwumadie nhyehyɛeɛ

rove VERB 1. kyini; kyinkyini 2. tutu akwan NOUN 3. akyinkyiniakyinkyini 4. akwantuo

row NOUN 1. santene *(queue; line)* 2. ntɔkwa *(a quarrel)*

royal NOUN ɔdehyeɛ; dehyeɛ *(plural: adehyeɛ)* □ *adehyeɛ mma | children of royals (sons and daughters of royals)*

antonym	akoa *slave*

rub VERB 1. twi; twitwi 2. sra 3. posa

rubbish NOUN 1. nwira 2. bɔɔla *(refuse)*

rude ADJ 1. deɛ ɔmmu adeɛ 2. deɛ ɔyɛ aniammɔn 3. deɛ ɔpɛ ntɔkwa 4. apɛko

rudiment NOUN 1. mfitiasedeɛ 2. abɔseɛ

rue VERB 1. nu ho 2. nya nnuho

ruin NOUN 1. ɔsɛeɛ 2. ɔdantuo 3. amamfo so VERB 4. sɛe 5. buru 6. dwiri gu

rule NOUN 1. mmara 2. nhyehyɛeɛ VERB 3. di adeɛ 4. di so

ruler NOUN 1. susudua *(measuring tool)* 2. ɔhene *(chief; king)* 3. sodifoɔ 4. ɔmampanin *(head of a country)*

rummage VERB 1. hwete; hwetehwete 2. pansam 3. tu fra

rumour NOUN 1. huhuhuhu 2. kɔnkɔnsa 3. atetesɛm

rumple VERB 1. pompono 2. moamoa

rumpus NOUN 1. basabasayɔ 2. gyegyeegyeyɔ

run VERB 1. tu amirika 2. dwane *(bolt)* NOUN 3. amirika 4. amirikatuo *(the act of running)*

rupture VERB 1. pae; ma ɛpae *(burst; cause to burst)* NOUN 2. ɔpaeɛ; mpaapaeɛ

rural ADJ akuraase

ruse NOUN nnaadaa

rush VERB 1. pere; pere ho 2. pɛ ntɛm NOUN 3. mpereho 4. ntɛmpɛ

rust VERB 1. we nnaakyene NOUN 2. nnaakyene

ruthless ADJ 1. otirimuɔdenfoɔ 2. deɛ ɔnni ahummɔborɔ

Ss

sabbath NOUN homeda
sabbatical NOUN suapɔn mu adwumayɛfoɔ ahomegyeberɛ
sabotage VERB 1. hyɛ da sɛe *(deliberately destroy/damage)* 2. hyɛ da twitwa anan mu *(deliberately obstruct)* 3. hyɛ da si ho kwan *(deliberately obstruct)* NOUN 4. ntwitwaananmu 5. ɔsɛeɛ
sabre NOUN afena
sack NOUN 1. bɔtɔ 2. kotokuo VERB 3. yi adi 4. pamo
sacred ADJ kronkron
sacrifice VERB 1. bɔ afɔreɛ 2. gyae mu *(give up something; let go)* 3. tu (wo) ho kyɛ *(offer oneself freely for a cause)* NOUN 4. afɔreɛ 5. afɔrebɔ *(of the act)*
sacrificial ADJ 1. afɔrebɔ 2. deɛ wɔde bɔ afɔreɛ
sacrilege VERB gu ho fi
sacrosanct ADJ 1. deɛ wɔntoto n'ase 2. akronkronneɛ

sad ADJ 1. werɛ aho; deɛ ne werɛ aho 2. nni anigyeɛ; deɛ ɔnni anigyeɛ
saddle NOUN ɔpɔnkɔ atɛ
sadness NOUN awerɛhoɔ □ *osu ne awerɛhoɔ | cries and sadness*

antonym	anigyeɛ *happiness*

safe NOUN 1. akoradeɛ *(box for safekeeping)* ADJ 2. ɔhaw nni ho; deɛ ɔhaw nni ho
safeguard NOUN 1. ahobammɔ VERB 2. bɔ ho ban
sagacious ADJ 1. deɛ ɔwɔ nyansa 2. deɛ ɔnim de
sage NOUN 1. onimdefoɔ 2. ɔnyansafoɔ
saint NOUN ɔkronkronni
salary NOUN akatua
sale NOUN 1. adetɔn 2. dwadie *(commerce)*

salient ADJ 1. titire 2. deɛ ɛho hia pa ara

saline ADJ 1. nkyenenkyene NOUN 2. nkyene nsuo

saliva NOUN ntasuo □ *ntasuo kɔkɔɔ | red saliva*

salt NOUN nkyene □ *nkyene nni aduane no mu | there isn't salt in the food*

salted and dried tilapia NOUN koobi

salty ADJ nkyenenkyene

salute VERB 1. twa purusenn 2. kyea VERB 3. purusenn

salvation NOUN nkwagyeɛ

same ADJ 1. pɛ *(identical)* 2. korɔ *(not having changed; identical)* PRON 3. saa ara *(the same thing as something previously mentioned)*

sample NOUN nhwɛsoɔ

sanctification NOUN nteho

sanctify VERB 1. te ho 2. dwira

sanctuary NOUN 1. kronkronbea *(a holy place)* 2. dwanekɔbea *(refuge)*

sand NOUN anwea

sandal NOUN 1. mpaboa 2. tokota

sane ADJ adwene mu da hɔ; deɛ n'adwene mu da hɔ

sanity NOUN anidahɔ

sap NOUN 1. afifideɛ mu nsuo 2. dua mu nsuo

sarcasm NOUN 1. akutia; akutiabɔ 2. kasatwie

satan NOUN ɔbonsam

satchel NOUN sukuu baage

satisfaction NOUN 1. ɔmee 2. anisɔ

satisfy VERB 1. ma akoma tɔ yam 2. mee

saturate VERB dɔn; dondɔn

Saturday NOUN Memeneda □ *meyɛ Kwanhwɛfoɔ, nti mekɔ asɔre Memeneda | I am an Adventist, so I go to church on Saturdays*

sauce NOUN abomu

saucepan NOUN kyɛnsee

saunter VERB nante brɛoo

saviour NOUN agyenkwa

saw NOUN 1. asradaa □ *ɔtomfoɔ no see asradaa no ano | the blacksmith sharpened the saw* VERB 2. de asradaa twa *(cut with saw)*

say VERB 1. ka *(past: kaa/kaeɛ; future: bɛka; progressive: reka; perfect: aka; negative: nka)* 2. se VERB 3. nsɛnkaeɛ 4. adwene *(mind; opinion)*

scabbard NOUN bɔha

scabies NOUN 1.

nkoronsankoronsa 2. dwiibaadwiibaa

scaffold NOUN 1. apa 2. pata

scale NOUN nsania

scalp NOUN 1. apampam nam 2. etire so nam

scandal NOUN 1. afɛresɛm 2. aniwudeɛ 3. ahohoradeɛ 4. amammɔsɛm

scanty ADJ 1. ketekete 2. ketewa; ketewa bi

scar NOUN ekutwa

scarce ADJ 1. ɛho yɛ den; deɛ ɛho yɛ den 2. ɛho yɛ nna; deɛ ɛho yɛ nna

scarecrow NOUN 1. kaakaamotobi 2. kakae 3. ahunusuro

scarf NOUN 1. duku 2. kɔn mu duku

scarlet NOUN damaramma

scene NOUN beaeɛ

scent NOUN 1. nka 2. ehwa; ohwam

sceptic NOUN okyinnyegyefoɔ

sceptre NOUN 1. ahempoma 2. akyeampoma

schedule NOUN 1. nhyehyɛeɛ VERB 2. hyehyɛ

schism NOUN 1. mpaapaemu 2. ntetemu

scholar NOUN 1. onimdefoɔ; biribi mu nimdefoɔ 2. nwomanimfoɔ

school NOUN 1. sukuu *(borrowed, institution for educating people)* 2. sukuu dan *(borrowed, school building)* NOUN 3. kyerɛ; kyerɛ adeɛ *(teach; train)*

science NOUN abɔdeɛ mu nyansapɛ

scientific ADJ deɛ ɛfa abɔdeɛ mu nyansapɛ ho

scintillate VERB te yerɛwyerɛw

scissors NOUN 1. apasoɔ 2. akapɛ

scoff VERB 1. tweetwee 2. di ho fɛw

scold VERB 1. twi anim 2. ka anim

scoop VERB 1. te 2. sa

scoot VERB 1. kɔ hɔ ntɛm *(go there quickly)* 2. firi hɔ ntɛm *(leave there quickly)*

scope NOUN 1. botaeɛ 2. tirimupɔ 3. agyinaeɛ 4. nteaseɛ

scorch VERB hye; hye ani

scorn VERB 1. bu animtia NOUN 2. animtia

scorpion NOUN nyanyankyerɛ

scot-free VERB 1. fa ho di 2. sɔnn

scoundrel NOUN nipabɔnefoɔ; ɔbɔnefoɔ

scour VERB 1. twi ho; twitwi ho *(clean with abrasive detergent)* 2. hwehwɛ *(search)*

scramble VERB 1. pere ho *(compete; jostle)* 2. fom

scrap NOUN 1. esini *(a small piece of...)* VERB 2. twa mu *(abolish; cancel)*

scrape VERB 1. werɛ; werɛwerɛ 2. twerɛ; twerɛtwerɛ

scratch VERB 1. werɛ; werɛwerɛ 2. ti; titi 3. twerɛ; twerɛtwerɛ 4. twitwi NOUN 5. etwa 6. ntwitwie

scream VERB 1. tea mu; team NOUN 2. nteamu

screen NOUN 1. ani VERB 2. bɔ ho ban *(protect)* 3. yi *(show, e.g. movie)*

scribble VERB twerɛ; twerɛtwerɛ

scribe NOUN 1. ɔtwerɛfoɔ; ɔtwerɛtwerɛfoɔ VERB 2. twerɛ; twerɛtwerɛ

scripture NOUN 1. N'asɛm; Nyame Asɛm 2. Twerɛ Kronkron *(Bible)*

scroll NOUN 1. mmobɔeɛ nwoma VERB 2. bobɔ

scrotum NOUN hwoa

scrub VERB twitwi

scruff NOUN 1. ɛkɔn akyi nam VERB 2. yere kɔn akyi; sɔ kɔn akyi *(grasp the scruff)*

scrutinize VERB 1. hwehwɛ mu yie 2. feefee mu

scrutiny NOUN mfeefeemu

scuffle NOUN 1. ntɔkwa; mmaa ntɔkwa VERB 2. ko ntɔkwa; ko mmaa ntɔkwa

sculptor NOUN ɛboɔ dwomfoɔ

scum NOUN 1. efi; nsuo ani fi 2. ahuro

scurf NOUN ɛhoa

scurrilous ADJ dinsɛeɛ

sea NOUN ɛpo; po

seal NOUN 1. nsɔano; nsiano; ntimano 2. sukraman *(water-dog)* VERB 3. sɔ ano; si ano 4. tua kwan 5. si gyinaeɛ *(conclude)*

seam NOUN 1. anobuo 2. mmuano 3. mpameeɛ VERB 4. bu ano 5. pam

seamstress NOUN 1. adepamni *(plural: adepamfoɔ)* 2. ɔbaa adepamni *(plural: mmaa adepamfoɔ)*

search VERB 1. hwehwɛ NOUN 2. adehwehwɛ

season NOUN berɛ

seat NOUN 1. adwa 2. akonnwa *(chair)* VERB 3. tena ase *(sit down)*

secede VERB 1. twe ho firi *(pull away from)* 2. firi mu *(leave)*

second ADJ | NUM 1. deɛ ɛtɔ so mmienu *(that which comes second)* 2. deɛ ɛdi hɔ *(that which comes next)* NOUN 3. anibɔ *(of time)* VERB 4. foa so *(support)*

secret NOUN ahintasɛm

secretary NOUN 1. ɔtwerɛfoɔ 2. adwumapanin boafoɔ 3. ɔmansoafoɔ *(of state)*

sect NOUN ɔfa; ɔfa bi

section NOUN ɔfa; ɔfa bi

secular ADJ wiase

secure VERB 1. bɔ ho ban *(protect)* 2. kyekyere ano *(tie up)* 3. bɔ akyidɔm

security NOUN ahobammɔ

sedative ADJ 1. anikum NOUN 2. anikum aduro

sedition NOUN 1. atuateɛ 2. ɔsɔretia

seduce VERB daadaa

see VERB 1. hu *(past: huu/huiɛ; future: bɛhu; progressive: rehu; perfect: ahu; negative: nhu)* 2. hunu *(past: hunuu/hunuiɛ; future: bɛhunu; progressive: rehunu; perfect: ahunu; negative: nhunu)* □ *wohu me? | do you see me?* □ *mehuu Kwadwo wɔ kurom| I saw Kwadwo in town* □ *mahunu Yesu | I have seen Jesus*

seed NOUN aba

seek VERB 1. hwehwɛ 2. pere pɛ

seem VERB 1. yɛ sɛ; yɛ te sɛ 2. ɛyɛ me sɛ *(it seems to me...)*

seep VERB 1. fa mu 2. pe fa mu; sɔne fa mu

seer NOUN 1. nkɔmhyɛni 2. odiyifoɔ

segregate VERB 1. te mu; tete mu 2. kyɛ mu; kyekyɛ mu 3. pae mu; paapae mu

segregation NOUN 1. ntetemu 2. nkyekyɛmu 3. mpaapaemu

seize VERB 1. sɔ mu; som 2. kyere 3. de nsa to so

seldom ADV ntaa □ *Akosua ntaa nyare | Akosua seldom falls ill*

select VERB 1. yi 2. yiyi mu; yɛ nyiyimu 3. sa mu

selection NOUN 1. nyiyimu 2. deɛ wɔayiyi *(that/those which has/have been chosen)*

self NOUN | PRON 1. me *(I)* 2. ho 3. me ho *(myself)* 4. ankasa

selfishness NOUN pɛsɛmenkomenya □ *pɛsɛmenkomenya nwie wo yie | selfishness will not end you well*

sell VERB tɔn *(past: tɔnn/tɔneeɛ; future: bɛtɔn; progressive: retɔn; perfect: atɔn; negative: ntɔn)* □ *tɔ na tɔn | buy and sell* □ *meretɔn me sotɔɔ | I'm selling my store* □ *ɔtɔn mmire | he/she sells mushrooms*

semantic ADJ asekyerɛ; deɛ ɛfa asekyerɛ ho

semen NOUN 1. ahobaeɛ 2. barima ho nsuo

semicolon NOUN osisan *(;)*

seminar NOUN ɔkyerɛsua

seminary NOUN 1. asɔfoɔ sukuu; asɔfoɔ adesuafie 2. ayɛnfoɔ asuaeɛ

sempoa NOUN two and a half pesewas

send VERB soma *(past: somaa; future: bɛsoma; progressive: resoma; perfect: asoma; negative: nsoma)*

senior NOUN 1. opanin *(plural: mpanimfoɔ)* 2. ɔkandifoɔ *(plural: akandifoɔ)*

sensation NOUN atenka

sensational ADJ ɛgye ntrɛha; deɛ ɛgye ntrɛha

sense NOUN 1. nyansa VERB 2. te nka

sensible ADJ 1. deɛ nyansa wɔ mu 2. deɛ ɛfa kwan mu

sensible person NOUN 1. nyansafoɔ 2. badwemma

sensitive NOUN deɛ ne bo nkyɛre fu *(one who is quick to anger)*

sentence NOUN 1. ɔkasamu; kasamu *(a set of words communicating a complete thought)* 2. atɛmmuo; asotwee *(judgment; punishment)* VERB 3. yi atɛn

separate VERB 1. te mu 2. kyɛ mu 3. pae mu ADJ 4. soronko 5. ɛmmɔ mu; deɛ ɛmmɔ mu

separation NOUN 1. ntetemu 2. nkyekyɛmu 3. mpaapaemu

September NOUN Ɛbɔ □ *wɔn a wɔwoo wɔn Ɛbɔ bosome mu no da nso | those who were born in the month of September are unique*

sequence NOUN nnidisoɔ; nnidisoɔ-nnidisoɔ

seraph NOUN ɔsoro bɔfoɔ

serene ADJ 1. dwoo 2. dinn; da dinn

serial ADJ ntoasoɔ-ntoasoɔ

serious ADJ 1. ɛhia adwennwene; deɛ ɛhia adwennwene 2. ɛbɔ hu; deɛ ɛbɔ hu 3. anibere; deɛ ɛyɛ anibere

sermon NOUN 1. Asɛmpa *(plural: Nsɛmpa)* 2. Asɛnka *(plural: Nsɛnka)*
serpent NOUN 1. ɔwɔ 2. aboateaa
servant NOUN 1. akoa 2. afena 3. ɔsomfoɔ
serve VERB 1. som *(...someone/an organization)* 2. kyɛ; ma *(...food)*
session NOUN 1. nhyiamu *(a meeting)* 2. berɛ *(period)*
set VERB 1. siesie 2. de to deɛ ɛsɛ sɛ ɛda 3. de si 4. hyehyɛ 5. hyɛ *(put)* 6. yi adi; yi kyerɛ
settle VERB 1. siesie *(resolve)* 2. bɔ atenaseɛ *(settle down)* 3. tena ase *(sit down)* 4. tua ka *(of a debt: pay)* 5. ma ani ba fam *(become or make calmer or quieter)* 6. mem *(of a ship: sink)* 7. da
seven hundred million NUM ɔpepem ahanson
seven hundred NUM ahanson
seven hundred thousand NUM mpem ahanson
seven million NUM ɔpepem nson
seven NUM nson
seven thousand NUM mpem nson
seventeen NUM dunson
seventh NUM deɛ ɛtɔ so nson
seventy million NUM ɔpepem aduɔson
seventy NUM aduɔson
seventy thousand NUM mpem aduɔson
seventy-eight NUM aduɔson nwɔtwe
seventy-five NUM aduɔson num
seventy-four NUM aduɔson nan
seventy-nine NUM aduɔson nkron
seventy-one NUM aduɔson baako
seventy-seven NUM aduɔson nson
seventy-six NUM aduɔson nsia
seventy-three NUM aduɔson mmiɛnsa
seventy-two NUM aduɔson mmienu
sever VERB 1. twa firi hɔ 2. twa te 3. te firi so
several ADJ 1. bebree 2. ahodoɔ; ahodoɔ-ahodoɔ
severe ADJ 1. den; denden 2. ano yɛ den
severity NOUN anoden
sew VERB pam
sewing machine NOUN adepam afidie *(sewing machine)*

sex NOUN 1. edie 2. ahyiadie 3. mpa mu agorɔ

shabby ADJ 1. basabasa 2. tantan

shackle NOUN 1. mpokyerɛ 2. nkɔnsɔnkɔnsɔn 3. abankaba VERB 4. de nkɔnsɔnkɔnsɔn to 5. de abankaba to

shade NOUN onwunu

shadow NOUN sunsum

shake VERB 1. woso 2. pusu NOUN 3. awosoɔ

shallow ADJ 1. emu nnɔ; deɛ emu nnɔ 2. tiawa

sham NOUN 1. nnaadaa 2. bukata

shame NOUN 1. aniwuo □ *yareɛ no ho aniwuo | the shame associated with the disease* VERB 2. hyɛ aniwuo *(shame)* 3. gu anim ase *(embarrass)* □ *ɔhyɛɛ maame no aniwuo | he/she shamed the woman* □ *Abena guu aberanteɛ no anim ase pɔtɔɔ | Abena embarrassed the young man completely*

shank NOUN ɛnan

shape NOUN 1. yɛbea 2. su 3. ban 4. tebea 5. dua

share VERB 1. kyɛ NOUN 2. kyɛfa

shark NOUN oboodede

sharp ADJ 1. ɛyɛ nnam ADV 2. prɛko pɛ

shatter VERB 1. bobɔ 2. sɛe *(damage; destroy)* 3. Boto 4. bu abam

shave VERB 1. yi *(past: yii/yiiɛ; future: bɛyi; progressive: reyi; perfect: ayi; negative: nyi)* Abankwa reyi n'abɔdwesɛ | *Abankwah is shaving his beard* 2. werɛ; werɛwerɛ 3. twerɛ; twerɛtwerɛ NOUN 4. ayie

shawl NOUN akatakɔmmu

she PRON

3rd person singular subject

ɔno *(changes into the prefix ɔ- when it is directly followed by a verb)* □ *ɔbɛba | she will come* □ *ɔtɔn nnanko | she sells rabbits* ɔno na □ *ɔfaeɛ | it was she who took it*

shea butter NOUN nkuto

sheath NOUN bɔha

shed NOUN 1. apata VERB 2. te *(of a plant: allow its leaves/fruits to fall off to the ground)* 3. yi *(of clothes: take off)* 4. to twene *(discard)*

sheep NOUN odwan *(plural: nnwan)* □ *odwan no nan mu abu | the sheep's leg is broken*

sheet NOUN 1. krataa *(of paper)* 2. mpasotam *(bedsheet)*

shelf NOUN akoradeɛ

shell NOUN 1. abena 2. nworaa

shelter NOUN 1. dwanekɔbea 2. tenabea 3. nwunu mu

shepherd NOUN odwanhwɛfoɔ

shield NOUN 1. akokyɛm 2. ɔkyɛm VERB 3. bɔ ho ban *(protect)*

shift VERB 1. twe kɔ; twe ho *(of oneself)* 2. sesa sibea *(of an object)* 3. pia *(push)* NOUN 4. ohiatorɔ 5. anoyihunu

shilling NOUN siren

shin NOUN nanhini

shine VERB 1. hyerɛnn 2. te yerɛwyerɛw

ship NOUN 1. suhyɛn VERB 2. mane

shirk VERB twe ho firi biribiyɔ mu

shirt NOUN 1. atadeɛ; ɛsoro atadeɛ *(plural: ntadeɛ)* 2. hyɛɛte *(borrowed)*

shiver VERB 1. woso biribiri 2. ho popo; ho po sɛsɛsɛsɛ NOUN 3. ahopopoɔ

shock VERB 1. pusu 2. ma ayamhyeɛ 3. bɔ hu 4. ma ahodwiri NOUN 5. pitibɔ 6. ahodwiri 7. ehu

shoe NOUN mpaboa

shoot VERB to *(of a gun/arrow)*

shop NOUN 1. sotɔɔ VERB 2. totɔ nneɛma

short ADJ 1. tiatia *(attributive, plural: ntiantia)* 2. tia *(predicative)* 3. tiawa *(short period of time; brief)*

shortcoming NOUN sintɔ

shoulder NOUN 1. abatire VERB 2. soa abatire so *(carry on shoulder)* 3. gye to ho so *(take on a burden)* 4. de abatire pem *(push with one's shoulder)*

shout VERB 1. tea mu; team 2. keka mu; kekam NOUN 3. nteamu 4. nkekamu

shove VERB pia *(push)*

shovel NOUN sofi *(borrowed)*

show VERB kyerɛ *(past: kyerɛɛ; future: bɛkyerɛ; progressive: rekyerɛ; perfect: akyerɛ; negative: nkyerɛ)* □ *kyerɛ me hɔ | show me there* □ *kyerɛ me yɛ | show me how to do it*

shower NOUN bosuo

shred VERB 1. tete mu nketenkete *(tear into pieces)* 2. twitwa mu nketenkete *(cut into pieces)*

shriek VERB 1. tea mu; team NOUN 2. nteamu

shrimp NOUN ɔbɔnkɔ *(plural: mmɔnkɔ)*

shrine NOUN abosomfie

shrink VERB 1. pompono 2. fɔn 3. twintwam 4. ma ɛyɛ ketewa 5. moa 6. ma ɛyɛ ketewa

shroud NOUN 1. efunu ntoma VERB 2. kata; kata so *(conceal)*

shudder VERB 1. ho popo 2. woso biribiri VERB 3. ahopopoɔ

shuffle VERB twe nan ase *(walk by dragging one's feet along)*

shun VERB 1. twe ho firi *(eschew)* 2. po *(reject)*

shut VERB to mu; tom *(close)*

shy ADJ fɛre; deɛ ɔfɛre

sshyness NOUN fɛreɛ □ *fɛreɛ nti, wanni aduane no | due to shyness, he/she didn't eat the food*

sibling NOUN onua; nua *(plural: anuanom)* □ *me nua, wo ho te sɛn? | my sibling, how are you?*

sick ADJ 1. yare; deɛ ɔyare 2. deɛ ɔnte apɔ

sickness NOUN yareɛ; yadeɛ *(plural: nyarewa)*

side NOUN 1. nkyɛn; nkyɛnmu 2. mfemu 3. afa

sideways ADV | ADJ nkyɛnmu

siege NOUN 1. ntohyɛsoɔ 2. ɔsatuo VERB 3. to hyɛ so 4. fa nnɔmmum 5. tu so sa

siesta NOUN 1. awia nna 2. awia ahomegyeɛ

sieve NOUN 1. sɔneeɛ VERB 2. sɔne so

sift VERB 1. sɔne; sɔne so 2. huhu; huhu so 3. sa mu; sam

sigh VERB 1. gu ahome; gu ahomekokoɔ NOUN 2. ahomeguo

sight NOUN 1. ani 2. adehunu 3. anisoadehunu VERB 4. hu; hunu *(see)*

sign NOUN 1. nsɛnkyerɛnne 2. ahyɛnsodeɛ 3. nsanhɔ VERB 4. de nsa hyɛ aseɛ *(append signature)* 5. twerɛ din *(write name)* 6. san

signal NOUN 1. sɛnnahɔ 2. adafitwa nsɛnkyerɛnne VERB 3. bɔ ani kyerɛ

signature NOUN 1. nsaanodin 2. agyinaeɛ

significant ADJ ɛho hia pa ara; deɛ ɛho hia pa ara

signify VERB 1. kyerɛ; kyerɛ sɛ *(be an indication of)* 2. gyina hɔ ma *(stand for)*

silence NOUN 1. dinnyɛ 2. kommyɛ 3. mmuano VERB 4. ma ɛyɛ dinn 5. ma ɛyɛ komm 6. mua ano

silent ADJ 1. dinn 2. komm

silk NOUN serekye

silver NOUN 1. dwetɛ *(precious metal)* 2. sereba *(borrowed,* *silver dishes; containers)* 3. kyɛnsee *(plural: nkyɛnsee, silver dishes; containers)*

simile NOUN 1. asesɛsɛm 2. ntotohosɛm

simple ADJ 1. ɛnyɛ kyɛnkyerɛkyɛnn; deɛ ɛnyɛ kyɛnkyerɛkyɛnn *(not complicated; that which isn't complicated)* 2. ɛnyɛ yɔ na; deɛ ɛnyɛ yɔ na *(not difficult to do; that which isn't difficult to do)* 3. ne nteaseɛ nyɛ den; deɛ ne nteaseɛ nyɛ den *(not difficult to understand; that which isn't difficult to understand)*

simple sentence NOUN ɔkasamu tiawa; kasamu tiawa

simpleton NOUN 1. ɔkwasea 2. ogyimifoɔ

simplify VERB 1. ma nteaseɛ yɛ mmerɛ *(make easier to understand)* 2. twa tiawa *(shorten)*

simultaneous ADJ ɛsi berɛ korɔ mu; deɛ ɛsi berɛ korɔ mu

sin NOUN 1. bɔne VERB 2. yɛ bɔne 3. fom

sing VERB 1. to dwom *(past: too dwom; future: bɛto dwom; progressive: reto dwom; perfect: ato dwom; negative: nto dwom)* □ *Ama to dwom sɛ ako | Ama sings like a parrot* □ *Becca too dwom dɛdɛɛdɛ bi | Becca sang a (certain) sweet song* NOUN 2. dwontoɔ *(act of singing)*

singer NOUN dwontoni *(plural: adwontofoɔ)*

single ADJ | NOUN 1. korɔ 2. baako; baako pɛ *(one; only one)* 3. deɛ ɔnwareeɛ; osigyani; ɔbaakofoɔ *(unmarried)*

sink VERB mem *(past: memm; future: bɛmem; progressive: remem; perfect: amem; negative: mmem)*

sip VERB 1. nom *(past: nomm/nomoeɛ; future: bɛnom; progressive: renom; perfect: anom; negative: nnom)* 2. twe *(past: twee/tweeɛ; future: bɛtwe; progressive: retwe; perfect: atwe; negative: ntwe)*

sir NOUN owura

siren NOUN abɛn

sister NOUN 1. onuabaa; nuabaa *(female-specific,plural: anuanom mmaa)* 2. onua; nua *(general: sibling, plural: anuanom)* □ *me nuabaa awo | my sister has given birth*

sister-in-law NOUN akumaa □ *m'akumaa | my sister-in-law*

sit VERB 1. tena *(past: tenaa; future: bɛtena; progressive: retena; perfect: atena; negative: ntena)* 2. tena ase *(sit down, past: tenaa ase; future: bɛtena ase; progressive: retena ase; perfect: atena ase; negative: ntena ase)* □ *Abena, tena me nkyɛn | Abena, sit by me* □ *Kofi, tena ha | Kofi, sit here* □ *Adwoa tenaa ase | Adwoa sat down*

site NOUN 1. asase *(land; plot)* 2. beaeɛ *(place; location)*

six hundred million NUM ɔpepem ahansia

six hundred NUM ahansia

six hundred thousand NUM mpem ahansia

six million NUM ɔpepem nsia

six NUM nsia

six thousand NUM mpem nsia

sixteen NUM dunsia

sixth NUM deɛ ɛtɔ so nsia

sixty million NUM ɔpepem aduosia

sixty NUM aduosia

sixty thousand NUM mpem aduosia

sixty-eight NUM aduosia nwɔtwe

sixty-five NUM aduosia num

sixty-four NUM aduosia nan

sixty-nine NUM aduosia nkron

sixty-one NUM aduosia baako

sixty-seven NUM aduosia nson

sixty-six NUM aduosia nsia

sixty-three NUM aduosia mmiɛnsa

sixty-two NUM aduosia mmienu

sizeable ADJ ɛso pa ara; deɛ ɛso pa ara

skeleton NOUN 1. nkrampan 2. nnompe

skill NOUN 1. nyansa 2. biribi mu nimdeɛ

skin NOUN 1. honam 2. honam □ *Kwabena se ɔpɛ ɔbaa a ne wedeɛ/honam yɛ fɛ aware | Kwabena says he wants a woman with a nice skin to marry*

skip VERB 1. bɔ tra 2. huri; hurihuri

skirmish NOUN ntɔkwa *(fight)*

skirt NOUN sekɛɛte *(borrowed)*

skull NOUN tikwankora □ *wɔkyee no no na ɔkuta nipa tikwankora | when they caught him/her, he/she was holding a human skull*

sky NOUN ewiem

slack ADJ 1. ago; deɛ agoɔ *(loose; that which is lose)* 2. akwadworɔ; deɛ ɛyɛ akwadworɔ *(lazy/lax; that which is lazy/lax)* 3. nyaa; deɛ ɛyɛ nyaa *(slow; that which is slow)*

slander NOUN 1. nsekuro 2. nwowɔaseɛ 3. nantinitwitwa VERB 4. di nsekuro 5. wowɔ aseɛ 6. twitwa nantini

slap VERB 1. bɔ asom 2. bɔ sotorɔ NOUN 3. asombɔ 4. asotorɔ

slaughter VERB 1. kum NOUN 2. mmoakum *(the killing of animals)*

slave NOUN 1. akoa *(plural: nkoa)* 2. ɔsomfoɔ *(plural: asomfoɔ)* VERB 3. yɛ adwuma den *(labour; work hard)*

antonym	ɔdehyeɛ *royal*

slavery NOUN nkoasom

sleep VERB 1. da *(past: daa/daeɛ; future: bɛda; progressive: reda; perfect: ada; negative: nna)* □ *da ma menna bi | sleep so I can sleep as well* □ *mentumi nna | I cannot sleep* □ *medaa anadwo | I slept at night* NOUN 2. nna □ *woasɛe me nna | you have destroyed (disturbed) my sleep*

sleepiness NOUN anikum

sleeplessness NOUN kɔdaanna

sleepy ADJ ani kum

slender ADJ teaa

slice NOUN sini

slide VERB patere; pa

slight ADJ 1. kakra VERB 2. di atɛm *(insult)*

slim ADJ teatea

slip VERB 1. patere 2. pa

slipper NOUN 1. mpaboa 2. kyale

slippery ADJ torotoro; torotorootoro

slobber VERB 1. sɔ ano nsuo 2. twa ano nsuo 3. te ano nsuo

slogan NOUN ɛfene

slope NOUN 1. sianeeɛ VERB 2. siane 2. kyea 3. koa

slot NOUN 1. tokuro 2. ɔkwan VERB 3. de hyɛ mu

slow ADJ 1. nyaa; nyaanyaa 2. brɛoo VERB 3. twentwɛn so *(abstain from food, past: twentwɛnn so; future: bɛtwentwɛn so; progressive: retwentwɛn so; perfect: atwentwɛn so; negative: ntwentwɛn so)*

sluggard NOUN 1. ɔkwadwofoɔ 2. onihani

slumber VERB 1. da NOUN 2. nna

slur VERB 1. toto paapaa so NOUN 2. atɛnnidie *(insult)*

sly ADJ 1. onitefoɔ 2. ɔdaadaafoɔ

small ADJ 1. ketewa 2. ketekete *(very small)*

smallpox NOUN mpete

smart ADJ 1. deɛ waben *(one who's intelligent/bright)* 2. wɛwɛ; deɛ ɔyɛ wɛwɛ 3. ho twa; deɛ ne ho twa *(of one's physical appearance)* 4. deɛ ɔkeka ne ho *(one who's very active in his/her dealings)*

smash VERB 1. paapae 2. bobɔ 3. sɛɛsɛe

smear VERB 1. sra; de sra 2. ka; keka; de keka

smell VERB 1. bɔn *(emit odour)* 2. hua *(perceive/detect smell)* NOUN 3. hwa 4. pampan

smelt VERB nane *(melt)*

smile VERB 1. nwenwene NOUN 2. anweenwee

smirch VERB gu ho fi; yɛ ho fi

smock NOUN 1. batakari 2. fugu

smoke NOUN 1. wisie VERB 2. pu wisie *(emit smoke; exhale smoke)* 3. twe wisie; twe *(inhale smoke; inhale)* 4. nom *(e.g. cigarette, "nom sigarɛte" means "smoke cigarette")* 5. toto *(expose meat/fish to smoke; roast)*

smooth ADJ 1. tonomtonom 2. nahanaha

smother VERB 1. kum *(kill)* 2. dum *(extinguish)*

smoulder VERB 1. hye *(burn)* NOUN 2. wisie *(smoke)*

smuggle VERB 1. di nnukurodwa 2. de fa sum ase kɔ baabi

snag NOUN 1. akwansideɛ *(obstacle)* 2. asiane 3. ɔhaw 4. mmusuo

snail NOUN nwa

snake NOUN ɔwɔ *(plural: awɔ)* □ *ɔwɔ no daadaa Hawa | the snake deceived Eve*

snare NOUN afidie *(trap)*

snatch VERB 1. hwim 2. gye

sneak VERB wia ho kɔ

sneer VERB 1. yi ahi 2. bu animtia NOUN 3. animtiabuo

sneeze VERB nwansi

sniff VERB 1. twe; twe kɔ mu 2. hua; huahua

snigger VERB 1. sere *(laugh (at someone))* 2. di ho fɛw *(mock)* 3. tweetwee

snip VERB 1. twa *(cut)* NOUN 2. adetwa

snore VERB hwa nkorɔmo

snout NOUN hwene *(of an animal: nose)*

snow NOUN sukyerɛma

snub VERB 1. twi fa (obi) so 2. bu animtia 3. bu abomfeaa

snuff NOUN 1. asra VERB 2. som asra

snuffbox NOUN asratoa

so CONJ 1. nti □ *yɛn aduane no hyeeɛ, nti yɛdaa kɔm | our food got burnt, so we slept hungry* sɛdeɛ ɛbɛyɛ a *(in order that)* □ *ɔdaa ntɛm sɛdeɛ ɛbɛyɛ a ɔbɛtumi asɔre ntɛm | he/she slept early so he/she could wake up early*

so that CONJ sɛdeɛ ɛbɛyɛ a □ *maame no daa kɔm, sɛdeɛ ɛbɛyɛ a akwadaa no bɛdidi | the woman slept hungry, so that/in order that the child will eat*

soak VERB 1. dɔn 2. fɔ 3. nonom

soap NOUN samina □ *sapɔ ne samina | sponge and soap*

soar VERB 1. tu; tu kɔ soro *(fly; fly high in the air)* 2. pagya ho kɔ soro *(rise high in the air)*

sob VERB 1. su *(cry)* 2. kyikyi ani ase

sober ADJ 1. ani da hɔ VERB 2. ma ani da hɔ

soccer NOUN bɔɔlobɔ

sociable ADJ 1. deɛ ɔpɛ nnipa 2. deɛ ɔka ne ho kɔ nnipa mu

society NOUN 1. fekuo 2. asafo 3. ekuo

sock NOUN 1. nantabono bɔha 2. nantabono nnuraho 3. nantabono kotokuo

soft ADJ 1. mmerɛ; mmerɛmmerɛ; mmerɛmmerɛɛmmerɛ 2. deɛ ɛyɛ mmerɛ

soil NOUN 1. dɔteɛ; anwea VERB 2. yɛ ho fi *(make dirty)*

sojourn NOUN 1. atenaeɛ VERB 2. tena baabi

solace NOUN 1. awerɛkyekyerɛ VERB 2. kyekye werɛ 3. ka akoma to yam; nya akomatɔyam

soldier NOUN 1. ɔsraani *(plural: asraafoɔ)* 2. sogyani; sogya *(borrowed)*

sole NOUN nan mmuromu; nan mu

solicit VERB 1. bisa 2. hwehwɛ

solid ADJ 1. den; deɛ ɛyɛ den *(hard; that which is hard)* 2. ase tim *(firmly grounded)*

solidify VERB 1. da *(past: daa/daeɛ; future: bɛda; progressive: reda; perfect: ada; negative: nna)* 2. ma ɛyɛ den; ma emu yɛ den *(make stronger)* 3. hyɛ mu den *(reinforce; make stronger)*

solution NOUN 1. anoyie *(answer)* 2. mfraeɛ *(mixture)* 3. sɔlɛhyin *(borrowed)*

solve VERB 1. di ho dwuma wie 2. pɛ ho mmuaeɛ 3. pɛ ho nnanuagubere 4. pɛ ho ano aduro

sombre ADJ kusuu

some PREP | DET ebi; bi □ *ma me bi | give me some* □ *nnipa bi nni ɔdɔ | some people don't have love*

somersault NOUN 1. akrayam 2. afuni 3. mmufasoɔ VERB 4. bu fa so

something NOUN biribi

sometimes ADV ɛtɔ da a □ *ɛtɔ da a menoa me ara m'aduane | sometimes I cook my own food*

somewhere ADV | PRON baabi

son NOUN ɔbabarima *(plural: mma mmarima)* □ *Konadu wɔ mma mmarima nan | Konadu has four sons*

song NOUN ɛdwom; dwom *(music: nnwom)*

soon ADV 1. animanim yi ara *(in a short time from now)* 2. ntɛm *(early)*

soot NOUN wisiapunu

soothe VERB 1. dwodwo 2. brɛ ano ase 3. ka akoma to yam

sophisticated ADJ 1. kuntann; deɛ ɛyɛ kuntann 2. kyɛnkyerɛkyɛnn

soporific ADJ ɛma anikum; deɛ ɛma anikum

sorcerer NOUN 1. bayifoɔ *(a witch)* 2. bayibonsam *(a wizard)* 3. nkonyaayifoɔ

sorcery NOUN 1. abayisɛm 2. nkonyaayisɛm

sore ADJ 1. ɛyɛ ya; deɛ ɛyɛ ya *(painful; that which is painful)* NOUN 2. ekuro *(wound)*

sore throat NOUN menemu kuro

sorrow NOUN 1. awerɛhoɔ 2. amanehunu

sorry EXCLAM 1. kosɛ 2. kafra ADJ 3. nu ho *(feel regret; penitence)* 4. mmɔbɔ; mmɔbɔmmɔbɔ *(in a pitiful state)*

sort NOUN 1. su 2. ban 3. tebea VERB 4. hyehyɛ

sot NOUN 1. nsadweam 2. kɔwensani

soul NOUN ɔkra

sound NOUN 1. nnyegyeɛ 2. ɛnne *(voice)* 3. dede *(noise)* VERB 4. gyegye *(emit; echo)* 5. ka *(say)*

soup NOUN nkwan

sour ADJ ɛkeka; deɛ ɛkeka

source NOUN 1. etire; ti 2. beaeɛ a ɛfiri VERB 3. nya firi

south NOUN anaafoɔ

south-east NOUN anaafoɔ-apueeɛ

south-west NOUN anaafoɔ-atɔeɛ

souvenir NOUN nkaedeɛ

sovereign NOUN 1. ɔhene *(king; chief)* 2. ɔhemmaa *(queen)* ADJ 3. deɛ ɔwɔ tumi; deɛ ɔkuta tumi *(one who wields power)*

sow VERB 1. gu *(of seed: plant by scattering on the earth)* □ *di aduaba no, na gu n'aba no | eat the fruit, and sow the seed* 2. dua *(of a plant: plant)* □ *Kofi duaa bankye ne borɔdeɛ | Kofi planted cassava and plantain* NOUN 3. prako bedeɛ *(adult female pig)*

space NOUN 1. ntam kwan *(... in between)* 2. ewiem *(of the sky)*

spade NOUN sofi

spaghetti NOUN taalia

spank VERB 1. twa toɔ NOUN 2. ɛtoɔtwa

sparkle VERB 1. hyerɛnn 2. te yerɛwyerɛw

sparrow NOUN akasanoma

sparse ADJ ahwete; deɛ ahwete

spawn VERB 1. to nkosua NOUN 2. nsuomnam nkosua *(of fish)* 3. apɔnkyerɛne nkosua *(of frogs)*

speak VERB 1. kasa *(past: kasaa/kasaeɛ; future: bɛkasa; progressive: rekasa; perfect: akasa; negative: nkasa)* □ *sumiiɛ kasa a,... | when the pillow speaks (from a song)* ADV 2. den; dennen; denneennen; denneennen so

spear NOUN pea

special ADJ 1. ɛsom bo; deɛ ɛsom bo 2. titire

specialist NOUN 1. biribi mu nimdefoɔ 2. deɛ wakwadare biribiyɛ mu

specific ADJ pɔtee

specify VERB bɔ din pɔtee

specimen NOUN nhwɛsoɔ

speck NOUN 1. ntɛtɛ 2. nkekaawa

spectacle NOUN 1. anisoadeɛ *(sight; vision)* 2. deɛ wɔbɔ twi kɔhwɛ *(that which people throng to watch; a display)* 3.

ahwehwɛniwa *(eyeglasses)* 4. kyikyi

spectacles NOUN ahwehwɛniwa

spectator NOUN bɛhwɛadeni *(plural: bɛhwɛadefoɔ)*

spectre NOUN ɔsaman *(plural: nsamanfoɔ)*

speculate VERB 1. bɔ srɛ mu ka 2. de adwene bu

speculation NOUN 1. bɔsrɛmuka 2. akɔsɔbiahwɛ

speech NOUN ɔkasa

speed NOUN 1. ahoɔhare 2. ntɛm; biribi ntɛm

spell VERB bobɔ asɛmfua bi mu atwerɛdeɛ mmaako-mmaako

spend VERB 1. di *(of money: expend)* 2. di berɛ *(of time: spend)* 3. sɛe berɛ *(of time: waste)*

spendthrift NOUN 1. sikasɛefoɔ 2. ohohwini

sperm NOUN nkwaboa *(plural: nkwammoa)*

spew VERB 1. pu; pu gu 2. fe; fe gu

spider NOUN ananse

spill VERB 1. hwie gu 2. ka gu 3. yɛ ma bu so *(of liquid: overflow)*

spin VERB 1. kyim 2. twan; wan 3. to asaawa *(of cotton)*

spinster NOUN 1. osigyani baa; ɔbaa sigyani *(male-specific, plural: mmaa asigyafoɔ)* 2. osigyani *(general, plural: asigyafoɔ)* □ *menyɛ sigyani; maware | I am not a spinster; I'm married*

spirit NOUN 1. honhom 2. sunsum

spiritual ADJ 1. deɛ ɛfa sunsum mu adeɛ ho 2. deɛ ɛfa honhom mu adeɛ ho

spit VERB 1. te ntasuo NOUN 2. ntasuo

spite NOUN 1. ahi 2. nitan VERB 3. yi ahi 4. hyɛ abufuo *(annoy; anger)*

spittle NOUN ntasuo

splash VERB pete; bɔ pete

spleen NOUN 1. tan 2. abufuo *(anger)*

splendid ADJ 1. fɛɛfɛ 2. ɛho twa; deɛ ɛho twa

split VERB 1. kyɛ mu 2. te mu 3. pae mu

spoil VERB sɛe

spokesman NOUN ɔkasamafoɔ

spokesperson NOUN ɔkasamafoɔ

spokeswoman NOUN ɔkasamafoɔ

sponge NOUN sapɔ □ *fa sapɔ no to bokiti no mu | put the sponge inside the bucket*

sponsor NOUN 1. akagyinamdifoɔ 2. deɛ ɔfa biribi ho ka 3. okyigyinafoɔ VERB 4. fa ho ka

sponsorship NOUN akagyinamu

spontaneous ADJ mpofirim

spoon NOUN atere □ *mede atere bɛdi | I will eat with spoon*

sport NOUN 1. agorɔ 2. agodie

spot NOUN 1. baabi; beaeɛ pɔtee *(somewhere; specific place)* 2. nkekaeɛ *(stain)* VERB 3. hu; hunu *(see)* 4. ma ani bɔ so

spouse NOUN 1. ɔyere *(wife)* 2. okunu *(husband)*

sprain VERB hwan *(of the leg, ankle, wrist, other joints)*

spray VERB 1. gugu so 2. petepete so 3. hem so

spread VERB 1. sɛ *(lay out)* 2. trɛ mu *(expand over a large area; widen)*

spring VERB 1. huri *(jump)* 2. pue *(appear)*

sprinkle VERB pete; petepete

sprint VERB 1. tu ammirika NOUN 2. ammirikatuo

sprout VERB 1. fefɛ 2. yi ti 3. pue NOUN 4. mfefɛeɛ

spume NOUN ahuro

spurn VERB po *(reject)*

sputum NOUN ahorɔ

spy VERB 1. tɛ; tetɛ NOUN 2. ɔtetɛfoɔ

squabble NOUN 1. akasa-akasa 2. ɔham 3. ko ntɔkwa VERB 4. ham 5. ko ntɔkwa

squad NOUN 1. nnipakuo 2. asafo 3. fekuo

squander VERB 1. di 2. sɛe

square NOUN | ADJ ahinanan

squeak VERB 1. yɛ dede 2. su NOUN 3. dede 4. osu

squeal VERB 1. tea mu; team NOUN 2. nteamu

squeeze VERB 1. mia 2. kyi mu

squib NOUN ɔsramamma

squint VERB 1. nyam 2. bu anikyew

squirrel NOUN opuro *(plural: mpuro)*

stab VERB wɔ sekan *(knife)*

stable NOUN apɔnkɔdan

stack VERB 1. hyehyɛ 2. boa ano 3. kyekyere boa NOUN 4. puduo

stadium NOUN agopramma so *(park)*

staff NOUN 1. adwumayɛfoɔ *(employees; workforce)* 2. poma *(stick)*

stag NOUN ɔforoteɛ

stage NOUN 1. berɛ; berɛ pɔtee *(a period/point; a specific period/point)* 2. adehwɛbea;

adehwɛpono *(a platform)* 3. adwa; adwaso

stagnant ADJ 1. ɛtaa faako; deɛ ɛtaa faako *(still/motionless; that which is still/stagnant)* 2. ɛgyina faako; deɛ ɛgyina faako

stain VERB 1. yɛ ho fi; gu ho fi NOUN 2. nkekaawa 3. efi

stale ADJ 1. anyinya; deɛ anyinya 2. asɛe; deɛ asɛe 3. ayɛ dada; deɛ ayɛ dada *(no longer new; old)*

stallion NOUN ɔpɔnkɔnini

stalwart NOUN 1. ɔnokwafo 2. ɔgramo

stamina NOUN ahoɔden

stammer VERB po dodoɔ; horo dodoɔ

stammerer NOUN 1. deɛ ɔpo dodoɔ 2. deɛ ɔhoro so; deɛ ɔhoro dodoɔ

stamp VERB tim; tim so

stand VERB 1. sɔre *(past: sɔree/sɔreeɛ; future: bɛsɔre; progressive: resɔre; perfect: asɔre; negative: nsɔre)* 2. gyina *(past: gyinaa/gyinaeɛ; future: bɛgyina; progressive: regyina; perfect: agyina; negative: nnyina)* 3. gyina hɔ *(stand there, past: gyinaa hɔ; future: bɛgyina hɔ; progressive: regyina hɔ; perfect: agyina hɔ; negative: nnyina hɔ)* 4. si *(of an object, building: be situated in a particular position)* 5. gyina nan so; sɔre gyina nan so *(rise to one's feet)* NOUN 6. nnyinasoɔ

standing NOUN 1. dibea *(status; position)* 2. agyinaeɛ; gyinabea

star NOUN nsoromma *(of celestial body; shape)*

starch NOUN 1. setaakye *(borrowed)* 2. ataredeɛ

stare VERB 1. hwɛ hann NOUN 2. nhwɛhann

start VERB 1. hyɛ aseɛ 2. firi aseɛ NOUN 3. mfitiaseɛ 4. ahyɛaseɛ

startle VERB 1. bɔ birim 2. bɔ hu 3. ma ahodwiri

starve VERB kyene kɔm

state umbrella NOUN bamkyiniiɛ

state VERB 1. ka 2. de to dwa NOUN 3. tebea 4. su 5. ɔman *(country)*

statesman NOUN 1. okunini 2. nipa titire 3. amanyɔni titire *(of a politician)*

static ADJ ɛgyina faako; deɛ ɛgyina faako

station NOUN 1. Tenabea 2. beaeɛ 3. ahyɛn gyinabea *(of vehicles)* VERB 4. de tena beaeɛ pɔtee 5. de si beaeɛ pɔtee; de gyina beaeɛ pɔtee

stationary ADJ ɛgyina faako; deɛ ɛgyina faako

stationery NOUN atwerɛ ho nneɛma

statue NOUN 1. ohoni 2. nkaedum

stature NOUN 1. tenten; nipa tenten *(height; a person's height)* 2. animuonyam *(reputation)*

status NOUN dibea

statute NOUN mmara

statutory NOUN 1. mmara tare akyire; deɛ mmara tare akyire 2. ɛyɛ mmara; deɛ ɛyɛ mmara

stay VERB 1. tena 2. gyina faako

steadfast ADJ 1. Pintinn 2. ɛtim deɛ ɛtim; deɛ ɛtim deɛ ɛtim 3. ɛnsesa; deɛ ɛnsesa

steady ADJ 1. pintinn 2. ɛtim deɛ ɛtim; deɛ ɛtim deɛ ɛtim 3. ani ka ase *(to be...)*

steal VERB wia *(past: wiaa/wiaeɛ; future: bɛwia; progressive: rewia; perfect: awia; negative: nwia)*

steam NOUN 1. ntutuo 2. huhuo

steamer NOUN owisihyɛn

steel NOUN 1. dadeɛ 2. apagyadadeɛ

steep ADJ ntɛmtɛm *(of the rise/fall in an amount: rapid)*

steer VERB 1. kyinkyim 2. twi 3. ka 4. daadane

stench NOUN 1. nkabɔne 2. pampan

step NOUN 1. anammɔn 2. anammɔntuo *(of the act)* VERB 3. tia 3. tu anammɔn

stepbrother NOUN 1. agya ba; agya babarima 2. ɛna ba; ɛna babarima 3. onua

stepchild NOUN abanoma

stepfather NOUN 1. ɛna kunu 2. agya; papa

stepmother NOUN 1. agya yere 2. ɛna; maame

stepsister NOUN 1. agya ba; agya babaa 2. ɛna ba; ɛna babaa 3. onua

sterile ADJ 1. krawa *(of male)* 2. dɔ benada *(of male)* 3. bonini *(of female)*

stew NOUN 1. forɔeɛ 2. abomu

stick NOUN 1. abaa VERB 2. de wura mu; fa wura mu 3. pia wura mu

stiff ADJ 1. den; denneennen 2. kyɛnkyerɛkyɛnn 3. bawee

stifle VERB 1. si mene 2. ka hyɛ *(suppress)* 3. si (ho) kwan *(prevent; constrain)*

stigma NOUN 1. aniwuo kam *(a mark of disgrace)* 2. aniwudeɛ

still ADJ 1. komm 2. dinn 3. nkwa nnim *(lifeless)* ADV 4. da so □ *Kofi da so kɔ sukuu | Kofi still goes to school*

sting VERB 1. bɔ 2. ka 3. wɔ

stinginess NOUN ayamuɔnwono

stingy ADJ ayamuɔnwono

stink VERB 1. bɔn 2. yi hwa

stir VERB 1. nu mu; nunu mu 2. hwanyan mu

stitch VERB 1. pam 2. ka si anim NOUN 3. ahoma *(thread)*

stomach ache NOUN 1. yafunu yareɛ 2. ayamkeka

stomach NOUN 1. yafunu *(general)* 2. yam; yafunum *(internal)* □ *me yam yɛ me ya | my stomach aches*

stone NOUN 1. ɛboba; boba *(plural: mmoba)* 2. ɛboɔ; boɔ *(plural: aboɔ)*

stool NOUN adwa

stoop VERB 1. bɔ mu ase 2. koto

stop VERB 1. gyae 2. de ba awieeɛ 3. gyina

store NOUN 1. sotɔɔ *(borrowed)* VERB 2. kora *(keep)*

storey building NOUN 1. abansoro 2. aborosan

storm NOUN ahum

story NOUN 1. ayɛsɛm 2. abasɛm 3. anansesɛm

stout ADJ 1. ɔkɛseɛ *(of a person: big/fat)* 2. obolobo *(of a person: fat)* 3. den; denneennen *(of an object: strong)*

stove NOUN bokyea

straight ADJ 1. ɛtene; deɛ ɛtene 2. tee

strange ADJ 1. nwonwa; deɛ ɛyɛ nwonwa 2. emu yɛ werɛm; deɛ emu yɛ werɛm

stranger NOUN ɔhɔhoɔ; hɔhoɔ *(plural: ahɔhoɔ)*

strangle VERB 1. mia kɔn 2. sɛn *(hang)* 3. si ahome

strategy NOUN 1. ɔkwan 2. nhyehyɛeɛ

straw NOUN 1. ɛserɛ 2. nsatweɛ doroben

stray VERB 1. fom kwan 2. yɛ mfomsoɔ

stream NOUN asuwa

street NOUN 1. ɛkwan 2. kaa kwan

strength NOUN ahoɔden

strengthen VERB 1. ma ahoɔden ba mu; hyɛ mu ahoɔden 2. hyɛ mu den 3. hyɛ mu kena

strenuous ADJ ɛhia ahoɔden; deɛ ɛhia ahoɔden

stress VERB 1. si so dua 2. ti mu

stretch VERB 1. twe; twe mu 2. tene mu *(straighten)* 3. da hɔ

stretcher NOUN 1. mpa 2. nnaeɛ

stride VERB 1. tu apɔnkɔnan; si apɔnkɔnan 2. tutu anan

strife VERB 1. ntɔkwa 2. nitan

strike VERB 1. bɔ; bɔ mu 2. pem 3. sɔ; pa *(of a match: ignite)*

string NOUN 1. ahoma VERB 2. sina 3. kyekyere

strip VERB 1. worɔ 2. pa ho; pa ntoma 3. bɔ kwaterekwa

stroke NOUN 1. nnwodwoeɛ VERB 2. fofa *(caress, past: fofaa/fofaeɛ; future: bɛfofa; progressive: refofa perfect: afofa)*

structure NOUN 1. yɛbea 2. tebea 3. su

struggle VERB 1. pere; pere ho 2. ko *(fight)* NOUN 3. apereapere 4. ɔbrɛ 5. ɔko

student NOUN 1. osukuuni 2. osuani

study NOUN 1. adesua *(learning)* 2. nhwehwɛmu *(investigation)* VERB 3. sua *(learn)* 4. hwehwɛ mu *(investigate)*

stumble VERB 1. hwinti 2. pori

stump NOUN dunsini

stun VERB 1. biri ani so *(daze)* 2. ma ahodwiri *(astonish)*

stunt VERB tɔ ape

stupid ADJ 1. gyimi; deɛ wagyimi NOUN 2. ogyimifoɔ; gyimifoɔ

stupidity NOUN gyimie

sturdy ADJ ɔsi pi si ta *(of a person)*

stutter VERB 1. po dodoɔ 2. horo so; horo dodoɔ

sty NOUN 1. prakodan 2. prakobuo

style NOUN 1. ɔkwan *(way; manner; procedure)* 2. su 3. twerɛbea *(of writing)* 4. kasabea *(of speaking)*

subchief NOUN odikuro

subdue VERB 1. ka hyɛ 2. di so

subject NOUN 1. asɛm; asɛmpɔ *(topic/theme of discussion)* 2. akoa *(servant)* 3. ɔman mma *(citizenry)* 4. asuadeɛ *(...of study)*

subjugate VERB 1. ka hyɛ 2. hyɛ so 3. di so

sublet VERB 1. de han ɔfoforɔ 2. dane ma ɔfoforɔ

sublime ADJ 1. ɛkorɔn; deɛ ɛkorɔn *(grand; that which is grand)* 2. ɛyɛ fɛ yie; deɛ ɛyɛ fɛ yie *(very beautiful; that which is very beautiful)* 3. adutwam *(of a person's attitude or behaviour: unparalleled)*

submarine NOUN asuo ase hyɛn

submerge VERB 1. dɔ sukɔ *(descend below the surface of water)* 2. de sie *(hide)*

submission NOUN 1. nnyetomu *(acceptance)* 2. ahobrɛaseɛ *(humility)*

submissive ADJ 1. nea ɔbrɛ ne ho ase 2. nea ɔyɛ setie

submit VERB 1. brɛ ho ase 2. pene so; gye tom *(accept; give in)* 3. de ma; ma nsa ka *(deliver)*

subordinate ADJ 1. abadiakyire 2. nea ɔhyɛ obi ase

subordinate clause NOUN ɔkasamufa kumaa; kasamufa kumaa

subscribe VERB 1. de nsa hyɛ aseɛ 2. taa akyi

substitute NOUN 1. ananmusini *(of a person)* 2. nsiananmu VERB 3. sesa; de sesa

substitution NOUN ananmusie

subtract VERB te firi mu; te firim *(past: te firii mu; future: bɛte afirim; progressive: rete afirim; perfect: ate afirim; negative: nte mfirim)*

subtraction NOUN ntefirimu

suburb NOUN 1. borɔno 2. mantam

subvert VERB 1. butu 2. sɛe

subway NOUN asase ase kwan

succeed VERB 1. di nkonim *(triumph)* 2. di adeɛ *(take over a throne; inherit)* 3. yɛ yie; nya nkɔsoɔ *(become wealthy; flourish)*

success VERB 1. nkonim *(victory)* 2. yiedie *(wealth)*

succour NOUN 1. mmoa *(help; aid)* VERB 2. boa *(help; aid)*

succulent ADJ ɛyɛ akɔnnɔ; deɛ ɛyɛ akɔnnɔ

succumb VERB 1. gyae mu *(give in)* 2. di nkoguo 3. wu *(die)*

suck VERB 1. fe; fefe 2. twe NOUN 3. adefeɛ

suckle VERB ma nufoɔ

sudden ADJ 1. prɛko pɛ 2. mpofirim

suddenly ADV 1. mpofirim 2. prɛko pɛ

suds NOUN 1. ahuro; samina ahuro VERB 2. twa ahuro; yɛ ahuro

sue VERB saman

suffer VERB 1. hunu amane *(experience or be subjected to agony)* 2. bɔ *(of a disease: be afflicted by)*

suffering NOUN amanehunu

sufficient ADJ 1. ɛso; deɛ ɛso *(adequate; that which is adequate)* 2. ɛdɔɔso; deɛ ɛdɔɔso *(enough; that which is enough)*

suffix NOUN 1. nsiakyire VERB 2. de si akyire

suffocate VERB 1. tua home 2. sɔ mene; si mene

suffocation NOUN menesie

suffrage NOUN abatoɔ mu akwannya *(franchise; right to vote)*

sugar NOUN asikyire □ *asikyire dɛ nko; ɛwoɔ dɛ nko | sugar has its unique taste; honey has its (sugar and honey taste differently)*

sugarcane NOUN ahwedeɛ □ *ahwedeɛ yɛ fremfrem dodo | sugarcane is too sweet*

suggest VERB 1. susu 2. kyerɛ *(show)* 3. ka *(stat e; express)*

suggestion NOUN nsusuiɛ

suicide NOUN ahokum

suit NOUN 1. kootu *(borrowed, of the outfit)* 2. VERB fata

suitable ADJ 1. ɛsɛ; deɛ ɛsɛ 2. ɛfata; deɛ ɛfata

suite NOUN 1. gyaasefoɔ 2. adankora

sullen ADJ kusuu *(of the sky: full of dark clouds)*

sully VERB 1. gu ho fi *(damage the purity of; taint)* 2. yɛ ho fi *(make dirty)*

sum NOUN 1. sika botene *(a particular amount of money)* 2. ano; anoboa *(the total amount)* 3. dodoɔ

summarise VERB 1. bɔ tɔfa 2. twa tiawa

summary NOUN tɔfa

summer NOUN ahuhuroberɛ

summersault NOUN 1. akrayam 2. afuni 3. mmufasoɔ VERB 4. bu fa so

summit NOUN 1. mpɔmpɔnsoɔ 2. atifi 3. nhyiamu *(meeting; conference)*

summon VERB 1. frɛ *(call)* 2. saman

sun NOUN owia

sunbird NOUN aserewa

Sunday NOUN Kwasiada □ *ɛnnɛ yɛ Kwasiada | today is Sunday*

sunder VERB 1. te mu 2. pae mu

superb ADJ 1. ɛho twa 2. fɛɛfɛ; deɛ ɛyɛ fɛ *(beautiful; that which is beautiful)* 3. papa pa ara *(very good; excellent)*

supercilious ADJ 1. ahomasoɔ 2. dwaeɛ

superfluous ADJ 1. mmorosoɔ *(surplus)* 2. nkaeɛ *(remainder; excess)* 3. deɛ ɛho nhia *(that which is unnecessary)*

superintendent NOUN 1. ɔhwɛfoɔ; opanin *(manager; administrator; boss)* 2. opolisini panin *(a high-ranking police officer)*

superior ADJ 1. deɛ ne dibea wɔ soro *(one who's higher in rank/position)* 2. papa pa ara *(of very good quality)* 3. ɛso pa ara *(greater in size)* NOUN 4. opanin *(boss; senior; elder)*

superiority NOUN mpaninnie; mpaninyɛ

supersede VERB 1. de si anan mu *(replace with)* 2. de sesa *(change with)*

superstition NOUN gyedihunu

supervise VERB hwɛ so

supervisor VERB 1. ɔhwɛsofoɔ 2. opanin

supine ADJ 1. ayeya *(of a person's sleep posture)* 2. kwadwom

supper NOUN anwummerɛ aduane

supplement NOUN 1. nkaho; nkekaho 2. mmataho 3. Ntaremu VERB 4. de ka ho

supply VERB 1. de ma 2. ma nsa ka

support VERB 1. taa akyire *(back)* 2. boa *(help)* NOUN 3. mmoa *(help)* 4. akyidɔm *(backing)*

supporter NOUN okyitaani *(plural: akyitaafoɔ)*

suppose VERB 1. susu; susu sɛ *(assume)* 2. fa no sɛ *(take it that)* □ *yɛmfa no sɛ menni sika bio, nka wobɛkɔ so ara adɔ me? | let's suppose I didn't have money anymore, would you continue to love me?*

suppress VERB 1. twa so *(put an end to)* 2. brɛ ase 3. ka hyɛ 4. hyɛ so

supreme ADJ 1. kunini 2. kɛseɛ 3. ɛkorɔn; deɛ ɛkorɔn

sure ADJ 1. nokorɛ turodoo *(true beyond any doubt)* 2. pefee

surety NOUN 1. agyinamdifoɔ *(of a person: guarantor)* 2. agyinamudeɛ *(of something: guarantee)*

surface NOUN 1. ani VERB 2. pue

surfeit NOUN 1. mmorosoɔ VERB 2. ma ɛmen (obi)

surge NOUN 1. ntomu prɛko pɛ *(a sudden increase in price)* VERB 2. bɔ twi *(of a crowd)* 3. to mu prɛko pɛ *(of price: suddenly increase)*

surgeon NOUN dɔkota a ɔyɛ opiresan

surgery NOUN opiresan *(borrowed)*

surly ADJ 1. kokobɔne 2. abufuo

surmount VERB 1. di so (nkonim) *(overcome; beat)* 2. bɔ tra

surname NOUN abusuadin

surpass VERB 1. twa *(be better than; excel over)* 2. yɛ boro; yɛ kyɛne; yɛ sene *(go beyond; exceed)*

surplus NOUN mmorosoɔ

surprise NOUN 1. nwonwa *(general)* 2. anwonwasɛm *(a surprising fact/issue)* 3. adenwonwa; anwonwadeɛ *(something surprising)* 4. ahodwiri *(astonishment)* VERB 5. yɛ nwonwa 6. ma ahodwiri *(astonish)*

surprising ADJ nwonwa; ɛyɛ nwonwa

surrender VERB 1. gyae mu 2. ma nsa so

surreptitious ADJ kokoam

surround VERB twa ho hyia

survey VERB 1. hwɛ *(look)* 2. hwehwɛ mu; hwehwɛm *(investigate)* 3. susu *(measure)* NOUN 4. nhwehwɛmu *(investigation)* 5. adesusu *(of something: measurement)* 6. asasesusu *(of a parcel of land: measurement)*

surveyor NOUN osusufoɔ

survival NOUN nkwanya

survive VERB 1. tena ase *(live; continue to live; exist)* 2. nya nkwa

survivor NOUN (owuo) okyikafoɔ

suspect VERB 1. susu sɛ NOUN 2. deɛ ɔsusu sɛ wadi bɔne

suspend VERB 1. twe sensɛn 2. de konkɔn hɔ 3. bɔ to hɔ 4. sɛn; de sɛn *(hang)*

suspension NOUN 1. ɔsensɛn 2. mmɔtohɔ 3. Ntwesan 4. mpemase

suspicion NOUN anibɔne

sustain VERB 1. kuta mu; kura mu *(continue; carry on; uphold)* 2. boa *(help)* 3. fa mu *(undergo; experience)*

swagger VERB 1. nante dwaeɛ kwan so; nante pagyapagya abatire *(walk arrogantly)* 2. yɛ dwaeɛ; yɛ ahomasoɔ *(behave arrogantly)* NOUN 3. deɛ ɔyɛ ahomasoɔ 4. deɛ ɔyɛ dwaeɛ

swallow VERB 1. mene 2. twe kɔ mu NOUN 3. ademene

swallow VERB mene

swamp NOUN 1. atɛkyɛ mu; atɛkyɛm 2. aforɔ mu; aforɔm

swan NOUN dabodabo

swathe VERB kyekyere; kyekyere ketee

sway VERB 1. him; hinhim; ma ɛhinhim *(shake; cause to shake)* 2. wɔ so tumi; nya so tumi *(have control over; gain control over)*

swear VERB 1. ka ntam 2. di nse NOUN 3. ntam 4. nseɛ

sweat NOUN 1. mfifire VERB 2. te mfifire

sweep VERB 1. pra *(clean by brushing filth off with e.g. broom)* 2. hwehwɛ *(search; probe)* NOUN 3. apra

sweet VERB 1. dɛ; dɛdɛɛdɛ *(of taste; melody)* 2. fenemfenem *(of taste)* 3. dɔkɔdɔkɔ *(of taste)* 4. hwam *(of smell; fragrant)*

sweetheart NOUN 1. akoma mu tɔfe; akomam tɔfe 2. ɔdɔfoɔ □ *ɔse meyɛ n'akomam tɔfe* | *he/she says I'm his/her sweetheart*

swell VERB 1. hono 2. Soa 3. pagya 4. yɛ kɛseɛ

swelling NOUN 1. pɔmpɔ 2. ɔhono 3. nsoaeɛ

swelter VERB 1. teetee 2. yɛ hye

swerve VERB 1. mane 2. kyea 3. sesa

swift ADJ 1. ntɛm so 2. hare so; ahoɔhare so

swiftly ADV 1. ntɛm so 2. hare so; ahoɔhare so

swim VERB 1. dware; dware asuo 2. boro; boro asuo NOUN 3. adwareeɛ; asuom adwareɛ

swindle VERB 1. bu; yɛ bukata *(defraud)* 2. to bradɛ gye nsam sika NOUN 3. bukata *(a fraudulent scheme)*

swine NOUN prako

swing VERB 1. him; di ahim 2. to

swing NOUN adonkotoɔ

swoon VERB 1. twa hwe NOUN 1. pititɔ 2. ntwahweɛ

swoop VERB 1. tu si so; siane si so *(descend on)* 2. tu so sa *(raid)* NOUN 3. ɔsa *(raid)*

sword NOUN akofena

syllable NOUN asɛmfuafa

syllabus NOUN selaboso *(borrowed)*

symbol NOUN 1. agyinahyɛdeɛ 2. ahyɛnsodeɛ
symbolize VERB gyina hɔ ma
sympathize VERB 1. hu mmɔbɔ; nya mmɔborɔhu ma 2. nya tema
sympathy NOUN mmɔborɔhunu
symptom NOUN nsɛnkyerɛnneɛ
synagogue NOUN mpaebɔfie
syndicate NOUN fekuo
synod NOUN asɔfoɔ nhyiamu
synonym NOUN nkyerɛase korɔ
syntax NOUN 1. akasamu nsɛmfua nhyehyɛeɛ *(arrangement of words in sentences)* 2. akasamu nsɛmfua nhyehyɛeɛ mmara *(the rules governing the arrangement of words in sentences)* 3. akasamu nsɛmfua nhyehyɛeɛ ho nimdeɛ *(of the knowledge; the branch of linguistics dealing with the arrangement of words in sentences)*
syphilis NOUN kekaeɛ
syringe NOUN paneɛ
system NOUN 1. nhyehyɛeɛ *(a methodology; arrangement; structure)* 2. nipadua *(the human body)* 3. amammuo *(a prevailing political rule)*

Tt

table NOUN 1. ɛpono 2. didipono *(eating table)*
tablecloth NOUN ɛpono so tam
tablet NOUN 1. ɛbopono *(slab)* 2. dufa *(drug)*
taboo NOUN 1. akyiwadeɛ 2. mmusuo
tabulate VERB hyehyɛ *(arrange)*
tackle VERB 1. si ano; si ano kwan 2. hwɛ yɛ
tacky ADJ tentann *(sticky)*
tact NOUN nyansa
tactic NOUN 1. ɛpɔ *(strategy; scheme)* 2. nimdeɛ
tadpole NOUN konkontiba
tail NOUN 1. dua *(hindmost part of an animal)* 2. ɛtoɔ *(end; rear)* VERB 3. di akyire *(follow)* 4. tetɛ di akyire *(secretly follow)*
tailor NOUN 1. adepamni *(general)* 2. barima adepamni *(male-specific)*
take VERB 1. gye *(past: gyee/gyeeɛ; future: bɛgye; progressive: regye; perfect: agye; negative: nnye)* 2. fa *(reach out and hold it, past: faa/faeɛ; future: bɛfa; progressive: refa; perfect: afa; negative: mfa)* □ *megyee no sika | I took money from him/her (I charged him/her)* □ *wobɛgye sika? | will you take money?* 3. te firim *(subtract)* 4. gye tom *(accept)* NOUN 5. adwene; nsusuiɛ *(one's take/mind; opinion)*
tale NOUN 1. ayɛsɛm *(fictitious)* 2. anansesɛm *(fictitious)* 3. abasɛm *(true narrative; historical narrative)*
talent NOUN 1. adom akyɛdeɛ *(divine gift)* 2. nimdeɛ *(skill; knowledge)*
talisman NOUN 1. bansere 2. sɛbɛ
talk VERB | NOUN kasa
talkative NOUN 1. kasapɛfoɔ 2. deɛ ɔpɛ kasa

tall ADJ 1. tenten *(attributive, plural: atenten)* 2. ware; wa *(predicative)*

tame VERB yɛn

tamper VERB 1. de nsa ka 2. te ho kyema; ma ho te kyema

tangible ADJ | NOUN wɔtumi sɔ mu; deɛ wɔtumi sɔ mu *(perceptible by touched; that which is perceptible by touch)*

tangle VERB 1. kyekyere; kyekyerekyekyere 2. mantan-mantan 3. bebare 4. yɛ nwonworann *(make complicated)* 5. ma ɛbiri ani so

tank NOUN 1. akoradeɛ *(a storage unit)* 2. ankorɛ *(a barrel)* VERB 3. hyɛ ma; hyɛ akoradeɛ ma

tap VERB twe *(draw, i.e. liquid)*

tar NOUN 1. kootaa *(borrowed)* VERB 2. de kootaa fa so

tardy ADJ nyaa *(slow; sluggish)*

target NOUN 1. botaeɛ 2. deɛ ani si so VERB 3. de si ani so

tariff NOUN ɛtoɔ *(tax)*

tarnish VERB 1. gu ho fi 2. te animuonyam so

tarry VERB twentwɛn so

task NOUN 1. dwuma; dwumadie VERB 2. de dwuma hyɛ nsa; de dwumadie bi hyɛ nsa

taste NOUN 1. ɔdɛ *(of sweetness)* 2. ɔnwono *(of bitterness)* VERB 3. ka hwɛ

tatters NOUN 1. deɛ ateteɛ 2. deɛ asunsuan 3. ntomago *(rag)*

tattle VERB 1. di nsekuro NOUN 2. nsekuro

taunt VERB 1. kasa tia 2. hyɛ abufuo *(provoke; anger)* NOUN 3. kasatia

tavern NOUN nsatɔnbea; nsanombea

tax NOUN 1. ɛtoɔ VERB 2. gye toɔ

tea NOUN tii *(borrowed)*

teach VERB 1. kyerɛ; kyerɛ adeɛ *(past: kyerɛɛ; future: bɛkyerɛ; progressive: rekyerɛ; perfect: akyerɛ; negative: nkyerɛ)* 2. kyerɛkyerɛ *(reduplicated, past: kyerɛkyerɛɛ; future: bɛkyerɛkyerɛ; progressive: rekyerɛkyerɛ; perfect: akyerɛkyerɛ; negative: nkyerɛkyerɛ)* □ *Yaw kyerɛ Twi* | *Yaw teaches Twi* □ *ɔrekyerɛ borɔfo kasa* | *he/she is teaching English language*

teacher NOUN 1. ɔkyerɛkyerɛni; kyerɛkyerɛni *(plural: akyerɛkyerɛfoɔ)* 2. tikya *(borrowed, plural: atikyafoɔ)*

teaching NOUN adekyerɛ

team NOUN 1. ekuo VERB 2. ka bom 3. dɔm

tear VERB 1. te; te mu *(tear; tear apart)* 2. suan; sunsuan; sunsuan mu *(tear; tear apart)* 3. te nisuo *(of the eyes: produce tears)* NOUN 4. anisuo *(teardrop)*

tease VERB 1. huro 2. di ho fɛw 3. di ho agorɔ NOUN 4. fɛwdie

teat NOUN nufoɔ ano

technical ADJ 1. nimdeɛ soronko; deɛ ɛfa nimdeɛ soronko ho 2. nsaanodwuma *(handiwork)*

tedious ADJ 1. ɛyɛ den; deɛ ɛyɛ den 2. ɛma ɔbrɛ; deɛ ɛma ɔbrɛ

teeth NOUN 1. ɛse VERB 2. fifiri ɛse

telephone NOUN 1. ahomatorofoɔ □ *Akyiaa frɛɛ me wɔ ahomatorofoɔ so | Akyiaa called me over the telephone* VERB 2. frɛ *(call)*

television NOUN tɛlɛbihyɛn *(borrowed)*

tell VERB 1. ka 2. ka kyerɛ *(tell to)* 3. bɔ amanneɛ

tema 2. ohummɔbɔrɔfoɔ

temper NOUN 1. kokoɔ; koko *(temperament; tendency to become angry easily)* 2. abufuo *(anger; rage; fury)*

temperance NOUN 1. anidahɔ *(soberness)* 2. ahotua *(abstinence)*

tempest NOUN 1. ahum 2. mframaden

temple NOUN 1. asontɔrem *(body part)* 2. asɔre; asɔredan *(church; church building)*

temporal ADJ 1. wiase; wiasesɛm; wiasedeɛ *(secular; worldly)* 2. berɛ; deɛ ɛfa berɛ ho *(time; that which relates to time)*

temporary ADJ 1. berɛ tiawa; mmerɛ tiawa 2. ɛnkyɛ; deɛ ɛnkyɛ

tempt VERB 1. sɔ hwɛ 2. gyegye 3. daadaa

temptation NOUN nsɔhwɛ

tempter NOUN 1. ɔsɔhwɛfoɔ 2. ɔgyegyefoɔ

ten million NUM ɔpepem du

ten NUM edu

ten thousand NUM mpem du

tenant NOUN ɔdanhanfoɔ; deɛ ɔhan dan

tend VERB 1. taa *(be inclined; regularly behave/act in a particular way)* 2. hwɛ... so *(care for; look after)*

tender ADJ 1. deɛ ɔwɔ dɔ *(loving)* 2. deɛ ɔwɔ tema *(caring)* 3. mmerɛ 4. bɛtɛɛ 5. tɔtɔfeewa *(young)*

tendon NOUN ntini

tenement NOUN fihyia

tenet NOUN gyedie *(belief)*

tent NOUN 1. ntomadan 2. apata

tentative ADJ 1. ɛnsii pi; deɛ ɛnsii pi *(inconclusive; that which is inconclusive)* 2. ɛkonkɔn hɔ; deɛ ɛkonkɔn hɔ *(hanging; that which is hanging)*

tenth NUM deɛ ɛtɔ so du

tepid ADJ dedɛɛdedɛɛ *(of liquid: lukewarm)*

term NOUN 1. asɛmfua *(word)* 2. kasa *(language)* 3. berɛ; berɛ pɔtee bi *(time; a specific period of time)* 4. nnyinasosɛm *(condition)* 5. ɔhyɛ *(command)* VERB 6. to din *(name)* 7. bɔ din *(call, i.e. name)*

terminate VERB 1. wie *(bring to an end)* 2. sɛe; yi gu *(of a pregnancy: end; abort)* 3. yi adi *(of employment: end; dismiss)*

termination NOUN 1. nyinsɛnyiguo *(abortion)* 2. awieeɛ *(ending)*

termite NOUN 1. fɔteɛ *(plural: mfɔteɛ)* 2. kanka *(plural: nkanka)*

terrify VERB 1. bɔ hu 2. hunahuna

territory NOUN 1. ɛhyeɛ mu *(within border)* 2. asase; ɔman asase *(land; a state's land)*

terror NOUN ehu *(fear)*

terrorism NOUN 1. amammɔsɛm 2. atuateɛ

terrorist NOUN 1. ɔmammɔni 2. otuateni

terse ADJ tiawa *(brief; short)*

test NOUN 1. nsɔhwɛ VERB 2. sɔ hwɛ

testament NOUN 1. nsamanseɛ *(a will)* 2. adanseɛ *(testimony)*

testicle NOUN 1. hwowa *(profane)* 2. atɛ *(euphemism)*

testify VERB di adanseɛ

testimonial NOUN adansedie krataa

testimony NOUN adanseɛ

tête-à-tête NOUN kokoam nkɔmmɔ; kokoam nkutahodie

textile NOUN ntoma

than CONJ | PREP 1. kyɛn 2. sene □ *woanyini kyɛn me* | *you're older than I am*

thank VERB da ase

thank you PHRASE | EXCLAM 1. da ase *(thank)* 2. da wo ase *(thank you)* 3. meda wo ase *(I thank you)* NOUN 4. nnaaseɛ *(thanksgiving)*

thankfulness NOUN aseda

thanksgiving NOUN aseda

that PRON

demonstrative

DET 1. ɛno; no 2. saa □ *ɛnyɛ ɛno no?* | *Isn't that it? (a funny saying by Akua Donkor, a Ghanaian politician)* □ *saa ɔkɔdeɛ no* | *that eagle* CONJ 3. sɛ □ *ɔkaa sɛ ɔdɔ no* | *he/she said that he/she loves him/her*

thatch VERB kuru so *(of a house: cover; roof)*

thaw VERB nane *(melt)*

the DET | DEF ART no □ *akwadaa no to dwom* | *the child sings* □ *krataa no abɛduru* | *the letter has arrived*

theatre NOUN 1. agodibea 2. agohwɛbea

theft NOUN 1. korɔno 2. korɔnobɔ *(the act of stealing)*

their ADJ

3rd person plural possessive

wɔn □ *wɔn to soso* | *their buttocks are big* □ *wɔn aduane* | *their food* □ *wɔn akokoɔduro* | *their courage*

theirs PRON

3rd person plural possessive

wɔn dea □ *ɛyɛ wɔn dea* | *it's theirs* □ *ahomatorofoɔ no yɛ wɔn dea* | *the telephone is theirs* □ *kuro no yɛ wɔn dea* | *the town is theirs*

them PRON

3rd person plural subject

wɔn □ *gyae wɔn* | *leave them* □ *wɔawie. Tua wɔn ka* | *they have finished. Pay them* □ *Tweneboa bɔɔ wɔn sobɔɔ* | *Tweneboah blamed them*

theme NOUN 1. nnyinasosɛm 2. asɛm ti; asɛnti 3. asɛntitire

themselves PRON

reflexive

1. wɔn ho □ *wɔbu wɔn ho* | *they respect themselves*

PRON

intensive

2. wɔn ara □ *wɔn ara na wɔwiaa sika no | they stole the money themselves*

theocracy NOUN asɔfoɔ amammuo

theology NOUN 1. Nyamesɛm 2. Onyankopɔn ho adesua

therapy NOUN 1. ayaresa *(treatment)* 2. ayarehwɛ *(healthcare)*

there ADV ɛhɔ; hɔ fa to hɔ | *put it there*

antonym	ɛha *here*

these DEMON PRON | DET 1. yeinom 2. eyinom yeinom nyinaa yɛ wo dea? | *all these are for you?*

they PRON

3rd person plural subject

wɔn *(changes into wɔ- when it is directly followed by a verb)* □ *wɔkaa pono no hwee mu | they banged the door* □ *wɔresua Twi | they are learning Twi* □ *wɔn nyinaa baeɛ | they all came*

thick ADJ 1. duru; duruduru *(heavy)* 2. pikapika *(of a liquid/semi liquid: relatively firm in consistency)* 3. kusuu *(of a forest/bush: dense)*

thief NOUN 1. ɔkorɔmfoɔ *(plural: akorɔmfoɔ)* 2. owifoɔ *(plural: awifoɔ)*

thievery NOUN 1. korɔno 2. korɔnobɔ *(the act of stealing)*

thigh NOUN ɛserɛ; serɛ □ *sɛ w'anantu so kyɛn wo serɛ a, na yareɛ wɔ mu | if your calf is bigger than your thigh, there must be a disease in there (a Twi proverb)*

thin ADJ 1. teaa; teatea 2. feaa; feafea 3. traa; tratra *(flat)*

thing NOUN 1. adeɛ *(plural: nneɛma)* 2. biribi *(something)*

think VERB 1. dwene *(past: dwenee/dweneeɛ; future: bɛdwene; progressive: redwene; perfect: adwene; negative: nnwene)* □ *meredwene me ho | I am thinking about myself* □ *susu dwene | don't overthink* □ *ɔdwene me ho | he/she thinks about me* NOUN 2. adwennwene *(act of thinking)*

third NUM deɛ ɛtɔ so mmienu

thirst NOUN nsukɔm

thirteen NUM dumiɛnsa

thirty million NUM ɔpepem aduasa

thirty NUM aduasa

thirty thousand NUM mpem aduasa

thirty-eight NUM aduasa nwɔtwe

thirty-five NUM aduasa num

thirty-four NUM aduasa nan

thirty-nine NUM aduasa nkron

thirty-one NUM aduasa baako

thirty-seven NUM aduasa nson

thirty-six NUM aduasa nsia

thirty-three NUM aduasa mmiɛnsa

thirty-two NUM aduasa mmienu

this DEMON PRON | DET 1. yei; wei 2. yi □ *yei na mepɛ | it is this that I like* □ *akwadaa wei | this child* □ *ababaawa yi ho yɛ fɛ | this young woman is beautiful* ADV 3. sei □ *kɛseɛ sei | this big*

thorn NOUN nsɔeɛ

those DEMON PRON | DET ɛnonom □ *ɛnonom yɛ dɛ kyɛn yeinom | those are delicious than these*

thought NOUN 1. adwene *(mind; idea; notion)* 2. adwennwene *(the action of thinking)*

thousand NUM apem

thrash VERB 1. bo; bo basabasa *(beat; beat ruthlessly)* 2. pere *(struggle)*

thread NOUN 1. ahoma VERB 2. sina; sina ahoma

threat NOUN 1. ahunahuna 2. ahupoo

threaten VERB 1. bɔ kɔkɔ *(warn)* 2. hunahuna

three hundred million NUM ɔpepem ahasa

three hundred NUM ahasa

three hundred thousand NUM mpem ahasa

three million NUM ɔpepem mmiɛnsa

three NUM mmiɛnsa

three thousand NUM mpem mmiɛnsa

thresh VERB 1. tutu 2. poro

thrice ADV mprɛnsa □ *ɔdware mprɛnsa da biara | he/she baths thrice every day*

thrift NOUN 1. sikadie mu ahwɛyie 2. sikadie mu anidahɔ

thrill NOUN 1. anigyeɛ VERB 2. ma ani gye; ma anigyeɛ

thrive VERB 1. tu mpɔn 2. nya kankorɔ 3. kɔ so 4. di nkonim

throat NOUN 1. mene *(external)* □ *ɔtwaa aboa no mene | he/she cut the animal's throat*

2. menemu *(internal)* □ *me menemu awo | my throat (inside) is dry*

throb VERB bɔ; bɔ kinkim

throe NOUN ɛyeaa

throne NOUN ahennwa

throw VERB to *(past: too/toeɛ; future: bɛto; progressive: reto; perfect: ato; negative: nto)* □ *to ma me | throw it for me*

thrust VERB pia wura mu; pia hyɛ mu

thumb NOUN kokuromotie

thump VERB 1. bɔ 2. pem

thunder NOUN 1. agradaa VERB 2. dwa; dwidwa *(of thunder)*

Thursday NOUN Yawoada □ *Me din de Yaw. Yɛwoo me Yawoada | My name is Yaw. I was born on a Thursday.*

thwart VERB si (obi) kwan

tick NOUN 1. somorɔ *(the parasitic creature)* 2. ntwa ahyɛnsodeɛ *(✓mark showing correctness)*

ticket NOUN tekiti *(borrowed)*

tickle VERB 1. nunu 2. titi *(prod)* 3. kanyan *(stimulate)* NOUN 4. anunuanunu 5. atitiatiti

tide NOUN asorɔkye

tidy ADJ 1. ɛho te; deɛ ɛho te 2. ɛho twa; deɛ ɛho twa

tie VERB kyekyere

tiger NOUN ɔsebɔ *(plural: asebɔ)* □ *anomaa no tu kɔsii ɔsebɔ no akyi| the bird flew and landed on the back of the tiger*

tigernut NOUN atadwe

tight ADJ 1. pampee 2. ketee

tighten VERB 1. mia mu 2. yere mu

till PREP | CONJ 1. kɔpem; kɔpem sɛ *(until)* 2. kɔsi; kɔsi sɛ *(until)* VERB 3. dɔ *(of a farm: cultivate)*

tilt VERB kyea

timber NOUN 1. timma *(borrowed)* 2. dua *(wood)*

time NOUN 1. ɛberɛ; berɛ *(plural: mmerɛ)* VERB 2. hyehyɛ *(plan; arrange; schedule)* 3. de berɛ to so *(place time on)*

timid ADJ 1. bɔtee 2. tebɔɔ 3. ohufoɔ *(fearful)*

timidity NOUN ehu

tin NOUN 1. konko 2. kyɛnsee

tingle VERB 1. femfɛm NOUN 2. mfemfɛm

tinkerbird NOUN apiti

tip NOUN 1. ano *(point; end)* 2. afotuo *(advice)* 3. mmuasoɔ *(cover)* 4. sika akyɛdeɛ *(monetary gift)* VERB 5.

kyɛ sika 6. bua so; kata so *(cover)* 7. ma afotuo; tu fo *(advise)*

tipsy ADJ deɛ waboro nsa

tiptoe VERB 1. tutu nan mmaako mmaako 2. nante brɛoo 3. nante nan ano

titanic ADJ 1. kɛse pa ara *(very huge)* 2. kokuroo *(large; huge; gigantic)*

titillate VERB 1. kanyan *(arouse; stimulate)* 2. ma ahokeka 3. gye ani *(excite)*

title NOUN 1. edin *(name)* 2. dibea din *(a name that describes someone's position)* 3. nsamerane *(honorary title)* VERB 4. to din *(name)*

toad NOUN 1. apɔnkyerɛne 2. apɔtorɔ

toast VERB 1. toto 2. ho

tobacco NOUN 1. tawa 2. bonto

today NOUN | ADV ɛnnɛ; nnɛ

toddle VERB 1. gye taataa NOUN 2. abɔfra nanteɛ

toe NOUN nansoaa

toenail NOUN 1. nan bɔwerɛ *(toe-specific, plural: nan mmɔwerɛ)* 2. bɔwerɛ *(general, plural: mmɔwerɛ)*

toffee NOUN 1. tɔfe *(borrowed)* 2. fremfremadeɛ

together ADV 1. bɔ mu; bom 2. abɔ mua; deɛ abɔ mua 3. ano aboa; deɛ ano aboa

togetherness NOUN 1. nkabɔmu; nkabom 2. baakoyɛ

toil VERB 1. yɛ adwumaden NOUN 2. adwumaden

toilet NOUN 1. tiafi 2. agyananbea *(of the building; lavatory)* 3. agyanan *(faeces)* 4. ebini; bini *(faeces)*

token NOUN 1. agyinamudeɛ 2. nsɛnkyerɛnne

tolerate VERB 1. gye tom saa ara 2. ma ho kwan saa ara

toll NOUN 1. ɛtoɔ VERB 2. gye toɔ

tomato NOUN 1. nɛnkyemɔɔno 2. ntoosi *(borrowed)*

tomb NOUN 1. ɛnna 2. ɔbodan 3. efunu amena

tome NOUN nwoma kɛseɛ

tomorrow NOUN | ADV ɔkyena; kyena

tone NOUN 1. ɛnne 2. nnyegyeɛ

tongue NOUN 1. tɛkyerɛma; kɛtrɛma *(body part)* □ *Sɛ mewɔ tɛkyerɛma apem a, nka mɛyi Awurade ayɛ | If I had a thousand tongues, I would've praised God* 2. kasa *(language; dialect)* □ *Abena reto dwom wɔ ne kurom kasa mu | Abena is* *singing in her native tongue* VERB 3. tafere *(lick)*

tonic NOUN aduro; mogyaduro

tonight NOUN anadwo yi □ *mɛba wo nkyɛn anadwo yi | I will come to you tonight*

too ADV 1. dodo *(excessively)* 2. nso *(also)*

tool NOUN 1. adwumayɛ dadeɛ 2. akadeɛ

tooth NOUN ɛse

tooth NOUN ɛse □ *ɛse ne tɛkyerɛma nya ntɔkwa a, wɔn ara na wɔsiesie | when there is a fight between the teeth and the tongue, they address it themselves (a Twi proverb)*

toothache NOUN kaka

top ADJ | NOUN 1. ɛsoro; soro; soro □ *safoa no da soro hɔ | the key is lying at the top* VERB 2. twa (obi) *(outdo someone)*

topic NOUN 1. nnyinasosɛm 2. asɛm ti; asɛnti; asɛntitire

topple VERB 1. patere hwe *(slip; tumble; fall)* 2. pori *(stumble)* 3. tu gu; tu adeɛ so *(of a government/person in authority: overthrow)*

torch NOUN 1. ogyatɛn VERB 2. pa gya tom *(set on fire)*

torment VERB 1. teetee 2. ha; ha adwene NOUN 3. ateetee

tornado NOUN 1. ahum 2. mframaden 3. gyampantrudu

tortoise NOUN akyekyedeɛ

torture NOUN 1. ayakayakadeɛ 2. ateetee VERB 3. yɛ ayakayakadeɛ 5. teetee

toss VERB 1. to *(throw; hurl)* NOUN 2. adetoɔ *(an act of tossing)*

total ADJ 1. nyinaa *(all; entire)* NOUN 2. ano *(sum total)* 3. dodoɔ *(count)* VERB 4. ka bɔ mu; ka bom *(add/add up)*

totem NOUN agyinahyɛdeɛ *(symbol)*

touch VERB 1. sɔ mu; som 2. de nsa ka

tough ADJ 1. ɛyɛ den; deɛ ɛyɛ den *(strong; that which is strong)* 2. twann

tour NOUN 1. nsrahwɛ 2. mpase 3. aporɔbɔ VERB 4. kɔ nsrahwɛ 5. bɔ aporɔbɔ

tourism NOUN nsrahwɛ

tournament NOUN akansie

tow VERB twe *(pull)*

towel NOUN 1. towuro *(borrowed)* 2. mpopaho

tower NOUN abantenten

town NOUN kuro

toxic ADJ ɛboro; deɛ ɛborɔ

toy NOUN 1. abaduaba 2. agodideɛ

trade NOUN 1. dwadie VERB 2. di dwa

trader NOUN 1. odwadini *(plural: adwadifoɔ)* 2. adetɔnni

tradition NOUN amammerɛ

traduce VERB 1. kasa tia 2. gu (obi) ho fi

traffic VERB 1. di sum ase dwa NOUN 2. esum ase dwa

tragedy NOUN 1. asiane 2. nsɔhwɛ

trail NOUN 1. anammɔn kwan VERB 2. di akyire *(follow)* 3. de fa mu; twe fa mu *(draw/drag through)* 4. di nkoguo *(fail)*

train VERB 1. tete; ma nteteeɛ NOUN 2. keteke *(vehicle)*

trainer NOUN 1. deɛ ɔtete afoforɔ 2. ɔkyerɛkyerɛni *(teacher)*

trait NOUN su; suban

traitor NOUN 1. oyimafoɔ; deɛ ɔyi ɔfoforɔ ma 2. kɔnkɔnsani *(a gossip)*

trample VERB tiatia so

trance NOUN adetɔwoso

tranquil ADJ 1. dinn; ɛda dinn 2. komm

tranquility NOUN 1. dinnyɛ 2. kommyɛ

transact VERB 1. yɛ 2. di 3. di ano *(negotiate)*

transaction NOUN 1. dwadie *(an instance of buying and selling; business)* 2. anodie *(negotiation)*

transcend VERB 1. boro so *(go beyond)* 2. twa *(of a person/achievement: surpass)*

transcribe VERB 1. twerɛ *(write)* 2. tintim *(type)*

transfigure VERB 1. sesa; sesa mu *(transform)* 2. dane ani *(change outlook)*

transform VERB 1. sesa; sesa mu 2. dane ani *(change outlook)*

transfuse VERB ma mogya

transgress VERB 1. bu mmara so; to mmara *(break the law)* 2. fom

transgression NOUN 1. mmaratoɔ 2. bɔne

transgressor NOUN mmaratoni

transient ADJ ɛnkyɛre; deɛ ɛnkyɛre

transition NOUN 1. nsesaeɛ; nsesaeɛ berɛ *(change; period of change)* 2. nsakraeɛ; nsakraeɛ berɛ *(change; period of change)* VERB 3. sesa mu 4. sakra mu

translate VERB kyerɛ aseɛ; kyerɛ aseɛ wɔ kasa foforɔ mu

translation NOUN nkyerɛaseɛ; kasa foforɔ mu nkyerɛaseɛ

transparent ADJ 1. ahwɛanimhunuakyire *(see-through)* 2. emu da hɔ; deɛ emu da hɔ *(clear; that which is clear)*

transpire VERB 1. da adi *(reveal; make known)* 2. si *(occur; happen)*

transplant VERB 1. tu tim NOUN 2. ntutim

transport VERB 1. soa kɔ *(carry to)* 2. twe kɔ *(convey)* NOUN 3. nnosoatwe

transpose VERB di nsesa

transposition NOUN nsesadie

transverse ADJ ɛbea mu; deɛ ɛbea mu

trap NOUN 1. afidie VERB 2. sum afidie

trapper NOUN ofidisumfoɔ

trash NOUN 1. nwira *(rubbish)* 2. bɔɔla *(refuse)* 3. adehunu *(useless stuff)* VERB 4. sɛe *(destroy; damage)*

travel VERB 1. tu kwan NOUN 2. akwantuo *(the act of travelling)*

traveller NOUN ɔkwantuni *(plural: akwantufoɔ)*

traverse VERB 1. bɔ aporɔ NOUN 2. aporɔbɔ

treacherous ADJ 1. ɔdaadaafoɔ 2. deɛ ɔnni nokorɛ 3. deɛ ɔyɛ nsakyi-nsayam

treachery NOUN 1. nkontompo 2. nnaadaa

tread VERB 1. nante *(walk)* 2. tia; tiatia so *(step; step on)* NOUN 3. (obi) nanteɛ *(a person's way of walking)*

treasure NOUN 1. aboɔdenneɛ 2. adeɛ a ɛsom bo *(something valuable)* VERB 3. ma ɛsom bo *(make valuable)*

treasurer NOUN 1. sika korafoɔ; deɛ ɔkora sika 2. sika so hwɛfoɔ; deɛ ɔhwɛ sika so

treasury NOUN 1. ɔman sika *(a state's funds/revenue)* 2. aboɔdenneɛ akoraeɛ *(a place where treasure is stored)*

treat VERB 1. yɛ 2. di 3. yɛ no kwan bi so *(deal with in a certain way)* 4. hu no sɛ *(see/regard it as)* 5. hwɛ; ma ayarehwɛ *(tend; give medical care)* NOUN 6. ahɔhosom

treaty NOUN apam

tree NOUN dua *(plural: nnua)*

trek NOUN 1. akwantuo *(journey)* 2. aporɔbɔ VERB 3. tu kwan 4. bɔ aporɔ

tremble VERB 1. woso *(shake)* 2. popo *(quiver)* 3. bɔ hu *(be afraid)* NOUN 4. awosoɔ 5. ahopopoɔ 6. ehubɔ

trench NOUN 1. amena donkudonku 2. bɔnka 3. ɔka VERB 4. tu amena

trespass VERB fom kɔ obi asase so

trial NOUN 1. asɛnnie *(lawsuit)* 2. nsɔhwɛ *(a test; a worry)* VERB 3. sɔ hwɛ 4. di asɛm

triangle NOUN ahinasa

tribe NOUN abusuakuo

tribulation NOUN 1. amanehunu 2. ɔhaw

tribunal NOUN asɛnnibea

tribute NOUN 1. ayɛyideɛ 2. ayɛyisɛm 3. adanseɛ *(testimony)*

trick NOUN 1. nnaadaa *(deceit)* VERB 2. daadaa *(deceive)*

trickle VERB 1. sosɔ 2. sɔ koko

trickster NOUN 1. ɔdaadaafoɔ 2. bradɛtofoɔ

triennial ADJ 1. ɛsi mfeɛ mmiɛnsa mmiɛnsa 2. ɛsi mfeɛ mmiɛnsa biara

trifle NOUN 1. adewa; ade ketewa *(something small)* 2. deɛ ɛho nhia *(that which is not important)* VERB 3. goro ho; de di agorɔ 4. toto ase

trim VERB 1. twitwa so; bubu so *(crop; barber; cut)* 2. te so *(reduce the amount/size of)* VERB 3. ntwitwasoɔ; mmubusoɔ

trinity NOUN Onyame Baasakoro; Onyankopɔn Baasakoro

trip VERB 1. patere; patere hwe *(slip; slip and fall)* 2. pori *(stumble)* 3. yɛ mfomsoɔ; fom *(make a mistake)* NOUN 4. akwantuo; bata *(a journey)*

triple ADJ 1. mmɔho mmiɛnsa VERB 2. bɔ ho mmiɛnsa

triplets NOUN ahenasa □ *wawo ahenasa | she has given birth to a set of triplets*

triplicate ADJ 1. nsɛsoɔ mmiɛnsa VERB 2. yɛ ho sɛsoɔ mmiɛnsa; yɛ biribi sɛso mmiɛnsa

trisect VERB kyɛ mu mmiɛnsa; kyɛm mmiɛnsa

trite ADJ 1. atwam 2. abu

triumph NOUN 1. nkonim; nkonim kɛseɛ *(victory; great victory)* VERB 2. di nkonim *(achieve a victory)*

trivial ADJ 1. ɛho nhia *(unnecessary)* 2. ɛho nni mfasoɔ *(unimportant)*

troop NOUN 1. asraafoɔ; asogyafoɔ *(soldiers)* 2. ekuo *(group)* 3. ɛdɔm *(crowd)*

trophy NOUN 1. abasobɔdeɛ; abasobɔdeɛ kuruwa 2. animuonyamhyɛdeɛ

trot VERB 1. tu ammirika *(run)* 2. tutu anan NOUN 3. ammirika *(a run)*

trouble NOUN 1. ɔhaw 2. asɛm 3. amanneɛ 4. basabasayɔ *(disturbance; public unrest/disorder)* VERB 5. ha

troupe NOUN 1. agodifoɔ kuo 2. agofomma

trousers NOUN trɔsa *(borrowed)*

truant NOUN ɔkobɔfoɔ

truce NOUN asomdwoeɛ apam; asomdwoeɛ nhyehyɛeɛ

truculent ADJ 1. ntɔkwapɛfoɔ 2. akyinnyegyefoɔ

true ADJ nokorɛ

trumpet NOUN 1. totorobɛnto VERB 2. hyɛn totorobɛnto; bɔ totorobɛnto

truncate VERB twa so; twa so tiawa

truncheon NOUN aporibaa

trunk NOUN 1. abena; dua abena *(of a tree)* 2. mfare *(an elephant: nose)* 3. adaka; nnoɔma adaka *(box)*

trust VERB 1. de werɛ hyɛ mu 2. de ani to so; de ho to so 3. nya mu gyedie; nya mu awerɛhyɛmu NOUN 4. awerɛhyɛmu 5. ahotɔsoɔ 6. anidasoɔ

truth NOUN 1. nokwasɛm 2. nokware

truthful person NOUN ɔnokwafoɔ; nokwafoɔ *(plural: anokwafoɔ)*

try VERB 1. sɔ hwɛ 2. bɔ mmɔden yɛ NOUN 3. mmɔdemmɔ *(effort)*

tsetsefly NOUN huruiɛ □ *huruiɛ so kyɛn nwansena | tsetsefly is bigger than housefly*

tube NOUN dorobɛn

tuberculosis NOUN nsamanwa

Tuesday NOUN Ɛbenada Ɛbenada biara mesi nnoɔma | *I wash clothes every Tuesday*

tug VERB twe; twe prɛko pɛ *(pull; pull suddenly)*

tuition NOUN 1. adekyerɛ 2. nkyerɛkyerɛ

tumble VERB 1. hwe ase 2. te hwe 3. bɔ fam NOUN 4. ahweaseɛ

tumbler NOUN tɔmmɛ *(glass)*

tummy NOUN yafunu

tumour NOUN 1. ahonhono 2. pɔmpɔ

tumult NOUN 1. gyegyeegye 2. basabasayɔ 3. dedeyɔ

tunnel NOUN asase ase kwan

turaco NOUN brobe

turban NOUN abɔtire

turbid ADJ 1. tunkumm 2. kusuu

turkey NOUN 1. kurokurokoko 2. krakum

turmoil NOUN 1. basabasayɔ 2. gyegyeegye

turn VERB 1. mane *(branch; change direction)* 2. dane *(turn around; change direction; turn the other side of an object)* 3. twan *(spin; rotate)* 4. yɛ; bɛyɛ *(become)* 5. sesa *(change)* 6. dwane toa *(turn to for help)* NOUN 7. ntwaho *(a spin; rotation)* 8. maneeɛ; maneeɛ mu *(a turning)*

turtle NOUN 1. osudanna 2. supurupu 3. nsuom akyekyedeɛ

tusk NOUN 1. asommɛn 2. asonse 3. batafose

tussle NOUN 1. apereapere *(struggle)* 2. ntɔkwa *(fight)* VERB 3. ko *(fight)* 4. pere *(struggle)*

tutor NOUN 1. ɔkyerɛkyerɛni *(plural: akyerɛkyerɛfoɔ)* VERB 2. kyerɛ; kyerɛ adeɛ *(teach)*

twaddle NOUN 1. ntoatoa 2. nsɛmfoo VERB 3. toatoa 4. kasa basaa

twat NOUN ɛtwɛ

twelve NUM dumienu

twenty million NUM ɔpepem aduonu

twenty NUM aduonu

twenty thousand NUM mpem aduonu

twenty-eight NUM aduonu nwɔtwe

twenty-five NUM aduonu num

twenty-four NUM aduonu nan

twenty-nine NUM aduonu nkron

twenty-one NUM aduonu baako

twenty-seven NUM aduonu nson

twenty-six NUM aduonu nsia

twenty-three NUM aduonu mmiɛnsa

twenty-two NUM aduonu mmienu

twice ADV mprenu □ *ɔdidi mprenu | he/she eats twice*

twin NOUN ata *(general, plural: ntaafoɔ)* □ *wɔyɛ ntaafoɔ | wɔyɛ ntaafoɔ*

twine NOUN ahoma

twinge NOUN ɛyeaa; ɛyeaa prɛko pɛ *(pain; a sudden pain)*

twinkle VERB hyerɛnn *(shine; brighten; sparkle)*

twist VERB 1. kyim 2. de bebare ho 3. nwene NOUN 4. mmɛsa *(mesh)*

twitch VERB 1. woso *(jerk; shake)* 2. twe *(pull)* NOUN 3. awosoɔ *(a jerk; shake)*

two hundred million NUM ɔpepem ahanu

two hundred NUM ahanu

two hundred thousand NUM mpem ahanu

two million NUM ɔpepem mmienu

two NUM mmienu

two thousand NUM mpem mmienu; mpenu

tycoon NOUN osikani; ɔdefoɔ *(a wealthy person)*

type NOUN 1. su 2. sɛso 3. nhwɛsoɔ 4. sɛnnahɔ VERB 5. tintim

typewriter NOUN atintim fidie

typist NOUN 1. otintimfoɔ 2. deɛ ɔtintim krataa

tyranny NOUN 1. atirimuɔden amammuo 2. nhyɛsoɔ amammuo

tyrant NOUN otirimuɔdenfoɔ

tyre NOUN 1. tae *(borrowed)* 2. kɔba

Uu

udder NOUN nufoɔ *(of cattle; sheep; goats; horses, etc.)*
ugliness NOUN ahoɔtan
ugly ADJ 1. tan 2. ahoɔtan
ulcer NOUN 1. kisikuro 2. ayamkuro
ulterior ADJ 1. deɛ wɔde atɛ 2. deɛ ɛwɔ kokoam 3. deɛ ɛwɔ akyire
umbrella NOUN 1. kyiniiɛ 2. akatamanso □ *osuo retɔ. Fa kyiniiɛ | it's raining. Pick an umbrella*
umbrella NOUN 1. kyiniiɛ 2. akatawia 3. akatamanso
umpire NOUN 1. otɛmmuafoɔ 2. ɔsɛntwafoɔ NOUN 3. ntohyɛsoɔ 4. badwam akyiribɔ dennen
unaccountable ADJ 1. deɛ wɔntumi nkan 2. bebree
unalloyed ADJ 1. deɛ wɔmfraa mu 2. kann
unanimous ADJ 1. bɛnkorɔ mu 2. deɛ dodoɔ afoa soɔ
unassuming ADJ 1. deɛ ɔbrɛ ne ho ase *(respectful; calm)* 2. deɛ ɔnyɛ ahantan *(one who is not arrogant)*
unawares ADV 1. mpofirim 2. prɛko pɛ
unbalance VERB 1. woso 2. hinhim 3. ma ɛkonkɔn hɔ NOUN 4. deɛ ɛkonkɔn hɔ 5. deɛ ɛnnyina yie
unbecoming ADJ 1. deɛ ɛnyɛ fɛ *(of clothing)* 2. nneyɛɛ a ɛmfata obi *(behaviour that doesn't suit a particular person)* 3. deɛ ɛmfata
unbend VERB 1. tene *(straighten)* 2. go ho *(become less reserved/formal/strict)*
unburden VERB 1. yi adesoa; soɛ adesoa *(relieve someone of burden)* 2. yi dadwene *(relieve someone of anxiety/distress)*
uncalled ADJ 1. deɛ wɔntoo wɔn nsa mfrɛɛ no *(one who's not*

summoned; one who's uninvited) 2. deɛ ɛho nhia *(of behaviour: unnecessary)*

uncanny ADJ 1. nwonwa 2. werɛm

uncle NOUN 1. wɔfa *(maternal uncle)* 2. agya; papa; papa nuabarima *(paternal uncle)* □ *me wɔfa wɔ kookoo | my uncle has cocoa*

uncouth ADJ 1. deɛ n'ani mmueeɛ 2. deɛ ɔnni nteteɛ pa

unctuous ADJ 1. nnyegyesoɔ mmorosoɔ *(excessive flattery)* 2. anwa-anwa *(greasy feel)* 3. samina-samina *(soapy feel)*

under PREP 1. aseɛ 2. hyɛ aseɛ *(be under, e.g. an authority)*

underarm NOUN amɔtoam *(armpit)*

undercut VERB 1. te boɔ so *(of price)* 2. twitwa anan mu *(undermine)*

underdog NOUN 1. deɛ wɔnsusu sɛ ɔbɛdi nkonim wɔ akansie mu *(of a competition)* 2. deɛ wɔnsusu sɛ ɔbɛdi nkonim wɔ ntɔkwako mu *(of a fight)*

underdone ADJ deɛ ɛmmeneeɛ *(of food: insufficiently cooked)*

undergo VERB fa mu; fa biribi mu; fa haw bi mu

underground NOUN asase ase

undergrowth NOUN 1. mfudeɛ 2. mfuiɛ 3. mfofoo

underhand ADJ 1. kokoam dwumadie 2. nnaadaa 3. amɔtoam *(armpit)*

underlie VERB 1. da aseɛ *(lie under something)* 2. yɛ nnyinasoɔ *(be the cause or basis of something)* 3. yɛ fapem

underline VERB 1. san aseɛ 2. twa aseɛ

underling NOUN 1. deɛ ne dibea wɔ fam *(a person with a lower rank; status)* 2. akoa *(slave)*

undermine VERB 1. twitwa anan mu 2. wowɔ aseɛ 3. didi aseɛ *(erode the base)*

underneath PREP | ADV 1. deɛ ɛwɔ biribi ase pɛɛ NOUN 2. aseɛ *(underside)*

underrate VERB bu abomfeaa

understand VERB te aseɛ *(past: tee aseɛ; future: bɛte aseɛ; progressive: rete aseɛ; perfect: ate aseɛ; negative: nte aseɛ)* □ *mate aseɛ | I have understood*□ *ɔkyerɛkyerɛɛ mu maa obiara tee aseɛ | he/she explained it for everyone to* *understand* □ *mente aseɛ | I don't understandd*

understanding NOUN nteaseɛ

undertake VERB 1. gye yɛ 2. sɔ mu yɛ 3. yɛ 4. di dwuma

undertaker NOUN 1. funsiefoɔ 2. funsiesiefoɔ

undertaking NOUN 1. bɔhyɛ *(promise; pledge)* 2. dwumadie *(task that is taken on)*

underwear NOUN 1. pieto 2. twakoto 3. deɛ wɔhyɛ no atadeɛ ase *(that worn under a dress/shirt)*

undo VERB 1. sane *(untie)* 2. twam *(cancel)* 3. de kɔ ne dada mu *(reverse to its former state)* 4. sɛe *(ruin)*

undress VERB 1. worɔ ho 2. bɔ adagya 3. yi ho 4. yi atadeɛ

undue ADJ 1. ntrasoɔ 2. mmorosoɔ

unearth VERB 1. tu nya; tu pɛ *(find by digging)* 2. hunu *(discover)*

uneasy ADJ 1. ahoyera 2. teetee 3. haahaa

unfailing ADJ 1. deɛ ɛnni mfomsoɔ 2. deɛ ne mu wɔ ahotɔsoɔ *(of a person: reliable)* 3. deɛ emu wɔ ahotɔsoɔ *(of a thing: reliable; constant)*

unfaithful ADJ 1. nni nokorɛ; deɛ ɔnni nokorɛ *(untruthful; one who's untruthful)* 2. deɛ ɔfa ne yere/kunu akyi *(one who cheats on his/her wife/husband)*

ungrateful ADJ yɛ bonniayɛ; deɛ ɔyɛ bonniayɛ

ungratefulness NOUN bonniayɛ

unimportant ADJ ɛho nhia; deɛ ɛho nhia

unique ADJ soronko

unite VERB 1. ka bɔ mu; ka bom

unity NOUN 1. nkabɔmu; nkabom 2. koroyɛ 3. baakoyɛ

unless CONJ agye sɛ; gye sɛ □ *mentua, gye sɛ me nsa ka | I wont pay, unless I receive it*

unlucky ADJ tiri nyɛ *(literally: 'head is not good')* □ *Abena tiri nyɛ | Abena is unlucky* □ *wo tiri nyɛ | you're unlucky*

unstable ADJ 1. ɛhinhim; deɛ ɛhinhim 2. ɛbɛtumi asesa; deɛ ɛbɛtumi asesa *(likely to change; that which is likely to change)* 3. ɛnnyina faako; deɛ ɛnnyina faako

untie VERB sane

until CONJ | PREP 1. kɔpem sɛ 2. kɔsi sɛ □ *mɛda saa kɔpem sɛ mɛnya adwuma | I'll keep sleeping until I get a job*

up ADV | PREP ɛsoro; soro □ *ɛsoro ne fam | up and down* □ *hwɛ soro | look up*

urine NOUN dwonsɔ □ *dwonsɔ agye ne ho | he/she smells of urine*

us PRON

1st person plural object

yɛn □ *fa ma yɛn | give it to us* □ *wɔsuro yɛn | they are afraid of us* □ *Acheampɔn brɛɛ yɛn nnoɔma | Acheampong brought us clothes*

Vv

vacancy NOUN ɛkwan; akwannya

vacant ADJ 1. atɔ mpan; deɛ atɔ mpan 2. ɛkwan da mu; deɛ ɛkwan da mu 3. emu yɛ hwee; deɛ emu yɛ hwee

vacate VERB 1. gya (baabi); firi baabi *(leave a place)* 2. firi *(leave)* 3. gyae *(give up; stop, e.g. a job; position)*

vacation NOUN 1. akwamma *(holidays)* 2. ahomegyeberɛ *(resting period)*

vaccinate VERB sɔ aduro

vaccine NOUN aduro; asɔduro

vacuous ADJ deɛ nyansa nnim

vagabond ADJ 1. ɔsesafoɔ 2. kobɔni 3. hohwini

vagary NOUN putupuru nsesaeɛ

vagina NOUN 1. ɛtwɛ; twɛ *(profane)* 2. akosua kumaa *(euphemism)*

vagrant ADJ 1. ɔsesafoɔ 2. kobɔni 3. deɛ ɔntena faako

vague ADJ 1. kusuu 2. ɛnsi pi; deɛ ɛnsi pi *(uncertain; that which is uncertain)* 3. deɛ emu nna hɔ *(unclear)*

vain ADJ 1. deɛ otu ne ho *(one who praises him/herself)* 2. deɛ mfasoɔ nni so *(worthless; useless)* 3. brɛguo *(worthless toil)*

valiant ADJ 1. deɛ ɔwɔ akokoɔduro *(one who possesses courage)* 2. deɛ ɛkyerɛ akokoɔduro *(that which shows courage)*

valid ADJ 1. deɛ ɛfa kwan mu; deɛ ɛtɔ asom *(of an argument/point: reasonable; cogent)* 2. deɛ mmara tare akyire *(that which is legally-binding)*

valise NOUN 1. akwantuo kotokuo ketewa 2. akwantuo baage ketewa

valley NOUN 1. amena 2. bɔnka *(plural: mmɔnka)* 3. ɛbɔn 4. osubɔn

valour NOUN akokoɔduro

valuable ADJ 1. ɛsom bo; deɛ ɛsom bo *(that which is valued)* 2. deɛ ɛho yɛ na *(that which is scarce)* 3. deɛ ne boɔ yɛ den *(that which is expensive)*

value NOUN 1. ɛboɔ *(price)* 2. ano 3. tiade 4. mfasoɔ *(something's worth; merit; importance)* VERB 5. kari boɔ; susu *(estimate)* 6. ma biribi som bo; ma obi som bo

vampire NOUN 1. deɛ ɔnom afoforɔ mogya *(one who consumes others' blood)* 2. saman a ɔnom nnipa mogya *(a ghost who consumes blood)* 3. abayinoma; apan a ɔnom mogya *(of the animal 'bat')*

vandal NOUN 1. ɔsɛefoɔ *(destroyer of others' property)* 2. ɔmammɔfoɔ

vandalism NOUN 1. basabasayɔ 2. nneɛmasɛeɛ

vanish VERB 1. yera 2. tu mem 3. tu yera

vanity NOUN 1. ahuhudeɛ 2. dwaeɛ 3. ahomasoɔ

vanquish VERB di so nkonim

vapour NOUN ntutuo

variable ADJ deɛ ɛtumi sesa

variation NOUN 1. nsesaeɛ 2. nsesamu

variety NOUN 1. soronko *(the quality/state of being different)* 2. ahodoɔ-ahodoɔ *(a number/range of things in the same class)* 3. asɔɔtoo

various ADJ 1. ahodoɔ-ahodoɔ DET | PRON 2. pii *(many)*

vary VERB 1. sakra mu 2. sesa mu 3. yɛ soronko

vase NOUN nhwiren kukuo

vast NOUN 1. kakraa 2. kɛseɛ 3. tɛtrɛɛ; tɛtrɛtɛ

vaunt VERB 1. dwa anom *(boast)* 2. tu (wo) ho 3. ma ho so

veal NOUN nantwie ba nam

veer VERB 1. fom kwan 2. sesa kwan prɛko pɛ *(change way suddenly)*

vegetable NOUN atosodeɛ

vegetarian NOUN 1. deɛ ɔnwe nammono

vegetation NOUN 1. mfudeɛ 2. afifideɛ

vehement ADJ 1. denneennen 2. deɛ ano yɛ den

vehicle NOUN 1. ɛhyɛn *(general)* 2. kaa *(borrowed: car)*
veil NOUN nkataanim
vein NOUN 1. ntini *(of the body)* 2. kwan korɔ so *(same/similar vein)* 3. ahaban so nsensan *(lines on a leaf)*
velocipede NOUN 1. tete sakre 2. dadepɔnkɔ
velocity NOUN 1. biribi ntɛm 2. biribi ahoɔhare
vendetta NOUN abusua ntɔkwa
vendor NOUN adetɔnni
venerable ADJ 1. deɛ n'anim yɛ duru 2. deɛ ɔwɔ animuonyam
venerate VERB 1. kyerɛ obuo 2. bu 3. de obuo ma
venereal ADJ 1. nna mu yareɛ *(sexual disease)* 2. nna mu akɔnnɔ *(sexual desire)*
vengeance NOUN 1. bɔne so akatua 2. akatua
venom NOUN ɛborɔ
vent NOUN 1. tokuro *(opening)* 2. mpoma *(window)* VERB 3. pae mu ka *(express freely)* 4. bue *(open)*
ventilate VERB 1. ma mframa fa baabi 2. ma mframa wura baabi 3. fita 4. hu 5. gye mframa
venture VERB 1. sɔ hwɛ 2. si bo yɛ 3. si bo ka
venue NOUN 1. beaeɛ 2. beaeɛ a wɔdi dwuma
veracious ADJ deɛ ɛyɛ nokorɛ
veranda NOUN abranaa so; abranaa
verb complement NOUN adeyɛ boafoɔ
verb NOUN adeyɛ; adeyɔ
verbal ADJ 1. anom asɛm 2. nsɛnkaeɛ 3. deɛ ɔkasa dodo NOUN 4. atɛnnidie *(insults)*
verbatim ADJ 1. pɛpɛɛpɛ 2. dito-dito
verdant ADJ ahabammono *(green)*
verdict NOUN 1. atɛn *(of a judgement)* 2. nsusuiɛ *(opinion)*
verge NOUN 1. ano pɛɛ 2. ɛhyeɛ so *(border)*
verify VERB 1. pɛ mu nokorɛ 2. hwehwɛ mu nokorɛ
veritable ADJ turodoo *(of truth: for emphasis)*
vermin NOUN 1. mmoawa a wɔsɛe nneɛma *(of insects)* 2. mmoa a wɔwe mfudeɛ *(rodents)*
vernacular NOUN obi kurom kasa
versatile ADJ 1. deɛ ɔwɔ nneɛma ahodoɔ ho nimdeɛ 2. deɛ wakwadare nneɛma pii yɔ

vertebra NOUN akyiri dompe
very ADV pa
ara *(pronounced: paa)* □ *me ho yɛ pa ara | I am very well*
vespers NOUN anwummerɛsɔre
vessel NOUN 1. suhyɛn *(a ship)* 2. ɛhyɛn *(vehicle)* 3. akoradeɛ *(container)*
vest NOUN 1. deɛ wɔhyɛ no atadeɛ ase VERB 2. de tumi hyɛ obi nsa *(confer power/authority)*
vestige NOUN 1. akyire adeɛ 2. nsɛnkyerɛnne 3. ketewa
veteran NOUN 1. deɛ wakyɛ ne dwumadie mu 2. deɛ wakyɛ ne dwumadie mu na wanya mu nimdeɛ 3. ɔsraani dadaa *(ex-soldier)*
veterinary ADJ deɛ ɛfa mmoa nyarewa ne ayarehwɛ ho
veto NOUN 1. tumi a wɔde bɔ gyinaeɛ gu; tumi a wɔde tu gyinaeɛ gu VERB 2. bɔ gyinaeɛ gu 3. tu gyinaeɛ gu
vex VERB 1. hyɛ abufuo *(make angry)* 2. ha adwene *(worry)*
vibrate VERB 1. woso 2. hinhim
vibration NOUN 1. awosoɔ 2. ahinhimahinhim
vice NOUN 1. bɔne 2. nneyɛɛ bɔne *(immoral, criminal, wicked behaviour)* 3. ɔmanpanin abɛdiakyire *(vice president)*
vicinity NOUN mpɔtam
victim NOUN 1. deɛ wɔapira no *(one who's been hurt)* 2. deɛ wɔaku no *(one who's been killed)* 3. deɛ wɔabu no *(one who's been duped)*
victor NOUN nkonimdifoɔ
victory NOUN nkonim
victual NOUN 1. aduane *(food, plural: nnuane)* VERB 2. bɔ akɔnhoma *(provide money for food)* 3. ma aduane *(provide food)*
vie VERB si akan *(compete)*
view VERB 1. hwɛ *(look)* 2. hu *(see)*
viewer NOUN 1. hwɛadeni 2. deɛ ɔhwɛ biribi
vigil NOUN apɛsire
vigilant ADJ 1. ani da hɔ; deɛ n'ani da hɔ 2. deɛ ɔrehwɛ biribi so yie; deɛ ɔrehwɛ biribi so hann 3. deɛ ɔrewɛn biribi yie
vigour NOUN ahoɔden
vile ADJ 1. ɛnyɛ koraa; deɛ ɛnyɛ koraa 2. subammɔne 3. kankan
village NOUN 1. akuraase; akuraa 2. kuro ketewa 3. kurowa
villain NOUN 1. ɔsatufoɔ 2. nipabɔnefoɔ

vindicate VERB 1. bu bem 2. sane tire

violate VERB 1. to mmara; bu mmara so *(break a law/rule)* 2. to mmonnaa *(rape)* 3. bu animtia *(treat with disrespect; irreverence)*

violent ADJ 1. deɛ emu yɛ den 2. denneennen

virgin NOUN ɔbabunu *(plural: mmabunu)*

virile ADJ 1. deɛ ne ho yɛ den *(one who's strong)* 2. deɛ ne ho yɛ den wɔ mpam *(one who's strong in bed; sexually)*

virtue NOUN 1. suban pa 2. nneyɛɛ pa

virulent ADJ 1. edi awu; deɛ edi awu 2. ano yɛ den; deɛ ano yɛ den 3. ɛboro; deɛ ɛborɔ

visible ADJ 1. pefee 2. hann 3. deɛ ɛnhintaeɛ

vision NOUN anisoadehunu

visionary ADJ 1. deɛ ɔwɔ anisoadehunu 2. deɛ ɔdwene kɔ akyire 3. badwemma

visit VERB 1. sra; kɔsra 2. kɔ nsrahwɛ NOUN 3. nsrahwɛ

visual ADJ 1. ani so 2. ani so adeɛ 3. deɛ ɛfa adehunu ho

vital ADJ deɛ ɛho hia pa ara

vitality NOUN ahoɔden *(strength; energy)*

vitamin NOUN nnuaneduro *(general: nutrients)*

vitiate VERB sɛe

vituperate VERB 1. bɔ soboɔ denneennen 2. di atɛm 3. kasa tia

vituperation NOUN 1. kasatia 2. atɛnnidie

vivacious ADJ 1. deɛ ne ho twa 2. deɛ ɔwɔ ahokeka

vocabulary NOUN ɔkasa mu nsɛmfua

vocal ADJ 1. deɛ ɛfa ɛnne ho *(relating to voice)* 2. deɛ ɔka ne bo so asɛm *(one who's vociferous)*

vocation NOUN 1. nsaanodwuma *(handiwork)* 2. adwuma *(work)*

vogue NOUN 1. ɛfene 2. deɛ aba soɔ

voice NOUN 1. ɛnne 2. kasa 3. nsusuiɛ; adwene *(of opinion)* VERB 4. kasa 5. kyerɛ adwene

void ADJ 1. hwee; deɛ ɛda mpan *(empty)* 2. mmara ntare akyire *(not backed by law)*

volcano NOUN 1. ogya bepɔ 2. bepɔ mu gya

volume NOUN 1. anoden *(of sound: loudness)* 2. dodoɔ *(amount; quantity)* 3. nwomapɔ *(of a book)*

voluntary ADJ 1. tuwohoakyɛ 2. ɔpɛ mu

volunteer NOUN 1. deɛ ɔfiri ne pɛ mu reyɛ biribi 2. deɛ ɔtu ne ho si hɔ yɛ dwuma VERB 3. tu (wo) ho si hɔ di dwuma 4. firi (wo) pɛ mu di dwuma

vomit NOUN 1. ɛfeɛ VERB 2. fe *(past: fee/feeɛ; future: bɛfe; progressive: refe perfect: afe)* □ *ɔfee aduane no nyinaa | he/she vomitted all the food*

vote VERB 1. to aba NOUN 2. abatoɔ *(the act of voting)* 3. aba *(the vote cast)*

voucher NOUN 1. sikatua mu adansedie krataa 2. adansedie krataa

vow VERB 1. ka ntam 2. di nse 3. hyɛ bɔ NOUN 4. ntam 5. bɔhyɛ

vowel NOUN ɛnne nyegyeɛ *(plural: ɛnne nnyegyeɛ)*

voyage NOUN 1. ɛpo so akwantuo *(by sea)* 2. ewiem akwantuo *(by air)* VERB 3. tu kwan

vulgar ADJ 1. kasafi 2. foo 3. deɛ anibue nnim

vulture NOUN 1. ɔpɛtɛ 2. kɔkɔsakyi

Ww

waddle VERB 1. nante afa-afa 2. nante basabasa

wade VERB 1. nante nsuo mu; nante nsuom NOUN 2. nsuom nanteɛ

wafer NOUN 1. bisikiti traa 2. krakase traa 3. ade traa *(something flat)* 4. ade feaa *(something thin/lean)*

waffle VERB 1. toatoa *(chatter)* NOUN 2. ntoatoa

waft VERB 1. tu fa *(of a scent: pass or cause to pass through the air)* 2. bɔ fa *(of air/sound)* 3. hinhim NOUN 4. mframabɔ *(movement/blowing of air/wind)*

wag VERB 1. woso *(shake)* 2. hinhim 3. woso dua *(of an animal: shake tail)*

wage NOUN 1. akatua *(earned payment; salary; result of a wrongdoing)* VERB 2. tu so sa

wager NOUN 1. nkyea; nkyeatoɔ *(bet)* 2. sika botene a ɛda nkyeatoɔ so *(an aount on a bet: to be won as prize)* VERB 3. de sika to so *(wager on: place a monetary bet)*

waggle VERB woso *(shake)*

wagon NOUN teaseɛnam

waif NOUN 1. onnibie 2. ohianiwa 3. mmɔboroni

wail VERB 1. twa agyaadwoɔ 2. su NOUN 3. agyaadwoɔtwa 4. osu

waist NOUN sisie; sisi

waist pain NOUN sisiyareɛ

wait VERB 1. twɛn *(past: twɛnn; twɛneeɛ; future: bɛtwɛn; progressive: retwɛn; perfect: atwɛn; negative: ntwɛn)* NOUN 2. ɔtwɛn 3. ɔtwɛnberɛ *(waiting period)*

wake VERB 1. nyane *(wake up from sleep)* 2. sɔre *(wake up from sleep)* 3. siri pɛ *(keep* *wake; vigil)* 4. ma ani da hɔ *(make alert)* NOUN 5. apɛsire

walk VERB 1. nante *(past: nanteeɛ; future: bɛnante; progressive: renante; perfect: anante; negative: nnante)* 2. kɔgya *(accompany)* □ *wo nante dodo | you walk a lot* mennante | *I don't walk* NOUN 3. nanteɛ

walking stick NOUN poma

wall NOUN 1. fasuo 2. ɛban *(fence)* 3. osiakwan; siakwan *(barrier; obstacle)* □ *Trump bɛto fasuo | Trump will construct a wall* VERB 4. to fasuo *(put up a wall)*

wallet NOUN 1. sika bɔtɔ ketewa 2. sika baage ketewa

wallow VERB boro

wan ADJ hoyaa

wander VERB 1. kyinkyini *(roam about)* 2. di akɔneaba *(pace up and down)* 3. nenam *(walk about)*

wane VERB 1. te so 2. ba fam

wangle VERB daadaa nya *(persuade; manipulate to get)*

wank NOUN aboasi; aboasipem

want VERB 1. pɛ *(desire; like)* 2. hia *(need)* NOUN 3. adehiadeɛ 4. ɔpɛ

wanton ADJ 1. odwamanfoɔ; deɛ ɔyɛ dwamanfoɔ *(promiscuous; one who is promiscuous)* NOUN 2. ɔbaa dwamanfoɔ 3. ahofi VERB 4. bɔ ahofi

wantonness NOUN ahofibɔ

war NOUN 1. ɔko 2. ɔsa VERB 3. ko 4. tu sa

warden NOUN 1. beaeɛ bi so hwɛfoɔ *(supervisor of a place)* 2. dwumadie bi so hwɛfoɔ *(supervisor of an activity)* 3. opanin *(head; leader)*

warder NOUN afiase hwɛfoɔ

warfare NOUN ɔko

warm ADJ 1. hyew; deɛ ɛyɛ hye VERB 2. ka hye *(make warm)* NOUN 3. ɔhyew

warmonger NOUN ntɔkwapɛfoɔ

warmth NOUN 1. ɔhyew *(of temperature)* 2. ayamyɛ *(kindness)* 3. akoma pa *(good heart)*

warn VERB 1. bɔ kɔkɔ 2. yi asotire *(alert)*

warning NOUN kɔkɔbɔ

warrant NOUN 1. tumi krataa VERB 2. ma kwan; ma ho kwan *(allow; justify/necessitate)*
warranty NOUN akagyinamu
warrior NOUN ɔkofoɔ *(plural: akofoɔ)*
wary ADJ ahwɛyie
wash VERB 1. si; si nnoɔma *(of clothes)* 2. hohoro *(e.g. utensils)* 3. dware *(bath)* 4. fa so *(brush with a thin coat, e.g. of paint)* NOUN 5. nnoɔmasie *(the act of washing clothes)* 6. nneɛmahoro *(the act of cleaning e.g. utensils)* 7. adwareɛ *(the act of bathing)*
washing machine NOUN nnoɔmasie afidie
wasp NOUN kotokurodu
waste VERB 1. sɛe; sɛe kwa NOUN 2. deɛ asɛe; deɛ asɛe kwa
wasteful ADJ deɛ ɛresɛe kwa
watch VERB 1. hwɛ *(look)* 2. hwɛ hann *(gaze intently)* 3. wɛn *(keep)* 4. hwɛ so *(look/watch over)* 5. bɔ ho ban *(guard; observe in a protective way)* 6. hwɛ yie; yɛ ahwɛyie *(be careful)* NOUN 7. wakye *(borrowed, timepiece)* 8. ɔwɛn *(a period when a person is stationed to look out for danger/trouble)*
watchful ADJ 1. ani da hɔ *(alert; vigilant)* 2. ahwɛyie
water NOUN 1. nsuo VERB 2. pete so nsuo; pete nsuo gu
wave NOUN 1. asorɔkyeɛ *(of the sea)* VERB 2. him; him nsa *(move to and fro; move one's hand to and fro)*
waver VERB 1. popo 2. hinhim 3. twentwɛn 4. gyigya
wax NOUN 1. asom fi *(earwax)* 2. wokyɛm
way NOUN ɛkwan
wayward ADJ 1. asoɔdenfoɔ *(stubborn)* 2. akomapirimfoɔ 3. agyankari 4. hohwini
we PRON

1st person plural subject

yɛn *(changes into yɛ– when it is directly followed by a verb)* □ *yɛn nyinaa wɔ ha | we are all here* □ *yɛto dwom | we sing* □ *yɛadidi | we have eaten*
weak ADJ mmerɛ
wealth NOUN 1. ahodeɛ 2. ahonyadeɛ 3. sika *(money)*
wealthy ADJ 1. ɔdefoɔ *(rich person)* 2. deɛ wanya ne ho 3.

deɛ ɔte yie 4. deɛ ɔwɔ sika 5. deɛ ɔwɔ ahodeɛ pii

wean VERB 1. twa nufoɔ NOUN 2. abotafowa *(an infant; little child)*

weapon NOUN akodeɛ

wear VERB 1. hyɛ NOUN 2. atadeɛ *(clothing)* 3. nweweeɛ; ntwitwiiɛ *(damage or deterioration sustained from continuous use)*

wear VERB 1. hyɛ *(put on, e.g. a shirt; shoe)* 2. fira *(wrap, e.g. piece of cloth)* 3. hi *(abrade)* 4. we; wewe; twitwi ani *(erode)* 5. sɛe *(damage; destroy)* NOUN 6. atadeɛ *(shirt; attire; dress)* 7. nweweeɛ; anitwitwiiɛ *(abrasion)* 8. ɔsɛeeɛ

weary ADJ 1. brɛ *(tiredness)* VERB 2. yɛ mmerɛ *(become weak; tired)*

weave VERB 1. nwene NOUN 2. mmɛsawɔ *(of hairstyle)*

weaver bird NOUN akyem

web NOUN ntontan

wed VERB 1. ware *(get married)* 2. hyia ayeforɔ

wedding NOUN ayeforɔ □ *wɔyɛɛ ayeforɔ nnora | they did (had) a wedding yesterday*

Wednesday NOUN Wukuada □ *Kwaku se wɔwoo no Wukuada | Kwaku says he was born on a Wednesday*

wee NOUN 1. ketewa 2. ketekete

weed NOUN 1. nwura; mfuiɛ *(a wild plant growing where it is not wanted)* 2. tampe; bonsam tawa *(tobacco; cannabis)* VERB 3. dɔ 4. twa gu

week NOUN nnawɔtwe

weekday NOUN adwuma da *(working day)*

weekend NOUN 1. Memeneda ne Kwasiada *(Saturday and Sunday)* 2. nnawɔtwe mu ahomegyeɛ nna

weekly ADJ 1. nnawɔtwe-nnawɔtwe 2. deɛ ɛsi nnawɔtwe biara 3. deɛ wɔyɛ no nnawɔtwe biara

weep VERB 1. te anisuo 2. twa agyaadwoɔ 3. su

weigh VERB 1. kari 2. susu

weight NOUN biribi mu duru; emu duru

weird ADJ 1. nwonwa 2. hu

welcome NOUN | EXCLAM 1. akwaaba VERB 2. ma akwaaba 3. gye fɛ so *(receive nicely)*

welfare NOUN yiedie

well ADV 1. yie □ *yɛ no yie | do it well* □ *wɔtoo dwom no yie | they sang the song well* NOUN 2. abura *(hole in the ground)*

west NOUN atɔeɛ

wet VERB 1. fɔ ADJ 2. afɔ; deɛ afɔ 3. fɔkyee

wet-nurse NOUN deɛ ɔma ɔfoforɔ ba nufosuo

whale NOUN bonus □ *bonsu menee Yona | a whale swallowed Jonah.*

what INTERROG PRON | ADV 1. ɛdeɛn; deɛn □ *ɛdeɛn na wopɛ? | what do you like?* DET 2. bɛn 3. sɛn □ *abɔ sɛn? | what is the time?* □ *aduaba bɛn? | what fruit?* CONJ 4. deɛ □ *mepɛ sɛ mekyerɛ wo deɛ mepɛ | I want to show you what I like*

what is your name QUEST 1. wo din de sɛn? *(what is your name?)* 2. yɛfrɛ wo sɛn? *(literally: we call you what?)* 3. wɔfrɛ wo sɛn? *(literally: they call you what?)* 4. wo de sɛn? *(literally: you're named what?)*

wheat NOUN hwiiti *(borrowed)*

wheel NOUN 1. ntwahonan VERB 2. kyim 3. wan 4. munimuni

when ADV 1. berɛ bɛn *(at what time)* □ *berɛ bɛn na wowareeɛ? | when did you marry?* REL PRON 2. a □ *ahyɛaseɛ no a na wonni sika no, na wobu adeɛ | in the beginning when you did not have money, you were respectful* CONJ 3. berɛ a *(at or during the time that)* □ *berɛ a na yɛredi aduane no na wowɔ he? | when we were eating where were you?*

whenever CONJ berɛ biara

where ADV 1. ɛhe; he 2. ɛhefa; hefa □ *wote he? | where do you live?*

whet VERB 1. se *(sharpen the blade of a tool)* 2. kanyan *(stimulate, e.g. desire; interest)*

whether/or CONJ oo... oo... □ *wobɛkɔ oo, wonkɔ oo, aban nsa aka wo | whether you'll go or not, you've been nabbed by the government*

whetstone NOUN sereboɔ

which INTERROG PRON | ADV 1. deɛhe; deɛ ɛwɔ he 2. emu deɛ ɛwɔ he; emu deɛhe □ *deɛhe na wopɛ? | which do you like?* □ *nkwadaa no mu deɛhe? | which of the children?* DET 3. bɛn

□ *aduane bɛn na wodiiɛ?* | *which food did you eat?* REL PRON 4. a □ *ɔte Nkran, a ɛwɔ Ghana* | *he/she lives in Accra, which is in Ghana*

while CONJ | PREP 1. berɛ korɔ a; berɛ a □ *ɔkɔɔ so ara yɛɛ dede berɛ a na mada no* | *he/she kept making noise while I was asleep* NOUN 2. berɛ kakra bi *(for some time)*

whimper VERB 1. su ehu su *(cry of fear)* 2. su ɛyeaa su *(cry of pain)* 3. su awerɛhoɔ su *(cry of sadness; unhappiness)*

whimsical ADJ 1. deɛ ɛntaa nsi *(that which is unusual)* 2. deɛ ne ho yɛ nwonwa 3. deɛ ɛyɛ nwonwa

whine VERB 1. kwan; kwane 2. team 3. su NOUN 4. nteam

whip NOUN 1. mpire 2. mfea VERB 3. twa mpire 4. hwe 5. bo

whirl VERB 1. twa ho NOUN 2. ntwaho

whirlwind NOUN 1. mmoatia mframa 2. atwafrɛdɛɛ

whisk VERB twe kɔ prɛko pɛ *(pull away suddenly)*

whisker NOUN 1. bɔdwesɛputu 2. ano ho mfemfɛm

whisper VERB 1. ka asomsɛm *(speak into one's ear)* 2. kasa ketewa gu asom

whistle VERB 1. bɔ hwerɛma NOUN 2. abɛn *(musical instrument)* 3. hwerɛmabɔ *(the act of whistling)* 4. hwerɛma *(of the sound made when one whistles)*

white NOUN | ADJ 1. fitaa 2. fufuo □ *ɔtɔɔ ntoma fitaa/fufuo* | *he/she bought a white cloth*

who INTERROG PRON | ADV 1. hwan □ *hwan na ɔdii aduane no?* | *who ate the food?* REL PRON 2. a □ *papa no a ɔbaa ha no yɛ me wɔfa* | *the man who came here is my uncle.* CONJ 3. deɛ □ *Kofi nnim deɛ ɔfaa ne sika no* | *Kofi does not know who took his money*

whoever PRON 1. obiara a 2. obibiara a

whole ADJ 1. nyinaa *(all; entire)* 3. mua *(in one piece)*

wholehearted ADJ akoma nyinaa di akyire; deɛ akoma nyinaa di akyire

wholesale NOUN 1. ntuma dwadie 2. atufoɔ dwa VERB 3. tu ma; tu nneɛma ma

wholesome NOUN 1. deɛ ɛho teɛ 2. deɛ ahoɔden wom 3. deɛ ɛho ntee kyema

whom INTERROG PRON | ADV 1. hwan □ ɔde maa hwan? | *he/she gave it to whom* CONJ 2. deɛ; nea □ *kyerɛ me deɛ/nea wobɛware no | show me whom you'll marry?* REL PRON 3. a □ *akwadaa no a wosomaa no no aba | the child whom you sent has come*

whoop NOUN 1. nteamu 2. anigyeɛ nteamu VERB 3. tea mu; team

whooping cough NOUN nsamanwa

whore NOUN 1. otuutuuni 2. gyantrani 3. odwamanfoɔ VERB 4. bɔ gyantra

whose INTERROG PRON | ADV 1. hwan □ *hwan akonnwa nie? | whose chair is this?* CONJ | DET 2. deɛ; nea

why ADV 1. adɛn *(for what reason)* 2. ntira *(reason for which)*

wick NOUN 1. kanea mu ntomaban 2. ntomaban

wicked ADJ1. deɛ ne tirim yɛ den 2. deɛ ɔyɛ aborɔ 3. aborɔ

wickedness NOUN 1. atirimuɔden 2. aborɔ

wide ADJ 1. trɛ; deɛ ɛtrɛ 2. bae; deɛ ɛbae 3. ahodoɔ *(a wide range)* 4. deɛ ahyeta

widespread ADJ 1. deɛ aseɛ atrɛ 2. deɛ ahyeta

widow NOUN okunafoɔ; kunafoɔ; ɔbaa kunafoɔ *(plural: akunafoɔ; mmaa akunafoɔ)* □ *akunafoɔ kuo | a group of widows (widows' group/club)*

widower NOUN barima kunafoɔ *(plural: mmarima akunafoɔ)* □ *ɔyɛ barima kunafoɔ | he is a widower*

width NOUN ne tɛtrɛtɛ; iribi tɛtrɛtɛ mu

wield VERB 1. kuta *(hold)* 2. wɔ so tumi *(of power/authority)*

wife NOUN ɔyere; yere □ *me yere ho yɛ fɛ | my wife is beautiful*

antonym	okunu *husband*

wig NOUN 1. nwi kyɛ 2. nwi a wɔhyɛ 3. weege *(borrowed)* VERB 4. `twi anim; ka anim *(criticize; rebuke)*

wild ADJ 1. nwuram aboa *(non-domesticated animal)* 2. kitikiti; krakra *(uncontrolled; excited, energetic behaviour)* 3. deɛ ne bo afu yie *(one who's very angry)*

wilderness NOUN ɛserɛ so

wildfire NOUN 1. ogyatanaa 2. ogyahyeɛ

will VERB 1. bɛ *(future marker)* NOUN 2. nsamanseɛ *(legal document spelling out how one's property/money should be shared after his/her death)* 3. ɔpɛ *(volition)* 4. ɔpɛpa

win VERB 1. di nkonim; di *(come first; be victorious)* 2. nya *(get; gain)* NOUN 3. nkonim *(victory)*

wind NOUN 1. mframa VERB 2. kyinkyim 3. bobɔ

window NOUN 1. mpoma 2. mfɛnsere 3. tokuro *(hole; opening)* □ *bue mpoma no | open the window*

wine NOUN bobesa

wing NOUN ataban *(plural: ntaban)*

wink VERB 1. bɔ ani 2. bɔ ani kyerɛ NOUN 3. anibɔ

winnow VERB 1. huhu so *(remove chaff by blowing air)* 2. sɔne so *(sieve)* 3. yiyi mu 4. sa mu

winter NOUN awɔberɛ

wipe VERB 1. popa *(clean)* 2. tɔre aseɛ *(eliminate completely)*

wire NOUN 1. dadeɛ ahoma VERB 2. mane sika *(send/transfer money)*

wireless NOUN kasafidie *(radio set)*

wisdom NOUN 1. nyansa *(sense)* 2. nimdeɛ *(knowledge)*

wise ADJ 1. nyansani; deɛ ɔnim nyansa 2. badwemma; deɛ ɔyɛ badwemma VERB 3. ma ani da hɔ; ma ani te *(wise up)*

wish NOUN 1. apɛdeɛ 2. ɔpɛ VERB 3. pɛ *(want)*

wit NOUN 1. adwene 2. nyansa

witch NOUN bayifoɔ; bayifoɔ baa

witchcraft NOUN abayisɛm

withdraw VERB 1. twe san 2. yi firi *(remove from)* 3. yi *(remove)* 4. firi *(leave)* 5. twe pe *(practise coitus interruptus)* 6. gyae *(stop; discontinue)* 7. twe *(pull)* 8. twe sɛn *(withdraw someone from an activity)*

withdrawal NOUN 1. nyifirimu 2. ntwefirimu 3. ntwesan

withhold VERB 1. sianka 2. twe san 3. kame

within PREP | ADV emu

withstand VERB 1. gyina ano 2. sɔre gyina

witness NOUN 1. ɔdanseni *(of a person, plural: adansefoɔ)* 2. adanseɛ *(evidence; proof)* VERB 3. hunu; hu *(see)* 4. di adanseɛ *(serve as; provide proof)* 5. kyerɛkyerɛ; kyerɛ mu

wizard NOUN 1. bayibonsam 2. obayifoɔ

wizened ADJ atwintwam; deɛ atwintwam

wobble VERB 1. woso; wosowoso 2. hinhim

woe NOUN 1. awerɛhoɔ *(sadness)* 2. ɛyeaa; ɔyaw *(pan)* 3. ɔhaw *(troubles)*

wolf NOUN ɔpataku

woman NOUN 1. ɔbaa *(female, plural: mmaa)* 2. maame *(adult human female, plural: maamefoɔ)* □ *maame no nie | this is the woman*

womb NOUN awodeɛ □ *n'awodeɛ mu asi | her womb is blocked*

wonder NOUN 1. anwonwadeɛ *(that which evokes wonder/surprise)* 2. adenwonwa *(something surprising)* 3. ahodwirideɛ *(something astonishing)*

woo VERB 1. de ano toto 2. dɛɛdɛɛ 3. daadaa

wood NOUN dua *(plural: nnua)*

woodpecker NOUN abobɔnnua

wool NOUN 1. dwannwi; odwan nwi *(of a sheep)* 2. abirekyinwi; abirekyie nwi *(of a goat)* 3. asaawa *(cotton)*

word NOUN 1. asɛmfua *(single meaningful element of speech/writing, plural: nsɛmfua)* 2. asɛnkaeɛ *(something spoken, plural: nsɛnkaeɛ)* 3. kasa *(something spoken)* 4. bɔhyɛ *(one's promise/assurance)* 5. Asɛm no; Onyankopɔn Asɛm *(God's word)* 6. Twerɛ Kronkron *(Bible)*

work NOUN 1. adwuma *(job; employment)* 2. adwuma mu; adwumam *(place of work)* VERB 3. yɛ adwuma

worker NOUN adwumayɛni *(plural: adwumayɛfoɔ)*

world NOUN ewiase

world wide web NOUN amansan ntontan kɛseɛ

worm NOUN sonsono

worry VERB 1. ha; ha adwene *(past: haa adwene; future: bɛha adwene; progressive: reha adwene; perfect: aha adwene; negative: nha adwene)* □ *woreha m'adwene | you are worrying me* NOUN 2. ɔhaw

worse ADJ 1. ɛnyɛ koraa; deɛ ɛnyɛ koraa 2. asɛe koraa; deɛ asɛe koraa 3. anigyeɛ nnim koraa; deɛ anigyeɛ nnim koraa

worship VERB 1. som NOUN 2. ɔsom

wound NOUN 1. ekuro *(plural: nkuro)* □ *ɔbaa a ekuro da ne nan ho | a woman who has a wound on her leg (a woman with a wound on her leg)* VERB 2. pira *(inflict wound on)*

wrangle NOUN 1. ntɔkwa *(fight)* 2. ɔham 3. wati-me waka-me VERB 4. ko *(fight)* 5. ham so

wrap VERB 1. kyekyere; kyekyere ho *(cover; enclose in)* 2. to abasakɔnmu *(place arm around)* 3. yɛ atuu; bam *(embrace)* VERB 4. abɔsoɔ *(a piece of outer garment; cloth)* 5. ntomasini *(a piece of outer garment; cloth)*

wrapper NOUN 1. nkatahodeɛ 2. nkyekyereho 3. krataa a wɔde kyekyere adeɛ

wrath NOUN abufuhyew

wreath NOUN 1. nna so nhwiren 2. nhwiren a wɔde to nna so

wreck VERB 1. sɛe *(destroy)* 2. sɛe koraa *(destroy completely)* 3. mem; sɛe *(sink/destroy a ship)* NOUN 4. ɔsɛeɛ *(destruction)* 5. suhyɛn sɛeɛ *(shipwreck; destruction of a ship)*

wrest VERB 1. hwim *(forcefully pull something from someone)* 2. gye firi 3. twe firi 4. pere gye

wrestle VERB 1. tentam 2. ko 3. di apiripiragorɔ 4. pere so 5. ham so

wrestling VERB ntentam

wretch NOUN 1. mmɔboroni 2. ohuhuni 3. ɔtwea

wriggle VERB 1. kyinkyim 2. danedane

wring VERB 1. kyim *(squeeze to force liquid from)* 2. bu kɔn mu *(of an animal: break neck)* 3. kyim kɔn mu *(of an animal: twist to break neck)*

wrinkle NOUN 1. mpomponoeɛ 2. deɛ atwintwam VERB 3. pompono 4. twintwam

wrist NOUN abakɔn

writ NOUN 1. samannwoma 2. ɔhyɛnwoma 3. nkurobɔnwoma

write VERB twerɛ

writhe VERB 1. petere; peterepetere 2. danedane 3. kyinkyim

writing NOUN atwerɛ

wrondoing NOUN bɔnedie

wrong ADJ 1. fom *(mistaken)* 2. deɛ ɛnyɛ nokorɛ *(that which is not true; incorrect)* 3. bɔne *(bad)* 4. atɛnkyea *(of judgement: wrong)* 5. deɛ ɛmfa kwan mu *(out of place; amiss)* 6. deɛ ɛho nteɛ NOUN 7. bɔne *(misdeed; wrongdoing)* 8. mfomsoɔ *(mistake)* VERB 9. yɛ bɔne; di bɔne

wrongdoer NOUN ɔbɔneyɛfoɔ

xenophobia NOUN 1. aman fofor ɔ so foɔ anitan 2. afoforɔ anitan

xenophobic ADJ deɛ ɔtan aman foforɔ so foɔ

X'mas NOUN Buronya *(Christmas)*

x-ray NOUN 1. nipadua mu mfonin *(a photograph of the internal part of the human body)* 2. nipadua mu mfonintwa afidie *(of the x-ray device)*

xylophone NOUN adakabɛn

Yy

yacht NOUN 1. hyɛmma 2. akansie nsuhyɛn 3. abɛɛfo nsuhyɛn

yam NOUN bayerɛ

yank NOUN twe prɛko pɛ *(pull suddenly)*

yankee NOUN Amɛrikani

yard NOUN 1. adihɔ hɔ *(court)* 2. abasamfa *(of measurement)*

yarn NOUN asaawa *(cotton)*

yawn VERB hram

yaws NOUN gyatɔ

ye PRON *archaic* mo *(you (plural))*

yea ADV 1. aane *(yes)* 2. yiw 3. weɛ *(exclamatory)*

year NOUN afe *(plural: mfeɛ)* □ *madi mfeɛ aduasa | I am thirty years old*

yearly ADJ afe-afe

yearn VERB 1. pɛ *(like)* 2. pere pɛ 3. fe 4. ani gyina

yell VERB 1. tea mu; team 2. teatea mu; teateam 3. keka mu; kekam 4. bobɔ mu; bobom

yellow NOUN | ADJ akokɔsradeɛ □ *ahosuo a m'ani gye ho pa ara ne akokɔsradeɛ | the colour I like best is yellow*

yelp NOUN 1. nteamu prɛko pɛ *(sudden cry)* NOUN tea mu prɛko pɛ

yeoman NOUN 1. okuani *(farmer)* 2. okuani a ɔde ne ho

yes EXCLAM 1. aane 2. yiw 3. weɛ NOUN 4. aane

yesterday NOUN | ADV ɛnnora; nnora

yield VERB 1. gyae mu; ma kwan *(surrender; give way; allow)* 2. so aba *(bear fruit)* NOUN 3. mfasoɔ *(financial return)* 4. nnɔbaeɛ *(farm produce)*

yoke NOUN kɔndua

yolk NOUN 1. kosua mfimfini 2. kɔkrɔbɔtɔ

yonder NOUN 1. nohoaa *(at some distance)* 2. ɛhɔ *(there)* DET 3. yei *(that)* 4. ɛnonom *(those)*

NOUN 5. nohoaa; akyirikyiri *(the far distance)*

you PRON

1st person singular subject

1. wo □ *wokae me? | you remember me?* □ *wokɔɔ he? | you went where?* □ *woadidi? | have you eaten?*

PRON

1st person singular object

2. wo □ *maame refrɛ wo | mum is calling you* □ *mehia wo | I need you* □ *medɔ wo | I love you*

PRON

2nd person plural subject

3. mo □ *moapɔn? | have you (plural) closed?* □ *mofrɛɛ me nnora | you (plural) called me yesterday* □ *monni haw | you (plural) don't have a problem*

PRON

2nd person plural object

4. mo □ *Twumasi atua ama mo | Twumasi has paid for you (plural)* □ *Ntim seree mo | Ntim laughed at you (plural)* □ *mennim mo | I don't know you (plural)*

young ADJ 1. ketewa 2. kumaa 3. deɛ ɔsua NOUN 4. ɔba *(offspring, plural: mma)* 5. abɔfra; akwadaa *(child)* 6. abotafowa *(young child, plural: mmotafowa)* 7. akɔkoa *(infant, plural: nkɔkoa)*

young man NOUN 1. aberanteɛ *(plural: mmeranteɛ)* 2. aberantewa *(plural: mmerante wa)*

young woman NOUN ababaawa *(plural: mmabaawa)*

youngster NOUN 1. akwadaa *(child)* 2. ɔbabunu *(youth person/adult)* 3. aberanteɛ *(young man)* 4. ababaawa *(young woman)*

your ADJ

2nd person singular possessive

1. wo *(changes into the prefix w' when the name of the possessed entity starts with the letter 'a')* □ *wo suban kyerɛ | your character shows* □ *w'animuonyam | your honour* □ *w'ahoɔfɛ de wo bɛkɔ; wo suban de wo bɛba | your beauty will take you there; your character will bring you back*

yours PRON

2nd person plural possessive

mo dea □ *ɔman no yɛ mo dea | the country is yours* □ *ɛyɛ mo dea | its yours* □ *agyinamoa no yɛ mo dea | the cat is yours*

yourself PRON

reflexive

1. wo ho □ *wogye wo ho di | you believe in yourself* □ *woretwa wo ho ntorɔ | you are lying to yourself*

PRON

intensive

2. wo ara □ *wo ara na wobaeɛ | you came yourself*

yourselves PRON

reflexive

1. mo ho □ *moha mo ho dodo | you worry yourselves too much*

PRON

intensive

2. mo ara *(pronounced: moaa)* □ *mo ara mobɛba | you will come yourselves*

youth NOUN 1. ɔbabunu *(plural: mmabunu)* 2. aberanteɛ *(young man, plural: mmeranteɛ)*

youthful ADJ deɛ ɔyɛ babunu

Zz

zeal NOUN 1. aniku 2. ahokeka 3. anem 4. nsi 5. ɔpɛpa 6. aniber e 7. animia

zealous ADJ 1. deɛ n'ani ku biribi yɔ 2. deɛ ɔkeka ne ho biribiyɔ mu

zenith NOUN 1. atifi 2. apampam *(directly above one's head)*

zephyr NOUN ahum

zero NOUN 1. ohunu 2. hwee

zigzag NOUN 1. apompono 2. deɛ akontorokontoro

zone NOUN 1. ɔfa *(section)* 2. asasetam *(of land: expanse)* 3. beaeɛ *(place; area)* 4. mantam *(region)* 5. nkyemu; beaeɛ nkyemu *(division)* VERB 6. kyɛ mu *(divide)*

zoo NOUN 1. mmoa korabea 2. beaeɛ a wɔkora mmoa ahodoɔ

zoolatry NOUN mmoadoma som *(the worship of animals)*

zoologist NOUN mmoadoma ho nimdefoɔ

zoology NOUN 1. mmoadoma ho nimdepɛ; mmoadoma ho adesua *(study of animals)* 2. mmoadoma ho nimdeɛ *(knowledge about animals)*

Bibliography

Christaller, J. G., Locher, C. W., & Zimmermann, J. (1874). A Dictionary, English, Tshi-Asànté-Akra... By the Rev. JG Christaller, Rev. CW Locher, Rev. J. Zimmermann. Basel Evang. Missionary Society.

Christaller, J. G. (1881). A dictionary of the Asante and Fante language called Tshi (Chwee, Tw̌i): with a grammatical introduction and appendices on the geography of the Gold Coast and other subjects. evangelical missionary Society.

Guerini, F. (2006). *Language alternation strategies in multilingual settings: a case study: Ghanaian immigrants in Northern Italy* (Vol. 289). Peter Lang.

Akan. (2013, December 16). In *Ethnologue*. Retrieved July 21, 2018, from https://www.ethnologue.com/subgroups/akan

Ager, S. (2006, March 19). *Akan languages, alphabet and pronunciation.* Retrieved July 21, 2018, from http://www.omniglot.com/writing/akan.htm

Awiba, S. (2016, July 15). *The Akan language / Twi*. Retrieved August 1, 2018, from https://www.learnakan.com/akan-language/

Osam, E. K. (2004). *An introduction to the structure of Akan: its verbal and multiverbal systems*. Department of Linguistics, University of Ghana.

Cobuild, C. (2009). Collins Cobuild Advanced Dictionary. *Heinle Cengage Learning*.

Made in the USA
Middletown, DE
23 June 2020